PETER SCAZZERO

Espiritualidade emocionalmente saudável

Desencadeie uma revolução em sua vida com Cristo

Emotionally Healthy Spirituality

Publicado em Nashiville, Tennesse, por Thomas Nelson, Inc. A obra original foi negociada pela agência literária Silvia Bastos S. L., gerenciadora dos direitos.

1ª edição: novembro de 2013
15ª reimpressão: abril de 2025

Tradução: Onofre Muniz
Revisão: Norma Cristina G. B. Venâncio e Josemar S. Pinto
Diagramação: Catia Soderi
Capa: Maquinaria Studio
Editor: Aldo Menezes
Coordenador de produção: Mauro Terrengui
Impressão e acabamento: Imprensa da Fé

Editora Hagnos Ltda.
Rua Geraldo Flausino Gomes, 42, conj. 41
CEP 04575-060 — São Paulo, SP
Tel.: (11) 5990-3308

E-mail: editorial@hagnos.com.br | Home page: www.hagnos.com.br

Editora associada à ABDR (Associação Brasileira de Direitos Reprográficos)

Dados Internacionais de Catalogação na Publicação (CIP)
Câmara Brasileira do Livro, SP, Brasil

Scazzero, Peter
Espiritualidade emocionalmente saudável: desencadeie uma revolução em sua vida com Cristo/ Peter Scazzero; [traduçao: Onofre Muniz]. - São Paulo Hagnos 2013.

ISBN 978-85-243-0446-0

Título original: Emotionally Healthy Spirituality: Unleash a Revolution in Your Life in Christ.

1. Crescimento espiritual 2. Espiritualidade 3. Saúde emocional: aspectos religiosos - cristianismo 4. Vida cristã Título I

13.10469 CDD 248.4

Índices para catálogo sistemático:
1. Espiritualidade: cristianismo 248.4

SUMÁRIO

Agradecimentos 5

Introdução 7

PARTE I

O problema da espiritualidade emocionalmente doentia

1. Reconhecendo a ponta do *iceberg* da espiritualidade 13
   Há algo muito errado

2. Os dez primeiros sintomas da espiritualidade emocionalmente doentia 31
   Diagnosticando o problema

3. O antídoto radical: saúde emocional e espiritualidade contemplativa 51
   Levando transformação aos lugares mais profundos

PARTE II

Caminhos para uma espiritualidade emocionalmente saudável

4. Conheça a si mesmo para conhecer Deus 83
   Tornando-se seu verdadeiro ego

5. Retroceda para avançar 119
   Rompendo com o poder do passado

6. Jornada através da Muralha 147
Abdicando do poder e do controle

7. Amplie sua alma através do sofrimento e da perda 169
Rendendo-se aos seus limites

8. Descubra os ritmos do ofício divino e do descanso semanal 191
Parando para respirar o ar da eternidade

9. Torne-se um adulto emocionalmente maduro 217
Adquirindo novas habilidades para amar

10. Dê o próximo passo para desenvolver uma "Regra de vida" 241
Amar a Cristo acima de tudo

Apêndice A: A oração de exame 261
Apêndice B: O ofício divino 263
Notas 271

AGRADECIMENTOS

Embora este livro tenha sido escrito por mim, o conteúdo nasceu com Geri, minha melhor amiga e esposa durante os últimos 22 anos. Experimentamos os *insights* que estão neste livro de várias formas: como indivíduos, como casal e como pais de nossas quatro filhas - Maria, Christy, Faith e Eva.

Quero agradecer à família da Igreja New Life Fellowship, de Queens, cidade de Nova York, onde sou pastor titular há dezenove anos. Este livro foi escrito devido à realidade de nossa vida como comunidade multirracial e multiétnica empenhada em desfazer barreiras raciais, culturais, econômicas e de sexos, para servir ao fraco e marginalizado. O conteúdo deste livro emergiu desse solo; a abertura para o Espírito Santo e a paixão pelo Senhor Jesus são um presente. Quero expressar especial reconhecimento aos presbíteros, ao grupo de trabalho, aos líderes, membros e amigos íntimos da Igreja New Life Fellowship, e a todos que leram os rascunhos e partes deste livro durante todo o processo (são muitos para mencioná-los nominalmente). Obrigado a todos.

Quero agradecer a Peter Schreck, do Seminário Teológico Palmer, e a Chris Giammona, Emma Baez, Peter Hoffman e Jay Feld. Cada um deles leu capítulos importantes e contribuiu significativamente ao longo do tempo. Agradeço a Mike Favilla por suas muitas horas de trabalho sobre os primeiros rascunhos das ilustrações do livro. Agradeço a Kathy Helmers, minha agente, que tem sido uma dádiva e guia em todo o processo. Agradeço a Joey Paul e Kris Bears, editores da Integrity, que, com suas questões e intuições perspicazes, elevaram este livro a outro nível. Obrigado também a Leslie Peterson, meu editor, por seu excelente trabalho, junto com muitas outras pessoas responsáveis pela publicação.

INTRODUÇÃO

O objetivo deste livro não é apenas prover informação. Sua pretensão é mudar sua vida. É um convite para um relacionamento mais profundo e mais amplo com Jesus Cristo, pedindo que você viaje para o desconhecido, como fez Abraão ao deixar sua casa confortável em Ur. A combinação de saúde emocional e espiritualidade contemplativa - o centro da mensagem encontrada nestas páginas - desencadeará uma revolução nos lugares profundos de sua vida. Essa revolução, por sua vez, transformará todos os seus relacionamentos.

Em 2003, escrevi um livro para líderes de igrejas e pastores, intitulado *The Emotionally Healthy Church*[1] [A igreja emocionalmente saudável]. O impacto desse livro nos surpreendeu, e reconhecemos que Deus nos proporcionara verdadeiramente algumas percepções sobre como unir saúde emocional e espiritualidade. Ele mudou dramaticamente nossa vida e a de muitas outras pessoas na Igreja New Life Fellowship, em Queens, cidade de Nova York. Logo que começamos a viajar e a apresentar seminários, percebemos que o primeiro livro atingira um nervo exposto entre líderes e pastores de todas as linhas denominacionais e teológicas. A mensagem do livro se espalhou rapidamente na América do Norte e no exterior.

O livro que o leitor tem em mãos é diferente em três aspectos muito importantes. Primeiro, eu quis disponibilizar o material com consequências para toda a vida, desenvolvido em *The Emotionally Healthy Church*, não apenas a pastores e líderes, mas também ao frequentador comum da igreja. Em segundo lugar, quem leu o primeiro livro notará que outros princípios foram acrescentados, retrabalhados e aprofundados. Os últimos quatro anos foram um tempo precioso para reflexão e discussão em torno deste material. Finalmente, escrevo desejando ardentemente que os antigos tesouros da igreja se tornem acessíveis. A tradição contemplativa oferece à nossa tarefa de fazer discípulos e à formação espiritual na Igreja New Life Fellowship uma plenitude, uma riqueza e um senso de unidade. O resultado foi nada menos que explosivo (não sei que outra palavra usar!) na vida de muitas pessoas.

Sou pastor titular da Igreja New Life Fellowship há dezenove anos. Pessoas de mais de 65 nações atravessam nossas portas a cada semana. Isso abriu uma janela singular para trabalhar este material numa família da igreja local. Tem sido uma experiência estimulante. Como igreja, vimos absorvendo lentamente os princípios encontrados neste livro há mais de dez anos. Cada assunto encontrado nos vários capítulos é objeto de reflexão, pregação, oração, aplicação e é vivido pelos membros de nossa igreja (e por mim também). Aos poucos, eles se apropriam de todo esse conteúdo para sua própria jornada com Cristo.

Agora é a sua vez. Por isso, por favor, leia este livro em atitude de oração... Ponderadamente... Lentamente. Faça pausas para absorver os vislumbres que o Espírito Santo lhe oferecer ao longo da leitura, sobre Deus e sobre você. Anote o que Deus lhe disser. Quando leio um livro edificante em que Deus se mostra para mim, escrevo em uma das páginas em branco algumas frases sobre cada observação, junto com o número da página. Dessa forma posso voltar ao trecho e reler o que Deus me disse. Você pode querer escrever nas margens deste livro.

Ore, devagar, ao final de cada capítulo. Não se apresse. Cada capítulo poderia facilmente ser expandido para se tornar outro livro. Há muito para mastigar aqui.

Mais importante, aprecie e ame o Senhor Jesus Cristo à medida que você o encontra nestas páginas. Você quer crescer em suas experiências com ele, não simplesmente acumular conhecimento sobre ele.

O livro está dividido de forma simples. A Parte I é intitulada "O problema da espiritualidade emocionalmente doentia". Esses capítulos pretendem ajudar você a reconhecer a natureza da espiritualidade emocionalmente doentia. É importante enxergar com clareza a natureza e o alcance do problema antes de entender qual o antídoto radical e poderoso. O capítulo 3 fornece a base para o restante do livro, explicando por que tanto a saúde emocional como a espiritualidade contemplativa são indispensáveis para produzir transformação em Cristo aos lugares profundos de nossa vida. Você pode querer voltar a ler esse capítulo ao terminar o livro. A Parte II (caps. 4 a 10) trata de caminhos específicos para desenvolver uma espiritualidade emocionalmente saudável.

Na introdução do seu livro *The Living Flame* [A chama viva], João da Cruz observou que tudo o que escreveu era "tão distante da realidade quanto uma pintura se afasta do objeto vivo representado":[2] Não obstante, ele se aventurou a escrever o que sabia. Da mesma forma, este livro não pode capturar o Deus incompreensível e inexaurível que procuramos conhecer e amar. Vamos passar a eternidade conhecendo-o melhor. À medida que ler, lembre que estas palavras são como uma pintura, dirigindo-nos para um encontro mais rico e mais autêntico com o Deus vivo em Cristo. O verdadeiro sucesso deste livro será medido por uma mudança positiva em seu relacionamento com Jesus, com você mesmo e com os outros.

Desde que uma falta de saúde emocional no início do meu ministério quase me fez sucumbir, sou grato a Deus por sua misericórdia. Isso me possibilitou não apenas sobreviver, mas também desfrutar a riqueza da vida cristã de um modo que eu jamais imaginara. Se você está faminto por Deus para o transformar e aos que o cercam, convido-o a virar a página e começar a ler.

Parte I

O PROBLEMA DA ESPIRITUALIDADE EMOCIONALMENTE DOENTIA

1

RECONHECENDO A PONTA DO *ICEBERG* DA ESPIRITUALIDADE

Há algo muito errado

A espiritualidade cristã, sem integração com a saúde emocional, pode ser mortal - a você mesmo, ao seu relacionamento com Deus e às pessoas ao seu redor. Conheço isso. Tendo vivido metade da minha vida adulta dessa maneira, tenho mais exemplos pessoais do que disposição para contar.

A experiência a seguir é uma das que eu gostaria de esquecer.

FAITH E A PISCINA

Conheci John e Susan ao pregar em outra igreja. Eles ficaram animados e empolgados com a expectativa de visitar a Igreja New Life Fellowship, em Queens, onde sou pastor. Num domingo quente e úmido de julho, eles fizeram a longa e difícil viagem de Connecticut, com todo o trânsito previsível, para participarem até o fim de nossos três cultos. Entre o segundo e o terceiro cultos John puxou-me de lado e me disse que gostariam de ter um momento para conversar comigo e Geri.

Eu estava exausto. Mas minha maior preocupação foi o que o pastor deles, amigo meu, pensaria. O que eles lhe diriam se eu simplesmente os mandasse embora? O que eles poderiam dizer a meu respeito?

Por isso eu menti.

- Claro, eu gostaria de convidá-los para um almoço à tarde. Estou certo de que Geri também gostaria!

Geri, no desejo de ser uma "boa esposa de pastor", concordou com o almoço quando eu convidei, embora ela também preferisse dizer não. John, Susan e eu chegamos à casa por volta das três horas da tarde. Em poucos minutos nós quatro nos sentamos para comer.

Então John começou a falar... e falar... e falar... Susan não dizia nada.

Geri e eu olhávamos, de vez em quando, um para o outro. Sentimos que tínhamos de dar-lhe tempo. Mas quanto tempo?

John continuava a falar... e falar... e falar...

Eu não podia interrompê-lo. Ele falava com tanta veemência sobre Deus, sua vida, suas novas oportunidades no trabalho. Eu disse a mim mesmo enquanto fingia escutar: *Oh, Deus, quero ser amável e gentil, mas qual o limite?* Então eu me senti culpado por estar com fome. Queria que John e Susan considerassem Geri e eu hospitaleiros e educados. Por que ele não dava oportunidade à sua esposa de dizer alguma coisa? Ou a nós?

Finalmente, Susan fez uma pausa para ir ao banheiro. John pediu licença para um rápido telefonema. Uma vez sós, Geri falou em voz alta.

- Pete, não acredito que você tenha feito isso! - ela resmungou com voz irritada. - Você não tem tempo para mim. Não tem tempo para as crianças...

Abaixei a cabeça e deixei os ombros caírem esperando despertar misericórdia com minha humildade.

Não consegui.

Susan retornou do banheiro, e John recomeçou a falar. Odiei estar sentado àquela mesa da cozinha.

- Espero não estar falando muito - disse John de forma inesperada.

- Não, claro que não - continuei mentindo a nosso favor. Garanti-lhe: - É ótimo tê-los aqui.

Geri estava em silêncio ao meu lado. Eu não quis levantar o olhar.

Passada outra hora, durante uma rara pausa, Geri se manifestou:

- Faz um tempo que não ouço Faith.

Faith era a nossa filha de 3 anos.

John continuou a falar como se Geri não tivesse dito uma só palavra. Geri e eu trocamos olhares novamente e continuamos fingindo ouvir, esticando o pescoço de vez em quando para olhar para fora da sala.

Ah, tenho certeza de que tudo está bem - convenci-me.

Geri, entretanto, começou a parecer muito preocupada. Sua face mostrou tensão, preocupação e impaciência. Pude perceber que a mente dela estava vasculhando opções de onde Faith poderia estar.

A casa estava muito silenciosa.

John continuou falando.

Finalmente, Geri pediu licença num tom em que pude perceber que ela estava irritada:

- Tenho de ir ver onde está nossa filha.

Ela se lançou como uma flecha para o porão. Nada de Faith. Quartos. Nada de Faith. Sala de estar e os quartos. Nada.

Freneticamente, ela voltou correndo para a cozinha.

- Pete! Ó meu Deus, não consigo encontrá-la. Ela não está aqui!

O horror se apoderou de nós quando nossos olhos se fecharam por uma fração de segundo. Ambos imaginamos o impensável: a piscina!

Embora nossa casa geminada não tivesse muito espaço, tínhamos uma pequena piscina de 90 centímetros no quintal, para alívio do forte verão de Nova York. Corremos para o quintal... e vimos nossos piores temores concretizados.

Lá estava Faith no meio da piscina, nua, mal se mantendo na ponta dos pés, com água até o queixo, quase na boca.

Naquele momento eu me senti como se tivéssemos 5 anos.

- Faith. Não se mexa! - Geri gritou enquanto corríamos para puxá-la para fora da piscina.

De alguma forma Faith havia se deixado soltar pela escada dentro da piscina sem escorregar. E se manteve na ponta dos pés dentro d'água durante quem sabe por quanto tempo!

Se ela tivesse vacilado, Geri e eu teríamos feito o enterro de nossa filha.

Geri e eu ficamos muito abalados - durante dias. Sinto calafrio ainda hoje ao escrever estas palavras.

A triste verdade sobre esse incidente é que nada mudou dentro de nós. Isso levaria mais cinco anos, muito mais aflição e um pouco mais de quase acidentes.

Como eu pude, junto com Geri, ter sido tão negligente? Recordo-me, constrangido, de como agi de forma falsa e imatura com John e Susan, com Deus e comigo mesmo. John não foi o problema; eu fui. Exteriormente eu pareci bom, polido e paciente, quando interiormente eu não era nada daquilo. Por isso eu quis apresentar uma imagem polida de bom cristão e me alienei do que estava acontecendo dentro de mim mesmo. Inconscientemente, eu estivera pensando: *Espero ser um bom cristão. Este casal irá gostar de nós? Eles pensarão que estamos bem? John fará um bom relato de sua visita ao meu amigo pastor?*

Fingir foi mais seguro do que a honestidade e a fragilidade.

A realidade foi que o meu discipulado e minha espiritualidade não haviam atingido uma série de profundas feridas internas e padrões de pecado - especialmente os horríveis que emergiram por trás daquelas portas fechadas de nossa casa durante as provações, os desentendimentos, os conflitos e as derrotas.

Eu estava preso a um nível imaturo de desenvolvimento espiritual e emocional. E o meu jeito de viver a vida cristã não estava transformando os profundos espaços de minha vida.

E, por causa disso, Faith quase morreu. Alguma coisa estava terrivelmente errada com minha espiritualidade - mas o quê?

DESERTORES DA IGREJA

Pesquisadores vêm mapeando o rastro daqueles que são conhecidos como "desertores de igreja"[1] - um grupo que vem aumentando, principalmente nos últimos anos. Alguns desses desertores são crentes que não mais frequentam as igrejas. Esses homens e mulheres assumiram um genuíno compromisso com Cristo, mas vieram a perceber, lenta e dolorosamente, que a espiritualidade disponível na igreja não produzira qualquer profunda mudança de vida em Cristo - neles ou nas outras pessoas.

O que deu errado? Eles eram sinceros seguidores de Jesus Cristo, mas lutaram tanto quanto qualquer outra pessoa com seu casamento, divórcio, amizades, cuidado familiar, sinceridade, sexualidade, vícios, inseguranças, esforço por aprovação e sentimentos de fracasso e depressão no trabalho, na igreja e no lar. Eles perceberam os mesmos padrões de conflito emocional dentro e fora da igreja. O que estava errado com a igreja?

Entre outros desertores de igreja, estão os que permaneceram nela, mas simplesmente se tornaram inativos. Após muitos anos de frustração e decepção, percebendo que a apresentação da vida de fé em branco e preto não se encaixava em sua experiência de vida, eles se retiraram - pelo menos interiormente. Em consideração a seus filhos, ou talvez por falta de alternativa, permaneceram na igreja, mas passivamente. Não chegam a colocar o dedo no problema, mas sabem que algo não está certo. Está faltando alguma coisa. Um profundo desconforto em sua alma os atormenta, mas eles não sabem o que fazer com isso.

Um terceiro grupo, infelizmente, escolhe jogar a fé pela janela. Sentiam-se presos, imobilizados em sua jornada espiritual, e se cansaram. Também se cansaram da companhia de cristãos que, independentemente de seu "conhecimento" de Deus, envolvimento com a igreja ou zelo, eram exasperados, compulsivos, opiniáticos, defensivos, orgulhosos e ocupados demais para amar o Jesus que professavam. Ser cristão parecia mais problema que solução. Starbucks e o jornal *New York Times* eram melhor companhia para as manhãs de domingo.

Houve um tempo em minha vida em que eu quis mais que tudo ser um desses desertores da igreja. A dor agonizante de uma grande crise me deixou crispado de raiva e vergonha - *eu*, o sujeito que havia tentado muito ser um cristão comprometido e amoroso, que era sincero demais em servir a Deus e ao seu reino. Como todos meus melhores esforços haviam me deixado em tal confusão?

Quando a dor expôs o que estava oculto sob a capa de "bom cristão", aquilo me atingiu: camadas inteiras de minha vida emocional estavam enterradas, intocadas pelo poder transformador de Deus. Eu estava ocupado demais praticando uma "introspecção mórbida", absorvido demais em edificar a obra de Deus para vasculhar meu subconsciente. Ainda então o sofrimento me forçava a enfrentar quão superficialmente Jesus havia penetrado em meu interior, apesar de eu ser cristão havia vinte anos.

Foi quando descobri a verdade radical que mudou minha vida, meu casamento, meu ministério e finalmente a igreja que tínhamos o privilégio de servir. Foi uma verdade simples, mas que de alguma forma eu não havia percebido - e, curiosamente, também a grande maioria do movimento evangélico do qual eu participava. Essa verdade simples, porém profunda, tem o poder de produzir uma revolução na vida de muitos que estão prontos a "jogar a toalha" da fé cristã: a saúde emocional e a maturidade espiritual são inseparáveis.

CRESCIMENTO EMOCIONAL RUDIMENTAR

Poucas, bem poucas pessoas surgem de suas famílias de origem em um estado emocionalmente perfeito ou idôneo. Em meus anos iniciais de ministério, eu acreditava que o poder de Cristo podia quebrar qualquer maldição, por isso dava pouquíssima atenção ao fato de que o lar que eu havia deixado para trás, havia muito tempo, ainda estava me moldando. Afinal, Paulo não ensinou em 2Coríntios 5:17 que, quando você se torna cristão, *as coisas velhas já passaram; eis que tudo se fez novo*? Mas a crise me ensinou que eu tinha de voltar e compreender o que eram aquelas coisas antigas para que elas começassem a passar.

Minha família ítalo-americana, como todas as famílias, foi desarticulada. Meus pais eram filhos de imigrantes e se sacrificaram por seus quatro filhos para desfrutar o sonho americano. Meu pai, padeiro por profissão, trabalhava horas sem fim, primeiro em Nova York, numa confeitaria italiana do meu avô, e depois para um grande distribuidor de pães. Seu objetivo prioritário foi o estudo de seus filhos, a conclusão da faculdade e "fazer algo da vida deles".

Minha mãe lutou com depressão clínica e com um marido emocionalmente inacessível. Criada por um pai violento, ela se viu asfixiada sob o peso de criar os quatro filhos sozinha. Sua vida de casada, tal como sua infância, foi marcada por tristeza e solidão.

Meus irmãos e eu saímos desse ambiente marcados por cicatrizes. Éramos emocionalmente subdesenvolvidos e carecíamos de afeição e atenção. Todos nós saímos de casa para a faculdade, tentando inutilmente não olhar para trás.

Fora de casa, como para muitos outros, pareceu tudo bem. Pareceu melhor, pelo menos, do que a situação da maioria dos meus amigos. O castelo de cartas, entretanto, caiu quando fiz 16 anos. Meu irmão mais velho transgrediu uma regra invisível de nossa família ao desobedecer a meu pai e sair da faculdade. Pior ainda, ele declarou que o reverendo Moon e sua esposa, fundadores da Igreja da Unificação, eram os verdadeiros pais da humanidade. Nos dez anos seguintes ele foi declarado morto e proibido de voltar para casa. Meus pais ficaram envergonhados e arrasados. Eles se afastaram da família estendida e dos amigos. A pressão e o estresse de sua dramática saída expuseram as grandes crateras e buracos no funcionamento de nossa família. Nós nos fragmentamos ainda mais.

Só começaríamos a nos recuperar disso quase duas décadas depois.

O mais trágico, talvez, foi que a espiritualidade do meu pai e seu fiel envolvimento com a igreja (ele era o único membro de nossa família com alguma centelha de fé genuína) teve pouco impacto sobre seu casamento e sua atuação como pai. A maneira como ele agiu como pai, marido e empregado espelhou sua cultura e origem familiar em vez de espelhar a nova família de Jesus.

Minha família é indubitavelmente diferente da sua. Mas uma coisa aprendemos após mais de vinte anos de trabalho próximo com famílias: a sua família, semelhante à minha, é também marcada por consequências da desobediência de nossos primeiros pais, como descrito em Gênesis 3. Vergonha, segredos, mentiras, traições, relacionamentos rompidos, decepções e anseios não resolvidos por amor incondicional estão debaixo da camada de verniz até das famílias mais respeitáveis.

CRER EM CRISTO

Desiludido e inseguro da existência de Deus, aos 13 anos de idade eu saíra da igreja, convencido de que ela era irrelevante para a "vida real". Foi por meio de um concerto cristão numa pequena igreja e um estudo bíblico no *campus* de nossa universidade que, pela graça de Deus, eu me tornei cristão. Eu tinha 19 anos. A imensidão do amor de Deus em Cristo me subjugou. Imediatamente comecei uma busca apaixonada para conhecer esse Jesus vivo que se revelara a mim.

Durante os dezessete anos seguintes, entrei de cabeça erguida em minha recente tradição evangélica/carismática, absorvendo cada gota de discipulado e espiritualidade disponível. Orei e li a Escritura. Devorei livros cristãos. Participei de pequenos grupos e frequentei a igreja regularmente. Aprendi sobre disciplinas espirituais. Servi entusiasticamente com meus dons. Distribuí dinheiro abundantemente. Falei de minha fé a qualquer um que ouvisse.

Após a formatura na faculdade, ensinei inglês no colégio durante um ano e depois fui trabalhar durante três anos na equipe da InterVarsity Christian Fellowship, ministério cristão que atende aos estudantes universitários. Isso acabou me levando ao Seminário Teológico de Princeton e ao Seminário Gordon-Conwell. Também passei um ano na Costa Rica para aprender espanhol e implantei uma igreja multiétnica em Queens, Nova Iorque.

Durante esses primeiros dezessete anos como dedicado seguidor de Cristo, entretanto, os aspectos ou áreas emocionais de minha humanidade permaneceram, em grande medida, intocados. Raramente se falava sobre eles ou neles se tocava nas aulas de escola dominical, pequenos grupos ou nos ambientes da igreja. De fato, a expressão "aspectos ou áreas emocionais de minha humanidade" parecia pertencer ao vocabulário de um conselheiro profissional, não da igreja.

TENTANDO ABORDAGENS DIFERENTES PARA DISCIPULAR

Exatamente quando a direção do meu ministério pareceu estar atingindo sua plena forma, Geri, minha esposa, começou a esboçar o protesto de que algo estava terrivelmente errado - errado comigo e errado com a igreja. Eu sabia que ela podia estar certa, por isso continuei tentando implementar diferentes ênfases de discipulado que, até certo ponto, me ajudaram. Minha conversa comigo mesmo foi algo como:

"Mais estudo bíblico, Pete. Isso mudará as pessoas. A mente delas será renovada. Vidas mudadas virão." "Não. É a vida do corpo. Consiga todos em níveis mais profundos de comunidade, em pequenos grupos. Isso dará certo!"

"Pete, lembre-se, mudança profunda requer o poder do Espírito. Isso só pode vir pela oração. Gaste você mesmo mais tempo em oração e programe mais reunião de oração na New Life Fellowship. Deus não age, a menos que oremos."

"Não, esses são assuntos de batalha espiritual. As pessoas não estão realmente mudando porque os poderes demoníacos não estão sendo confrontados. Aplique a Escritura e ore na autoridade de Jesus para que as pessoas sejam libertadas do Maligno."

"Adore. É isso. Se as pessoas ao menos se impregnarem da presença de Deus em adoração, isso funcionará."

"Lembre-se das palavras de Cristo em Mateus 25:40. Encontramos Cristo quando damos liberalmente aos 'meus menores irmãos', os enfermos desconhecidos, na prisão. Mantenha-os envolvidos em servir entre os pobres; eles mudarão."

"Não, Pete, você precisa de pessoas que ouçam Deus de uma forma excepcional e tenham discernimento profético. Finalmente eles romperão cadeias invisíveis."

"Basta, Pete. As pessoas realmente não entendem a graça de Deus no evangelho. Nossa permanência perante Deus está baseada no que Jesus fez, não nós. É a justiça dele, não a nossa! Ponha isso na cabeça deles todos os dias, como disse Lutero, e eles mudarão!"

Há verdade bíblica em cada um desses pontos. Acredito que todos eles têm um lugar em nossa jornada e em nosso desenvolvimento espiritual. Você, sem dúvida, experimentou Deus e sua presença por meio de um ou mais desses em sua caminhada com Cristo.

O problema, entretanto, é que inevitavelmente você acha, como eu, que algo ainda está faltando. De fato, a espiritualidade da maioria dos modelos atuais de discipulado apenas adiciona mais uma camada protetora contra o crescimento emocional. Quando as pessoas têm experiências reais e úteis em certas áreas da vida delas - como adoração, oração, estudos bíblicos e comunhão -, muitas vezes acreditarão agir corretamente, mesmo que sua vida relacional e seu mundo interior estejam em desordem. Esse aparente "progresso" acaba determinando uma razão espiritual para descumprir o difícil trabalho do amadurecimento.

Trata-se de um autoengano.

Sei bem o que é isso. Vivi assim durante quase dezessete anos como cristão. Por causa do crescimento espiritual em certas áreas da minha vida e das pessoas ao meu redor, ignorei a realidade que dá sinais de imaturidade emocional que estava em toda parte em mim e ao meu redor.

Muitos de nós, em nossos momentos mais sinceros, admitiremos a existência de profundas camadas sob nossa consciência do dia a dia. Como mostra a ilustração seguinte, somente cerca de 10% de um *iceberg* é visível na superfície da água. Esse 10% representa as mudanças visíveis que efetuamos e que os outros conseguem ver. Somos mais gentis, mais respeitáveis. Frequentamos a igreja e participamos regularmente. De certa forma nós "limpamos nossa vida" e nos livramos do álcool, das drogas, da linguagem obscena, do comportamento ilícito, entre outras coisas. Começamos a orar e a falar de Cristo a outras pessoas.

MODELO DO *ICEBERG*

O que fica sob a superfície

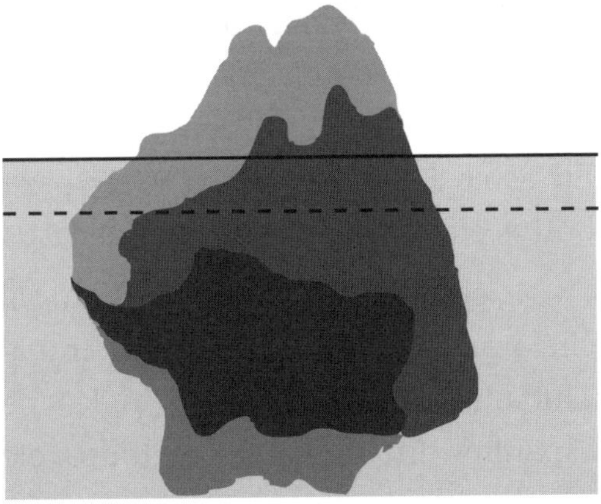

Mas as raízes do que somos continuam inalteradas e imóveis.

Os modelos espirituais contemporâneos abordam um pouco do 90% sob a superfície. O problema é que uma grande parte (v. a linha pontilhada) permanece intocada por Jesus Cristo até que haja um sério compromisso com o que eu chamo de "espiritualidade emocionalmente saudável".

A DOR ME CHAMA A ATENÇÃO

Três coisas finalmente me arrastaram, chutando e gritando, para me abrir à ideia da espiritualidade emocionalmente saudável.

Primeira, eu não estava experimentando a alegria ou contentamento que a Escritura nos promete em Cristo. Eu era infeliz, frustrado, sobrecarregado de trabalho e estressado. Deus me convidara para a vida cristã com a oferta: *o meu jugo é suave e o meu fardo é leve* (Mateus 11:30), um convite a uma vida livre e abundante. Mas eu não estava sentindo isso.

O jugo, na antiga Palestina, era feito de madeira, feito à mão para se encaixar perfeitamente à nuca e aos ombros do boi e evitar irritação ou corte. Da mesma forma, a garantia de Jesus de um "jugo leve, suave" pode ser traduzida da seguinte maneira: "Fiz uma vida para você, um jugo para você carregar que se ajusta perfeitamente ao que você é. É leve e suave, eu prometo".

Na realidade, entretanto, após muitos anos como cristão ativo, senti-me exausto e precisando de um descanso. Minha vida se resumia a simplesmente reagir ao que outras pessoas faziam ou poderiam fazer, ao que pensavam ou poderiam pensar a meu respeito. Eu achava que devíamos viver para agradar a Deus. Agradar os outros era outra coisa. O jugo de Jesus pareceu incômodo.

Segunda, eu estava irritado, amargo e deprimido. Durante cinco anos eu tentara fazer o trabalho de duas ou três pessoas. Tínhamos dois cultos em inglês pela manhã e um à tarde em espanhol. Eu pregava em todos eles. Quando meu colaborador no culto vespertino em espanhol abandonou a igreja levando dois terços dos membros (que eram 250) para começar sua própria igreja, eu me vi odiando-o. Tentei, sem sucesso, perdoá-lo.

Experimentei a crescente tensão de uma vida dupla - pregando amor e perdão aos domingos e praguejando sozinho em meu carro às segundas-feiras. A lacuna entre minhas crenças e minha experiência revelou-se então com uma clareza apavorante.

Terceira, Geri estava sozinha, cansada de agir como mãe solteira com nossas quatro filhas. Ela queria mais do nosso casamento e ficou cada vez mais frustrada até, finalmente, me confrontar. Ela chegara a um ponto onde não podia aceitar desculpas, atrasos e comportamentos evasivos. Ela não tinha nada mais a perder.

Certa noite, quando eu estava sentado em nossa cama lendo, ela entrou no quarto e, calmamente, me informou:

- Pete, eu seria mais feliz solteira do que casada com você. Estou pulando fora dessa montanha-russa. Amo você, mas me recuso a viver dessa maneira. Eu esperei... Tenho tentado conversar com você. Você não está ouvindo. Não posso mudar você. A decisão é sua. Mas eu vou seguir com minha vida.

Ela estava resolvida:

- Ah, sim, a propósito, a igreja que você pastoreia? Eu desisto. Sua liderança não está valendo nada.

Durante um breve momento, compreendi por que as pessoas assassinam quem amam. Ela havia exposto minha nudez. Uma parte de mim quis estrangulá-la. Principalmente porque eu me senti profundamente envergonhado. Era quase demais para o meu fraco ego suportar.

No entanto, essa foi provavelmente a iniciativa mais amorosa de Geri em todo o nosso casamento. Embora ela não pudesse expressá-lo ainda naquele ponto, percebera algo vital: saúde emocional e maturidade espiritual são inseparáveis. Não é possível ser espiritualmente maduro enquanto se permanece emocionalmente imaturo.

Embora eu amasse sinceramente Jesus Cristo e cresse em muitas verdades a respeito dele, eu era um menino emocional relutante em olhar para a minha imaturidade.

Quando Geri saiu da igreja, isso me forçou a olhar além da superfície do meu *iceberg*, alcançando profundidades que, até aquele momento, eram assustadoras demais para levar em consideração. O sofrimento tem uma incrível habilidade de nos abrir para novas verdades e fazer-nos mover. Finalmente eu reconheci a dolorosa verdade: enormes áreas da minha vida (ou do *iceberg*, se você preferir) permaneciam intocadas por Jesus Cristo. Conhecimento bíblico, posição de liderança, preparação no seminário, experiência e habilidades, nada disso havia mudado aquela realidade constrangedora.

Eu estava empenhado no que agora classifico como "espiritualidade emocionalmente doentia". Eu era pastor titular de uma igreja, mas desejava escapar e unir-me às fileiras dos desertores.

RESPEITANDO SUA PLENA HUMANIDADE

Deus nos fez pessoas completas, à sua imagem (v. Gênesis 1:27). Essa imagem inclui as dimensões física, espiritual, emocional, intelectual e social. Dê uma olhada na ilustração seguinte:

DIFERENTES PARTES/COMPONENTES DE QUEM SOMOS

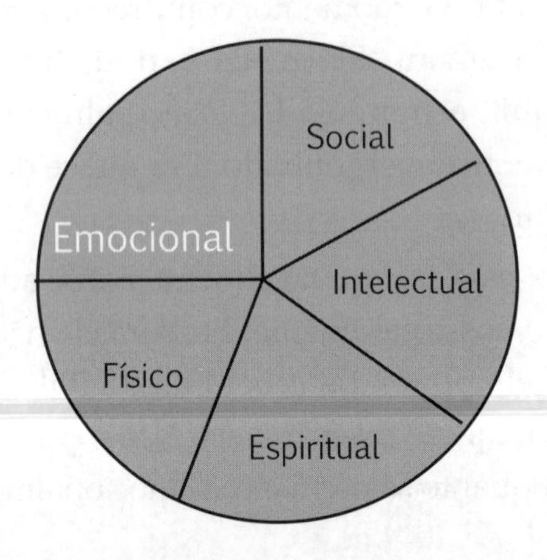

Ignorar qualquer aspecto de quem somos como homens e mulheres feitos à imagem de Deus sempre resulta em consequências destrutivas - em nosso relacionamento com Deus, com os outros e conosco. Se você conhece alguém, por exemplo, que é mentalmente retardado ou fisicamente incapaz, sua deficiência física ou mental é visível de imediato. Uma criança autista num parque infantil lotado, que fica separada durante horas sem interagir com outras crianças, se destaca.

O subdesenvolvimento emocional, entretanto, não é tão óbvio quando vemos uma pessoa pela primeira vez. Com o passar do tempo, à medida que nos envolvemos com ela, essa realidade logo fica aparente.

Eu ignorei o "componente emocional" em minha busca de Deus durante dezessete anos. A abordagem do discipulado espiritual das igrejas e dos ministérios que me moldaram não tiveram a linguagem, a teologia ou o treinamento para me ajudar nessa área. Não importou quantos livros eu li ou os seminários que frequentei em outras áreas - física, social, intelectual, espiritual. Independentemente de quantos anos se passassem, dezessete ou outros trinta, eu permanecia uma criança até ser exposto e transformado por meio de Jesus Cristo. O fundamento espiritual sobre o qual eu havia construído minha vida (e ensinado outras pessoas) foi rachado. Não havia como esconder essa realidade das pessoas mais íntimas.

Eu fora ensinado que a maneira de abordar a vida era por meio de fato, fé e sentimentos, nessa ordem. Como resultado, a raiva, por exemplo, simplesmente não era importante para a minha caminhada com Deus. De fato, ela era perigosa e precisava ser suprimida. A maioria retém ou impõe sua raiva. Algumas pessoas fazem as duas coisas, retendo até finalmente explodir. Eu estava entre os primeiros, pedindo a Deus que tirasse meus "maus" sentimentos e me fizesse igual a Cristo.

Meu fracasso em "dar atenção a Deus" e ao que estava acontecendo dentro de mim me fez perder muitos dons. Com amor, ele veio a mim e me falou, procurando me fazer mudar. Eu simplesmente não estava ouvindo. Nunca esperei que Deus me encontrasse por meio de sentimentos como tristeza, depressão e raiva.

Quando finalmente descobri a ligação entre saúde emocional e espiritual, começou uma revolução copérnica para mim, e não houve caminho de volta. Essa ligação revolucionária transformou minha jornada pessoal com Cristo, meu casamento, a educação dos meus filhos e, em última análise, a Igreja New Life Fellowship da qual sou pastor.

VIVENDO O CAMINHO DE DEUS - UMA VIDA BELA

Sinceramente, estes têm sido os melhores doze anos de minha vida como ser humano, marido, pai, seguidor de Jesus e líder de sua igreja:[2] Aprendi que, se fizermos o trabalho árduo de integrar saúde emocional e espiritualidade, podemos verdadeiramente experimentar as maravilhosas promessas que Deus nos fez - à nossa vida, às igrejas e às comunidades. Deus tornará nossa vida maravilhosa.

O apóstolo Paulo escreveu: *O que acontece quando vivemos* [autenticamente] *no caminho de Deus? Deus faz surgir dons em nós, como frutas que nascem num pomar* (Gálatas 5:22, AM). Usando duas conhecidas versões da Bíblia, permita-me demonstrar como Paulo descreveu esses lindos frutos em Gálatas 5:22,23:

Amor	Afeição pelos outros.
Alegria	Exuberância a respeito da vida.
Paz	Tranquilidade.
Paciência	Disposição em manter-se fiel.
Amabilidade	Senso de compaixão no coração.

Bondade	Convicção de que uma santidade básica permeia coisas e pessoas.
Fidelidade	Envolvimento em compromissos leais.
Mansidão	Não precisar forçar nosso caminho na vida.
Domínio próprio	Capacidade de empregar energias sabiamente.

Deus promete que, se você e eu vivermos dessa forma (mesmo que a nós não pareça fácil nem natural inicialmente), então nossa vida será bela.

Reserve uns momentos para uma pausa em sua leitura. Leia devagar e em atitude de oração a lista anterior, deixando que cada palavra o envolva. Faça a si mesmo a pergunta sincera: "Em que grau esses frutos são realidade em minha vida hoje?". Pense a respeito de si mesmo em casa, no trabalho, na escola, na igreja. Permita que Deus o ame onde você está agora. Peça-lhe que faça a obra em você, para que você possa tornar-se o tipo de pessoa descrita na passagem anterior.

O trágico é que poucas pessoas que desejam Deus, servem fielmente às suas igrejas, leem a Bíblia, adoram, oram e frequentam classes de escola dominical e pequenos grupos realmente experimentam a vida bela, esses dons de Deus. Isso remonta, creio, a uma espiritualidade divorciada da saúde emocional - que deixa intocadas por Deus camadas profundas, subjacentes, de nossa vida.

OUTRO CAMINHO

Creio, entretanto, que as paredes com as quais colidimos em nossa jornada com Deus são dons dele. Não é intenção de Deus que nos unamos às fileiras de desertores de igreja. Ele está mudando e ampliando nossa compreensão do que significa ser um seguidor de Cristo no século 21 - em aspectos muito mais radicais do que jamais sonhamos. Tal como Abraão, ele está nos levando numa jornada com muitas reviravoltas e giros estranhos para que profundas mudanças possam acontecer em você e em mim por meio de Jesus Cristo.

A triste realidade é que muitos não avançam até que seja insuportável a dor de permanecer onde estão.

Esse pode ser o seu caso. Receba sua circunstância, então, como um dom e abra o seu coração à medida que lê este livro para encontrar-se com Deus de um modo novo.

Nós não podemos mudar - ou melhor, convidar Deus para nos mudar - quando não nos apercebemos da verdade e não a vemos.

No capítulo seguinte, examinaremos mais atentamente os dez primeiros sintomas da espiritualidade emocionalmente doentia para que se iniciem as mudanças desejadas por Deus.

Ó Deus, agradeço-te por tua graça e misericórdia em minha vida. Se não fosse por ti, eu nem sequer teria consciência de ti ou de minha necessidade de tua obra transformadora sob a superfície de minha vida. Senhor, dá-me coragem para ser honesto e permitir que o Espírito Santo invada tudo o que sou sob a superfície do meu iceberg *para que Jesus possa ser formado em mim. Senhor, ajuda-me a compreender a largura, a extensão, a altura e a profundidade do amor de Cristo para a minha personalidade. Em nome de Jesus. Amém.*

2

OS DEZ PRIMEIROS SINTOMAS DA ESPIRITUALIDADE EMOCIONALMENTE DOENTIA

Diagnosticando o problema

Jay, um dos membros da nossa igreja, disse-me recentemente:

- Faz 22 anos que me converti. Mas, em vez de ter sido um cristão por 22 anos, fui um cristão de 1 ano de idade 22 vezes! Continuei fazendo as mesmas coisas várias e várias vezes.

Ângela, ao explicar por que não frequentara a igreja por mais de cinco anos, perguntou-me em particular:

- Por que razão tantos cristãos são seres humanos tão detestáveis?

Ron, irmão de um membro do pequeno grupo que se reúne em nossa casa, ao ouvir o título deste livro, riu:

- Espiritualidade emocionalmente saudável? Isso não é uma contradição?

O problema é que a má aplicação de verdades bíblicas não somente prejudica nossos relacionamentos mais íntimos, como também obstrui a obra de Deus e sua transformação profunda da parte submersa do *iceberg* de nossa vida.

OS DEZ PRIMEIROS SINTOMAS DA ESPIRITUALIDADE EMOCIONALMENTE DOENTIA

A partir deste momento, vou descrever de modo radical a trilha para sua vida espiritual. Isso significa que essa trilha provavelmente corta pela raiz toda a sua postura de como seguir Jesus. Aparar alguns ramos, por exemplo, frequentando um retiro de oração ou acrescentando novas disciplinas espirituais a uma vida já cheia, não será suficiente. A enormidade do problema é tal que somente uma revolução em nossa maneira de seguir Jesus produzirá a mudança profunda e duradoura que desejamos para nossa vida.

Após eu prescrever essa trilha, será essencial identificarmos claramente os principais sintomas da espiritualidade emocionalmente *doentia* que continua causando destruição em nossa vida pessoal e em nossas igrejas. A seguir, os dez primeiros sintomas que indicam se alguém está sofrendo de um caso grave de espiritualidade emocionalmente *doentia:*

1. Usar Deus para fugir de Deus.
2. Ignorar as emoções de raiva, tristeza e medo.
3. Morrer para as coisas erradas.
4. Negar o impacto do passado sobre o presente.
5. Dividir nossa vida entre os compartimentos "secular" e "sagrado".
6. Fazer para Deus em vez de estar com Deus.
7. Espiritualizar o conflito.
8. Encobrir a fragilidade, a fraqueza e o fracasso.
9. Viver sem limites.
10. Julgar a jornada espiritual de outras pessoas.

Usar Deus para fugir de Deus

Poucos vírus mortais são mais difíceis de identificar do que este. Na superfície, tudo parece saudável e funcionando, mas não está. Todas aquelas horas gastas em leituras de um livro cristão depois do outro... todas aquelas responsabilidades cristãs fora de casa ou indo de um seminário para outro... todo aquele tempo extra em oração e estudo bíblico... Às vezes usamos essas atividades cristãs como tentativas inconscientes para escapar do sofrimento.

No meu caso, usar Deus para fugir de Deus é quando eu crio uma grande quantidade de "atividade para Deus" e ignoro áreas difíceis em minha vida que ele quer mudar. Alguns exemplos:

- Quando faço a obra de Deus para satisfazer a mim, não a ele.
- Quando faço coisas em seu nome que ele nunca me pediu para fazer.
- Quando minhas orações são realmente sobre Deus fazer a minha vontade, sem submissão à dele.
- Quando eu demonstro "comportamentos cristãos" para que pessoas muito importantes pensem bem de mim.
- Quando me concentro em certos pontos teológicos (*tudo deve ser feito com decência e ordem* [1Coríntios 14:40]) que dizem respeito mais a meus próprios temores e assuntos não resolvidos do que à verdade de Deus.
- Quando uso a verdade dele para julgar e desvalorizar outras pessoas.
- Quando exagero minhas realizações por Deus para sutilmente competir com outras pessoas.
- Quando pronuncio: "O Senhor me disse para fazer isto" e a verdade é: "Eu *acho* que o Senhor me disse para fazer isto".

- Quando uso a Escritura para justificar aspectos pecaminosos da minha família, cultura e nação em vez de avaliá-los sob o senhorio de Deus.
- Quando me escondo atrás de conversas sobre Deus, desviando o holofote de minhas rachaduras interiores e tornando-me defensivo a respeito de minhas falhas.
- Quando aplico verdades bíblicas de maneira seletiva para atender aos meus propósitos, mas evito situações que podem requerer que eu faça mudanças significativas na vida.

Que tal um exemplo? John usa Deus para validar suas opiniões sobre questões que vão desde o comprimento apropriado da saia das mulheres na igreja, a candidatos políticos, ao papel adequado ao sexo masculino ou feminino na sociedade, à sua incapacidade de negociar questões com colegas gerentes não cristãos no trabalho. Ele não presta atenção nem avalia as inúmeras hipóteses que faz a respeito dos outros; tira conclusões precipitadas. Seus amigos, família e colaboradores o acham inseguro e condescendente.

John então se convence de que está fazendo a obra de Deus ao fazer mau uso de versículos selecionados da Escritura. "Claro que aquela pessoa me odeia", ele diz para si mesmo. "Todos os que desejam ser piedosos sofrerão perseguição." No final das contas, entretanto, ele está usando Deus para fugir de Deus.

Ignorar as emoções de raiva, tristeza e medo

Muitos de nós, cristãos, acreditamos sinceramente que a raiva, a tristeza e o medo são pecados a ser evitados, indicativos de que algo está errado com nossa vida espiritual. A raiva é perigosa e denota falta de amor para com os outros. A tristeza indica falta de fé nas promessas de Deus; a depressão certamente revela uma vida fora da vontade de Deus! E o medo? A Bíblia está repleta de ordens como *não andar ansioso* e *não temer* (v. Filipenses 4:6 e Isaías 41:10).

Então, o que fazemos? Tentamos nos encher com uma falsa confiança para afastar esses sentimentos. Citamos a Bíblia, oramos e memorizamos a Escritura - qualquer coisa para impedir que sejamos subjugados por aqueles sentimentos!

Tal como a maioria dos cristãos, fui ensinado que quase todos os sentimentos são suspeitos e não devemos confiar neles. Eles oscilam e são a última coisa com que devemos nos preocupar em nossa vida espiritual. É verdade que alguns cristãos vivem no grau extremo, vivenciando seus sentimentos de uma forma prejudicial, não bíblica. Entretanto, é mais comum encontrar cristãos que não creem ter permissão para admitir seus sentimentos ou expressá-los abertamente. Isso se aplica especialmente aos sentimentos mais "difíceis": medo, tristeza, vergonha, raiva, mágoa e sofrimento.

Todavia, como eu posso ouvir o que Deus está me dizendo e avaliar o que está acontecendo dentro de mim quando estou tão aprisionado?

Sentir é próprio do ser humano. Minimizar ou negar o que sentimos é uma distorção do que significa sermos portadores da imagem do nosso Deus pessoal. Na medida em que somos incapazes de expressar nossas emoções, permanecemos debilitados em nossa capacidade de amar a Deus, aos outros e a nós mesmos. Todavia, como vimos no capítulo anterior, nossos sentimentos são também um componente do que significa sermos feitos à imagem de Deus. Eliminá-los de nossa espiritualidade é tirar um pedaço de nossa humanidade.

Para apoiar o que eu erroneamente cria a respeito de Deus e de meus sentimentos, eu fazia mau uso da famosa ilustração a seguir:[1]

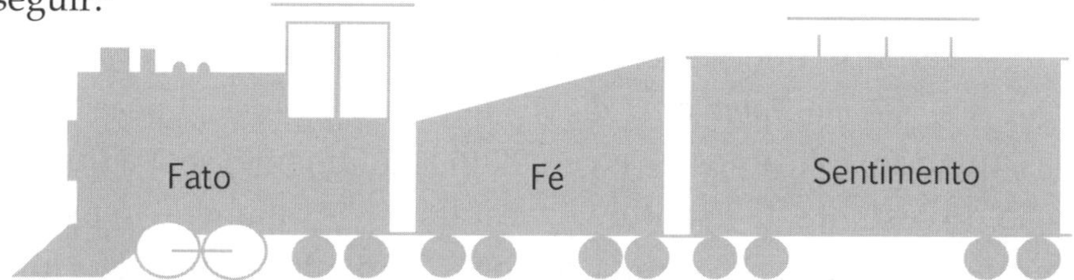

Para mim, o curso de ação de minha vida espiritual começava com a locomotiva, onde o maquinista do trem era *fato* - o que Deus disse na Escritura. Se me sentia irritado, por exemplo, eu precisava começar com fato: "Do que você está com raiva, Pete? Então essa pessoa mentiu para você e o traiu. Deus está no trono. Jesus foi alvo de mentira e traição também. Então pare de se irar".

Após considerar o fato da verdade de Deus, eu considerava minha fé - a questão da minha vontade. Escolhi colocar minha fé no fato da Palavra de Deus? Ou eu segui meus sentimentos e inclinações "carnais", nos quais não devia confiar?

No fim do trem estava o carro dos sentimentos, em que devia se confiar por último. "Não confie em seus sentimentos, Pete, de maneira alguma. *O coração é enganoso e incurável, mais que todas as coisas; quem pode conhecê-lo?* (v. Jeremias 17:9). Isso apenas o desviará para o pecado."

Quando enxergamos em seu todo esse sistema desequilibrado e estreito de crenças bíblicas, suas implicações práticas são enormes, como veremos depois. Ele leva à desvalorização e à repressão do aspecto emocional de nossa humanidade, que é também feita à imagem de Deus. Infelizmente, algumas de nossas crenças e expectativas cristãs de hoje tem, como escreveu Thomas Merton, "simplesmente enfraquecido nossa humanidade, em vez de libertá-la para desenvolver-se ricamente, em todas as suas aptidões, sob a influência da graça":[2]

Morrer para as coisas erradas

Como disse Irineu de Lyon muitos séculos atrás: "A glória de Deus é um ser humano plenamente vivo".

É verdade que Jesus afirma: *Se alguém quiser vir após mim, negue a si mesmo, tome cada dia a sua cruz e siga-me* (Lucas 9:23). Mas, quando aplicamos esse versículo rigidamente, sem a qualificação do restante da Escritura, o resultado é exatamente o oposto do que Deus pretende, uma teologia limitada e falha que diz:

"Quanto mais miserável você for, mais você sofrer, mais Deus o ama. Desconsidere sua personalidade singular; ela não tem lugar no reino de Deus".

Temos de morrer para as partes pecaminosas de quem somos - tais como a atitude defensiva, a indiferença, a arrogância, a teimosia, a hipocrisia, a atitude de julgar, a frieza -, bem como para os mais óbvios pecados que nos são descritos na Bíblia: não *matar, não roubar, não dar falso testemunho, falar a verdade* (v. Êxodo 20:13-16 e Efésios 4:25).

Não somos chamados por Deus para morrermos para as partes "boas" de quem somos. Deus nunca nos pediu que morrêssemos para os desejos saudáveis e prazeres da vida - amizades, alegria, arte, música, beleza, recreação, riso e natureza. Deus planta desejos no nosso coração para serem irrigados e nutridos. Quase sempre esse desejos e paixões são convites de Deus, dons dele. Todavia, de alguma forma sentimo-nos culpados ao desembrulhar esses presentes.

Quando eu peço às pessoas: "Contem-me seus desejos, esperanças e sonhos", quase sempre elas ficam caladas.

- Por que essa pergunta? - respondem elas. - Não se espera que servir a Jesus seja o único desejo, a única esperança, o único sonho?

Não exatamente. Deus nunca pede que nos aniquilemos. Não devemos nos tornar "não pessoas" quando nos tornamos cristãos. A verdade é exatamente o oposto. A intenção de Deus é o nosso mais profundo ser, mais verdadeiro, que ele criou para florescer à medida que o seguimos. Deus favoreceu cada um de nós com certas qualidades essenciais que o refletem e o expressam de uma forma única. Parte do processo de santificação, realizado em nós pelo Espírito Santo, consiste em remover as falsas ideias que acumulamos e deixar que surja nosso verdadeiro ego.

NEGAR OS IMPACTOS DO PASSADO SOBRE O PRESENTE

Quando nos convertemos a Jesus Cristo, seja como criança, adolescente, seja como adulto, na dramática linguagem bíblica, *nascemos de novo* (v. João 3:3). O apóstolo Paulo descreve isso da seguinte maneira: *as coisas velhas já passaram, e surgiram coisas novas* (2Coríntios 5:17).

Esses dois versículos e seus dois significados, entretanto, são às vezes mal compreendidos. Sim, é verdade que, quando nos convertemos a Cristo, nossos pecados são removidos e recebemos um novo nome, uma nova identidade, um novo futuro, uma nova vida. Verdadeiramente é um milagre. Somos declarados justos perante Deus pela vida, morte e ressurreição de Jesus (v. Filipenses 3:9,10). O Deus do universo, eterno e santo, não é mais o nosso juiz, mas nosso Pai. Essa é a boa notícia do evangelho.

Mas precisamos compreender que isso não significa que nossa vida passada não continua a nos influenciar de diferentes formas. Durante anos, mantive a ilusão de que, por ter aceitado Jesus, minha vida antiga não estava mais em mim. Meu passado antes de Cristo foi difícil. Eu queria esquecê-lo; jamais queria olhar para trás. A vida era muito melhor quando Jesus passou a estar comigo.

Eu pensava que era livre.

Geri, após nove anos de casamento, sabia mais. Nunca vou esquecer a primeira vez em que fizemos um genograma - um diagrama que esquematiza alguns dos padrões de nossas famílias. Nosso conselheiro na época levou cerca de uma hora para fazer perguntas de sondagem sobre a interação entre membros de nossas duas famílias, para escrever dois ou três adjetivos para descrever nossos pais e seus relacionamentos.

Quando o conselheiro terminou, ele simplesmente nos perguntou:

- Vocês veem alguma similaridade entre o casamento de vocês e o de seus pais?

Nós dois ficamos ali embasbacados.

Nós éramos cristãos evangélicos. Éramos comprometidos e estáveis. Nossas prioridades e escolhas na vida eram bem diferentes das de nossos pais. Contudo, sob a superfície, nosso casamento carregava uma extraordinária semelhança com a de nossos pais. Papel dos sexos; o tratamento da raiva, do conflito e da vergonha; como definíamos o sucesso; nossa visão de família, filhos, recreação, prazer, sexualidade, sofrimento e nossos relacionamentos com amigos: tudo tinha sido moldado por nossas famílias de origem e nossas culturas.

Sentados no gabinete do conselheiro naquele dia, constrangidos pelo estado do nosso casamento, nós aprendemos uma lição que jamais esqueceríamos: embora fôssemos cristãos comprometidos durante quase vinte anos, nosso relacionamento espelhava muito mais nossa família de origem do que a maneira pretendida por Deus para sua nova família em Cristo.

O esforço de crescer em Cristo (que os teólogos chamam de *santificação*) não significa não voltarmos para o passado à medida que avançamos para o que Deus tem para nós. Na verdade, precisamos retroceder para nos livrarmos de padrões doentios e destrutivos que nos impedem de amar a nós mesmos e às outras pessoas como Deus planejou.

Dividir nossa vida entre os compartimentos "secular" e "sagrado"

Os seres humanos têm uma estranha habilidade de viver uma vida dupla, compartimentada.

Frank frequenta a igreja e canta louvores que falam do amor de Deus. A caminho de casa ele pronuncia a pena de morte sobre outro motorista. Para Frank, o domingo é para Deus. De segunda a sábado, é para o trabalho.

Jane grita com o marido, censurando-o por sua falta de liderança espiritual com os filhos. Ele anda acabrunhado e oprimido. Ela anda convencida de que tem lutado valorosamente em nome de Deus.

Ken tem um momento devocional disciplinado com Deus cada dia antes de ir para o trabalho, mas depois não pensa na presença de Deus com ele durante o dia todo no trabalho ou quando volta para casa para estar com a esposa e os filhos.

Judith chora durante os cânticos sobre o amor e a graça de Deus em sua igreja. Mas se queixa regularmente e critica outras pessoas pelas dificuldades e provações em sua vida.

É muito fácil separar Deus para "atividades cristãs" em torno da igreja e nossas disciplinas espirituais sem pensar nele em nosso casamento, na disciplina de nossos filhos, no gasto do nosso dinheiro, em nossa recreação ou até mesmo no estudo para os exames. De acordo com as pesquisas do Instituto Gallup e de sociólogos, um dos maiores escândalos do nosso tempo é que os "cristãos evangélicos estão bem propensos a aceitar estilos de vida que sejam, no todo, hedonistas, materialistas, egoístas e sexualmente imorais como o mundo em geral".[3] As estatísticas são entristecedoras:

- Membros da igreja se divorciam do cônjuge tanto quanto seus vizinhos seculares.
- Membros da igreja espancam a esposa tanto quanto seus vizinhos.
- O estilo de vida dos membros da igreja indica que eles são quase tão materialistas quanto os não cristãos.
- Os evangélicos brancos são muito propensos a contestar vizinhos de outra raça.
- Dos evangélicos "mais comprometidos", 26% deles acham aceitável o sexo antes do casamento, enquanto 46% dos evangélicos "menos comprometidos" também acreditam estar certo.[4]

Ron Sider, em seu livro *The Scandal of the Evangelical Conscience* [O escândalo da consciência evangélica], resume o nível de nossa compartimentação: "Seja na questão do casamento, seja na da sexualidade, seja na do dinheiro e do cuidado com o pobre, os evangélicos hoje estão vivendo escandalosamente uma vida não bíblica... Os dados sugerem que em muitas áreas cruciais os evangélicos não estão vivendo em nada diferente de seus vizinhos descrentes".[5]

As consequências disso em nosso testemunho de Jesus Cristo são incalculáveis, tanto para nós mesmos como para o mundo ao nosso redor. Perdemos a alegria genuína da vida com Jesus Cristo, por ele prometida (v. João 15:11). E o mundo observador balança a cabeça, incrédulo de que possamos ser tão cegos a ponto de não enxergar a grande lacuna entre nossas palavras e nosso cotidiano.

Fazer para Deus em vez de estar com Deus

Ser produtivo e cumprir tarefas são prioridades altas em nossa cultura ocidental. Já me disseram que orar e desfrutar da presença de Deus por nenhuma outra razão, a não ser deleitar-se nele, é só um luxo, para que possamos experimentar o prazer do céu. Por enquanto, segundo essas pessoas, há muito a ser feito, o mundo está perdido e em grande confusão. E Deus nos confiou as boas-novas do evangelho.

Durante a maior parte da minha vida cristã, eu quis saber se os monges eram verdadeiramente cristãos. O estilo de vida deles me parecia escapista. Certamente eles não viviam de acordo com a vontade de Deus. O que eles faziam para divulgar o evangelho num mundo que estava morrendo sem Cristo? E quanto a todas as ovelhas perdidas e sem direção? Eles não sabiam que os trabalhadores são poucos (v. Mateus 9:37)?

As mensagens eram claras:

- Realizar muitas tarefas para Deus é um sinal claro de uma espiritualidade cada vez maior.

- Cabe a cada um de nós. E você nunca terminará enquanto estiver vivo sobre a terra.
- Deus não pode agir, a menos que você ore.
- Você é responsável por falar de Cristo o tempo todo ou as pessoas irão para o inferno.
- As coisas irão desintegrar-se se você não perseverar e manter tudo coeso.

Isso tudo está errado? Não. Mas o trabalho para Deus que não seja nutrido por uma profunda vida interior *com* Deus acabará sendo contaminado por intrusos como o ego, o poder, a necessidade de aprovação, ideias erradas de sucesso e a crença errônea de que não podemos fracassar. Quando trabalhamos para Deus motivados por isso, nossa experiência do evangelho quase sempre perde o centro. Nós nos tornamos "humanos que agem", não "seres humanos". Nosso senso prático de valor e confirmação se transforma, migrando do amor incondicional de Deus por nós em Cristo para nossas obras e nosso desempenho. A alegria em Cristo gradualmente desaparece.

Nossas atividades para Deus podem apenas fluir adequadamente de uma vida *com* Deus. Não podemos dar o que não possuímos. Trabalhar para Deus de um modo que corresponda ao nosso ser com Deus é o único caminho para um coração puro e para vermos Deus (v. Mateus 5:8).

Espiritualizar o conflito

Ninguém gosta de conflito. Todavia, conflitos estão por toda parte - tribunais, locais de trabalho, salas de aula, bairro, casamentos, criação de filhos, amizades próximas, ações ou palavras inadequadas contra nós. Mas acredita-se que suavizar os desentendimentos ou "varrê-los para debaixo do tapete" é seguir Jesus, e esse continua a ser um dos mitos mais destrutivos vivos na igreja hoje. Por essa razão, igrejas, pequenos grupos, equipes de ministério, denominações e comunidades continuam a sofrer a dor de conflitos não resolvidos.

Poucos, bem poucos de nós, vêm de famílias onde os conflitos são resolvidos de uma forma madura e saudável. A grande maioria simplesmente enterra suas tensões e segue em frente. Em minha própria família, quando me converti, eu me tornei o "grande pacificador". Eu fazia qualquer coisa para manter a união e o amor fluindo na igreja, bem como em meu casamento e em minha família. Eu via os conflitos como algo que tinha de ser resolvido o mais rapidamente possível, como um vazamento radioativo de uma usina nuclear: se não contido, eu temia que pudesse desencadear danos terríveis.

Por isso eu fazia o que a maioria dos cristãos faz: mentia muito, tanto para mim mesmo como para os outros.

O que você faz quando enfrenta a tensão e o problema dos desentendimentos? Podemos nos sentir culpados das seguintes faltas:

- Dizemos uma coisa na frente das pessoas e outra pelas costas.
- Fazemos promessas que não temos intenção de cumprir.
- Criticamos.
- Atacamos.
- Damos às pessoas o tratamento do silêncio.
- Tornamo-nos sarcásticos.
- Entregamos os pontos com medo de não sermos amados.
- "Gotejamos" nossa raiva mandando um *e-mail* com uma crítica nada sutil.
- Contamos apenas meia verdade porque não podemos suportar ferir os sentimentos de um amigo.

- Dizemos sim quando queremos dizer não.
- Evitamos, mantemos longe, cortamos.
- Encontramos uma pessoa de fora com quem podemos conversar para acalmar nossa ansiedade.

Jesus nos mostra que cristãos saudáveis não evitam conflitos. Sua vida foi cheia deles! Tinha momentos de tensão sistemáticos com os líderes religiosos, com as multidões, com os discípulos - até mesmo com sua família. Com o desejo de trazer paz verdadeira, Jesus rompeu a falsa paz ao seu redor. Ele se recusou a "espiritualizar" o conflito.

Encobrir a fragilidade, a fraqueza e o fracasso

A pressão para apresentarmos uma imagem de nós mesmos como fortes e espiritualmente "juntos" paira sobre a maioria de nós. Sentimo-nos culpados por não atender aos padrões, por não ter sucesso. Esquecemos que nenhum de nós é perfeito e que todos somos pecadores. Esquecemos que Davi, um dos mais amados amigos de Deus, cometeu adultério com Bate-Seba e assassinou seu marido. Falar sobre um escândalo! Quantos de nós não teríamos apagado isso para sempre dos livros de história para que o nome de Deus não fosse desacreditado?

Davi não fez isso. Ao contrário, ele usou seu poder absoluto como rei para garantir que os detalhes do seu gigantesco fracasso fossem publicados nos livros de história para todas as gerações futuras! De fato, Davi escreveu um cântico sobre o seu fracasso para ser entoado nos cultos de Israel e ser publicado em seu manual de adoração, Salmos. (Espera-se que ele tenha pedido permissão a Bate-Seba primeiro!) Davi sabia que *Sacrifício aceitável para Deus é o espírito quebrantado; ó Deus, tu não desprezarás o coração quebrantado e arrependido* (Salmos 51:17).

Outro dentre os grandes homens de Deus, o apóstolo Paulo, escreveu sobre a ausência de resposta às suas orações e sobre seu *espinho na carne*. Ele agradeceu a Deus por sua fragilidade, lembrando aos leitores que *o poder de Cristo se aperfeiçoa na fraqueza* (2Coríntios 12:7-10). Quantos cristãos você conhece que fariam uma coisa dessa hoje?

A Bíblia não esconde as falhas e fraquezas de seus heróis. Moisés foi um assassino. A esposa de Oseias foi uma prostituta. Pedro censurou Deus! Noé se embebedou. Jonas foi um racista. Jacó foi um mentiroso. João Marcos abandonou Paulo. Elias esgotou-se emocionalmente. Jeremias era deprimido e tinha pensamentos suicidas. Tomé duvidou. Moisés era temperamental. Timóteo tinha úlceras. E todas essas pessoas mandaram a mesma mensagem: que todo ser humano na terra, independentemente de seus dons e forças, é fraco, vulnerável e dependente de Deus e de outras pessoas.

Durante anos eu constatei o desempenho extraordinário de pessoas extraordinariamente dotadas - nas artes, nos esportes, na liderança, na política, nos negócios, no meio acadêmico, no cuidado dos filhos ou na igreja - e quis saber se de alguma forma elas não eram tão incompletas quanto o restante de nós. Agora sei que eram. Todos nós somos profundamente falhos e incompletos. Não há exceções.

Viver sem limites

Foi-me ensinado que os bons cristãos constantemente doam e servem a outras pessoas. Não se esperava que eu dissesse não a oportunidades ou a pedidos de ajuda porque isso seria egoísmo.

Alguns cristãos são egoístas. Eles creem em Deus e Jesus Cristo, mas vivem como se Deus não existisse. Não lhes passa pela cabeça que precisam amar e servir a outras pessoas além de sua família e amigos. Isso é uma tragédia.

Conheci muito mais cristãos, entretanto, que carregam culpa por nunca fazerem o suficiente.

- Pete, passei duas horas ao telefone com ele e não foi suficiente - queixou-se comigo recentemente um amigo. E acrescentou: - Fiquei com vontade de fugir.

Essa culpa quase sempre leva ao desânimo. E esse desânimo frequentemente leva os cristãos à desmotivação e ao isolamento da "pessoa necessitada" porque eles não sabem o que mais fazer.

O centro da questão espiritual aqui está relacionado aos nossos limites e à nossa humanidade. Não somos Deus. Não podemos servir a todos em necessidade. Somos humanos. Quando Paulo disse: *Posso todas as coisas naquele que me fortalece* (Filipenses 4:13), o contexto foi o de estar contente em todas as circunstâncias. A força que ele recebeu de Deus não foi a força para mudar, negar ou desafiar suas circunstâncias; foi a força para estar contente em toda situação, de entregar-se à carinhosa vontade de Deus por ele (v. Filipenses 4:11-13).

Jesus foi exemplo disso para nós como ser humano - plenamente Deus, todavia plenamente humano. Ele não curou todos os enfermos da Palestina; não ressuscitou todas as pessoas; não alimentou todos os famintos nem fundou centros de desenvolvimento para os pobres de Jerusalém.

Ele não fez isso, e não deveríamos achar que precisamos fazer. Mas de alguma forma nós acreditamos nisso. Por que não cuidamos adequadamente de nós mesmos? Por que tantos cristãos, junto com o restante de nossa cultura, são tão frenéticos, exaustos, sobrecarregados e apressados?

Poucos cristãos associam o amor por si mesmos ao amor pelos outros. Infelizmente, muitos creem que cuidar de si próprio é pecado, é um "psicologismo" do evangelho, uma apropriação de nossa cultura egocêntrica. Eu mesmo cri nisso durante anos.

É verdade que o apelo que recebemos é o de considerarmos os outros mais importantes que nós mesmos (v. Filipenses 2:3). Somos desafiados a renunciar a nossa própria vida em favor de outros (v.

1João 3:16). Mas, lembre-se, primeiro você precisa de um "ego" ao qual renunciar.

Como disse Parker Palmer: "O cuidado consigo mesmo nunca é um ato egoísta - é simplesmente uma boa administração do único dom que temos. Fomos postos na terra para oferecer esse dom. Sempre que conseguimos ouvir nosso verdadeiro ego e lhe proporcionamos o cuidado que ele requer, agimos não apenas em favor de nós mesmos, mas de muitos outros cuja vida nós tocamos".[6]

Julgar a jornada espiritual de outras pessoas

Um dos Pais do Deserto afirmou: "O monge deve morrer para seu vizinho e nunca julgá-lo de modo algum, seja no que for". E continuou: "Se você está ocupado com seus próprios defeitos, não tem tempo para ver os de seus vizinhos".[7]

Eu aprendi que era minha responsabilidade corrigir as pessoas em erro ou em pecado e sempre aconselhar as que estavam confusas espiritualmente. Então eu me sentia culpado se via algo questionável e não fazia nada. Mas eu me sentia mais culpado ainda quando esperava-se que eu resolvesse o problema de alguém e tivesse de admitir "não sei como" ou "não sei o que dizer". A ordem não era para eu estar pronto para dar uma resposta à razão da esperança que há em mim (v. 1Pedro 3:15)?

Claro, muitos de nós não temos problema algum em dar conselho ou apontar a injustiça. Gastamos tanto tempo nisso que acabamos autoenganados, pensando que temos muito a dar e, consequentemente, pouco a receber dos outros. Afinal, estamos com a razão, não é? Isso quase sempre leva a uma incapacidade de receber de pessoas comuns, menos experientes do que nós. Somente recebemos de peritos e profissionais.

Isso tem sido um dos maiores e mais constantes perigos no cristianismo: a dicotomia "nós *versus* eles". Nos dias de Jesus houve o "grupo de dentro", superior, os fariseus que obedeciam aos mandamentos de Deus, e o "grupo de fora" inferior, os coletores de impostos, os pecadores e as prostitutas.

Infelizmente, em geral nós transformamos nossas diferenças em superioridade moral ou virtudes. Vejo isso o tempo todo. Julgamos as pessoas por suas músicas (suaves ou altas demais) e pelo comprimento do cabelo (curto ou comprido demais). Nós as julgamos por se vestirem bem ou mal, pelos filmes aos quais assistem e os carros que compram. Criamos grupos infindáveis para sutilmente classificar as pessoas:

- "Aqueles artistas e músicos. Eles são estranhos."
- "Aqueles engenheiros. São muito cerebrais, frios como geladeira."
- "Os homens são idiotas. Eles são socialmente infantis."
- "As mulheres são excessivamente sensíveis e emocionais."
- "Os ricos são consumistas e egoístas."
- "Os pobres são preguiçosos."

Julgamos os presbiterianos por serem organizados demais. Julgamos os pentecostais por falta de organização. Julgamos os episcopais por suas velas e orações escritas. Julgamos os católicos romanos por sua opinião a respeito da Ceia do Senhor e os cristãos ortodoxos da parte oriental do mundo por sua cultura estranha e seu amor por ícones sagrados.

Ao não deixarmos que outros sejam eles mesmos perante Deus e caminhem em seu próprio ritmo, nós inevitavelmente projetamos neles nosso próprio desconforto com a escolha deles em levar uma vida diferente da nossa. Acabamos eliminando-os em nossa mente, tentando fazer com que outros sejam iguais a nós, abandonando a todos ou incorrendo na indiferença do "Quem se importa?"

para com eles. De alguma forma o silêncio da indiferença pode ser mais mortal do que o ódio.

Jesus disse que, a menos que primeiro eu tire a trave do meu olho, sabendo que tenho enormes pontos de cegueira, estou em perigo. Devo enxergar o extenso dano que o pecado fez a cada parte que me compõe - emoção, intelecto, corpo, vontade e espírito - antes de tentar remover o cisco do olho do meu irmão (v. Mateus 7:1-5).

O ANTÍDOTO REVOLUCIONÁRIO

O caminho para a cura e a transformação de nossa vida espiritual em Cristo pode ser encontrado na união da saúde emocional com a espiritualidade contemplativa. No capítulo seguinte eu vou explicar o que são eles e por que devem ser integrados em nosso discipulado com Cristo.

Senhor, quando examino este capítulo, a única coisa que posso dizer é: "Senhor Jesus Cristo, tem misericórdia de mim, pecador". Obrigado, ó Deus, por eu estar perante ti pela justiça de Jesus, pelos méritos dele, não pelos meus. Senhor, peço-te que não apenas cures os sintomas do que não está certo em minha vida, mas tires cirurgicamente tudo o que está em mim que não pertence a ti. À medida que eu penso no que li, Senhor, derrama luz sobre as coisas que estão ocultas. Que eu possa ver claramente à medida que me susténs com ternura. Em nome de Jesus. Amém.

3

O ANTÍDOTO RADICAL: SAÚDE EMOCIONAL E ESPIRITUALIDADE CONTEMPLATIVA

Levando transformação aos lugares mais profundos

Muitos cristãos estão presos. Alguns estão perdidos neste exato momento, tentando encontrar o caminho. Outros estão com receio de se desviar se permanecerem presos por muito mais tempo. Não poucos estão perdidos sem o saber.

CONECTAR-SE

Uma vez que as pessoas começam sua jornada com Jesus Cristo e se filiam a uma igreja ou comunidade, nossa primeira tarefa é ajudá-las a se conectar a Deus e a crescer espiritualmente. Nossa sincera expectativa é que elas deixem a Palavra e o Espírito transformar cada aspecto de sua vida. Nós as ensinamos a:

- Frequentar a igreja todas as semanas para adoração, ouvir a Palavra e, em algumas tradições, participar da ceia do Senhor.

- Ter momento de tranquilidade (alguns chamam de *devoção*), preferivelmente no início do dia.
- Participar de um pequeno grupo ou de uma classe de escola dominical para alimento espiritual, comunhão e estudo da Escritura.
- Confiar em Deus ao doar financeiramente para sua obra;
- Permitir que Cristo informe a maneira de se comportar no trabalho, em casa, na escola e em todos os outros relacionamentos.
- Descobrir e usar seus dons espirituais na igreja e servir em algum lugar - como recepcionista, líder de pequenos grupos ou membro do conselho.
- Evangelizar contando sua história ("eu era cego, agora vejo") a outras pessoas que não conhecem Jesus e convidá-las para eventos da igreja quando oportuno.
- Frequentar retiros e conferências, ler livros e ouvir fitas gravadas para continuar crescendo.

Todos os passos anteriores são excelentes para iniciar uma jornada com Cristo. Todavia, não são suficientes. Após alguns anos, muitos percebem que padrões comportamentais passados, profundamente arraigados, que os movem para longe de Cristo, permanecem entrincheirados.

E o que lhes estamos ensinando simplesmente não é suficiente para combater esses padrões. O que a maioria recebe é uma longa lista do que fazer e do que não fazer - dez itens a mais para mais culpa.

O que é necessário é a injeção de um antídoto em todos os aspectos da vida cristã - um antídoto que vire nossa vida espiritual com o lado certo para cima. Estou falando sobre *saúde emocional* e *espiritualidade contemplativa*. Juntas, essas duas desencadeiam uma revolução em nossa vida, posicionando-nos para que Deus possa nos moldar em homens e mulheres para os quais ele nos chamou.

Entretanto, antes de explicar o que é esse remédio radical e por que ele é exigido, precisamos dar um passo atrás e avaliar por que é tão difícil seguir Jesus hoje. Quais são os ventos tempestuosos, internos e externos, que nos impedem de nos tornarmos tudo o que Deus pretende? Para melhor discernimento, vou evocar por um instante o livro de Apocalipse, onde temos um quadro da real ventania que nos afasta da transformação profunda.

APOCALIPSE E A BESTA

Por que o livro de Apocalipse é um livro tão importante para nós hoje? Ele traz ensinamentos sobre nossa luta de vida e morte para permanecermos verdadeiramente conectados a Deus e firmes em nossas decisões.

Apocalipse, um dos livros mais mal interpretados e mal compreendidos da Bíblia, explica por que a maioria dos cristãos de hoje é subjugada pela cultura e pelo mundo ao seu redor: nós subestimamos a intensidade e o poder do Diabo - tanto dentro como fora de nós.

A BESTA ONTEM

O livro de Apocalipse foi escrito para os cristãos que sofriam terrível perseguição na província da Ásia (Turquia de hoje) entre 90 d.C. e 95 d.C. Para tornar inteligível sua mensagem, o apóstolo João usou figuras e imagens conhecidas de seus leitores para que eles vissem com clareza o que estava *realmente* acontecendo.

Como observou Richard Bauckham, estudioso do Novo Testamento, o livro de Apocalipse retrata o Império Romano como "a besta". Para sua grande riqueza e paz, os romanos contavam com vários aspectos da civilização: cultura, economia, educação e exército. A organização romana era fonte de orgulho. Roma proclamava-se a cidade eterna, oferecendo segurança e possibilidades de impressionantes riquezas. O mundo todo invejava sua prosperidade e fartura.[1] O apóstolo João escreveu: *toda a terra se maravilhou e seguiu a besta* [...] *e adoraram a besta, dizendo: "Quem é semelhante à besta? Quem poderá lutar contra ela?"* (Apocalipse 13:3,4).

Como resultado, para muitos cristãos a fé foi testada. Roma exigia sua lealdade. Se eles não se submetessem à pressão, perderiam empregos, privilégios, reputação, prosperidade duramente conseguida e amigos. Alguns abandonaram a fé por completo, achando que posicionar-se contra a intensa e aparentemente irresistível pressão de Roma era demais para suportar. Outros crentes ainda estavam tentando encontrar um meio-termo entre os valores da cultura romana (a besta) e os valores de Cristo, buscando manter um pé no mundo da besta e um pé no mundo de Cristo. Como resultado, simplesmente assimilaram a cultura.

Deus, por meio do Apocalipse, deixa claro não ser possível o acordo entre Cristo e a besta. Temos apenas duas escolhas: ou nos acomodamos e permitimos ser absorvidos pela cultura da besta, ou "saímos dela" (Apocalipse 18:4), dando testemunho fiel do que é verdadeiro, tanto por nossas palavras como por nossa vida.

O livro de Apocalipse também quer que compreendamos que *por trás* da besta está um dragão feroz de enorme tamanho e impressionante poder. Esse dragão, em Apocalipse, representa o poder satânico ativo e de grande eficácia. Em outras palavras, Satanás estava usando o Império Romano para isolar as pessoas, por todos os meios possíveis, de um vivo relacionamento com Jesus:

E foi expulso o grande dragão, a antiga serpente, chamada Diabo e Satanás, que engana todo o mundo [...]. *O dragão se enfureceu contra a mulher e saiu para atacar os demais filhos dela, os que guardam os mandamentos de Deus e mantêm o testemunho de Jesus* (Apocalipse 12:9,17).

A BESTA HOJE

A mensagem de Apocalipse é que em toda a história, em todas as partes do mundo, os crentes devem resistir à besta manifestada pela cultura de sua geração e superá-la: *Aqui estão a perseverança e a fé dos santos* (Apocalipse 13:10). Assim, é essencial vermos claramente como a besta ameaça a igreja e absorve os cristãos dos nossos dias. Como escreveu Os Guinness, devido à combinação de capitalismo, tecnologia e comunicações modernas, a mais eficiente civilização de todos os tempos - uma cultura global - foi formada:[2] Essa cultura global é a besta que ameaça nos engolir nestes dias. Os valores centrais da besta no século 21 gritam para nós de computadores, *outdoors*, TV, DVDs, música, escolas, jornais, revistas e iPods. A besta nos diz:

- A felicidade está em acumular coisas.
- Você deve obter tudo o que puder por você mesmo, o mais rápido que puder.
- A segurança está em dinheiro, poder, *status* e boa saúde.
- Acima de tudo, você deve buscar todo o prazer, a conveniência e o conforto que puder.
- Deus é irrelevante para a vida diária.
- O cristianismo é apenas uma das muitas espiritualidades alternativas.
- Não existem verdades morais absolutas; o que vale é a verdade para você.
- Você não é responsável por ninguém, a não ser por você mesmo.
- Tudo o que existe é a vida na terra.

O peixe dourado que nada no meio do oceano Pacífico não percebe que está na água; nós, também, vivemos desatentos à besta. Como os cristãos do século 1, vivemos numa cultura moldada pela besta. Comemos, bebemos, assistimos à TV e aos filmes, frequentamos escolas, lojas, trabalho, criamos família, ouvimos música e até participamos de igrejas dentro de uma sociedade modelada pela besta. Isso alimenta o fogo da "besta" dentro de nós. Refiro-me aos temores, à desconfiança, à violenta obstinação, à teimosia e à rebeldia bem no nosso íntimo.

O apóstolo Paulo teve a coragem de olhar para sua própria miséria interior. Ele observou o seguinte a respeito de si mesmo: *Desse modo descubro esta lei em mim: quando quero fazer o bem, o mal está presente em mim. Porque, no que diz respeito ao homem interior, tenho prazer na lei de Deus; mas vejo nos membros do meu corpo outra lei guerreando contra a lei da minha mente e me fazendo escravo da lei do pecado, que está nos membros do meu corpo. Desgraçado homem que sou! Quem me livrará do corpo desta morte?* (Romanos 7:21-24).

Paulo viu seus próprios monstros indomáveis dentro de si, a massa caótica de energias, as forças aparentemente incontroláveis de sua natureza pecaminosa.

O que vemos dentro de nós mesmos? Muitos de nós temos medo até de olhar. Nossa oração mais natural é: "*Meu* Pai que está no céu, santificado seja o *meu* nome, venha o *meu* reino, seja feita a *minha* vontade na terra". Temos receio de que a vontade de Deus seja feita porque não podemos controlar o que ele fará, quando ele fará, como ele fará e o resultado que poderá ser. A vontade de Deus requer renúncia e confiança, e isso é algo que não estamos dispostos a oferecer.

É de surpreender, então, que nossa principal pergunta seja: "O que Jesus pode fazer por mim? Ele pode me tornar mais próspero, bem adaptado e tranquilo"? A besta tem mantido a igreja tão cativa que muitos de nós agimos como se Deus trabalhasse para nós, funcionando como nosso ajudante pessoal quando dele precisamos. Nós, com efeito, usamos Deus, espremendo-o à nossa imagem de como achamos que ele deveria ser. Quando ele permite o sofrimento em nossa vida, ficamos irados e de mau humor contra ele. Como ele se atreve?

Sim, o pecado de nossos primeiros pais marca e mancha todos nós. Nossa mente e nossa vontade resistem à luz e preferem as trevas. Quanto mais nos agitamos na sopa do pecado, mais afundamos. A única maneira de sairmos é a salvação que vem do poder fora da confusão na qual nos encontramos. Somente pela intervenção de Deus, na pessoa de Jesus, para viver e morrer na cruz em nosso favor, é possível o nosso resgate de nossa condição indefesa no pecado.

Jesus é o Salvador do mundo. Somente uma "justiça alienígena", como Martinho Lutero a chamou,[3] oferecendo-nos uma atuação perfeita que não é a nossa, pode nos salvar. Por essa razão o evangelho é verdadeiramente a melhor notícia sobre a face da terra.

DESENCADEANDO UMA REVOLUÇÃO

A salvação é um presente da graça. Mas é de admirar, à luz da realidade da besta fora de nós, e de nossa pecaminosidade interior, que tão poucas pessoas experimentem profunda e contínua transformação em seguir Cristo?

Uma pessoa pode crescer emocionalmente saudável sem Cristo. De fato, posso acreditar que existam várias pessoas não cristãs mais amáveis, equilibradas e gentis do que muitos membros de igrejas que conheço (incluindo eu mesmo!). Ao mesmo tempo, uma pessoa pode ser profundamente comprometida com a espiritualidade contemplativa, até mesmo a ponto de fazer o voto monástico e permanecer emocionalmente alheio e socialmente desajustado.

Como pode ser isso?

Poucos cristãos comprometidos com a espiritualidade contemplativa integram a isso o trabalho interior da saúde emocional. Ao mesmo tempo, poucas pessoas comprometidas com a saúde emocional acrescentam a isso a espiritualidade contemplativa. Ambas são poderosas ênfases transformadoras de vida quando empregadas separadamente. Mas *juntas* elas oferecem nada menos que uma revolução espiritual, transformando os lugares ocultos bem debaixo da superfície. Quando a saúde emocional e a espiritualidade contemplativa estão entrelaçadas na vida individual, no grupo pequeno, na igreja, na universidade ou na comunidade, a vida das pessoas é dramaticamente transformada. São como um antídoto para curar os sintomas da espiritualidade emocionalmente doentia descrita no capítulo 2. Além disso, fornecem meios para vencer decisivamente a besta dentro de nós e em nossa cultura.

DEFININDO A SAÚDE EMOCIONAL E A ESPIRITUALIDADE CONTEMPLATIVA

A *saúde emocional* inclui:[4]

- Nomear, reconhecer e controlar nossos próprios sentimentos.
- Identificar-se com os outros e ter por eles viva compaixão.
- Iniciar e manter relacionamentos estreitos e significativos.
- Libertar-se de padrões autodestrutivos.
- Estar ciente de como nosso passado impacta nosso presente.
- Desenvolver a capacidade de expressar claramente nossos pensamentos e sentimentos, tanto de maneira verbal quanto não verbal.
- Respeitar e amar outros sem ter de mudá-los.
- Pedir o que precisamos, queremos ou preferimos de forma clara, direta e respeitosamente.
- Avaliar de modo preciso nossos limites, forças e fraquezas, compartilhando-os abertamente com os outros.
- Aprender a resolver conflitos de forma madura e negociar soluções que levem em conta as perspectivas dos outros.
- Distinguir e expressar adequadamente nossa sexualidade e sensualidade.
- Vivenciar nossas dores e perdas.

A *espiritualidade contemplativa,* por outro lado, tem o foco em práticas clássicas e interesses como:[5]

- Despertar e submeter-nos ao amor de Deus em toda e qualquer situação.
- Posicionar-nos para ouvir Deus e lembrar sua presença em tudo o que fazemos.
- Comunicar-nos intimamente com Deus, permitindo que ele habite plenamente a profundeza do nosso ser.
- Praticar o silêncio, a solidão e uma vida de crescente oração.
- Descansar atentamente na presença de Deus.
- Compreender nossa vida terrena como uma jornada de transformação na direção de uma união sempre crescente com Deus.
- Encontrar a verdadeira essência de quem somos em Deus.
- Amar os outros como resultado de uma vida de amor a Deus.
- Desenvolver um ritmo de vida equilibrado e harmonioso que nos possibilite estar conscientes do sagrado em tudo na vida.
- Adaptar práticas históricas de espiritualidade que sejam aplicáveis hoje.
- Permitir que nossa vida cristã seja moldada pelos ritmos do calendário cristão em vez da cultura.
- Fazer parte de uma comunidade comprometida que ame apaixonadamente Jesus acima de tudo.

A combinação de saúde emocional e espiritualidade contemplativa leva ao que eu creio ser a peça que falta no cristianismo contemporâneo. Juntas, deixam livre o Espírito Santo dentro de nós para que possamos conhecer experimentalmente o poder de uma autêntica vida em Cristo.

UNINDO AS DUAS

O diagrama a seguir[6] ilustra bem como a contemplação e a saúde emocional são diferentes e, todavia, se sobrepõem. Num sentido muito real, ambas são necessárias para amar a Deus, amar a nós mesmos e amar os outros. Por essa razão, formam o círculo externo em torno do diagrama.

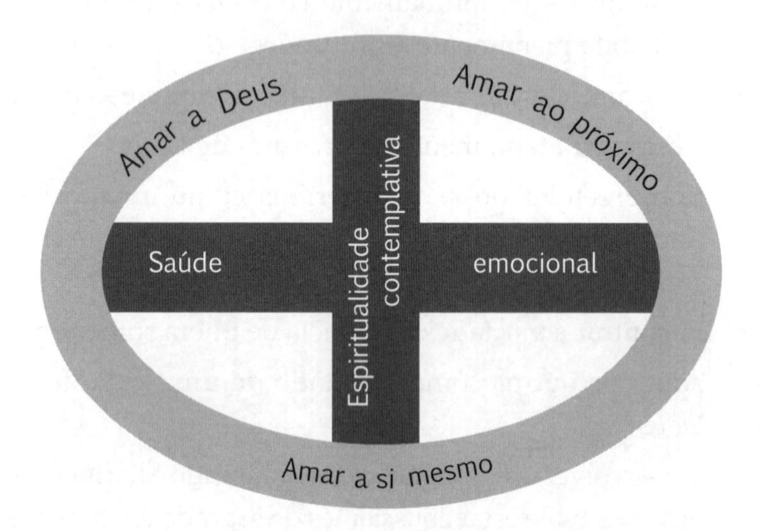

O maior dos mandamentos, disse Jesus, é que amemos a Deus de todo o nosso coração, entendimento, forças e alma e ao nosso próximo como a nós mesmos (v. Mateus 22:37-40). A contemplação tem sido definida de muitas formas ao longo da história. O Irmão Lourenço a chama de "O puro olhar amoroso que encontra Deus em toda parte". Francisco de Sales a descreve como "a amorosa, pura e permanente atenção da mente às coisas de Deus". Por essa razão, a contemplação é a linha vertical que se eleva em direção a Deus e cruza a saúde emocional. Não estamos simplesmente perto de experimentar melhor qualidade de vida por meio da saúde emocional. A consciência e o amor a Deus estão no centro de nossa vida. Estamos acima de tudo próximos a Deus revelado em Cristo.

Ao mesmo tempo a contemplação não é simplesmente o nosso relacionamento com Deus. É, essencialmente, a forma como vemos e tratamos as pessoas e a maneira como vemos a nós mesmos. Nosso relacionamento com Deus e com os outros são dois lados da mesma moeda. Se nossa contemplação ou "carinhosa união com Deus" não resulta numa carinhosa união com as pessoas, então ela é, como diz 1João 4:7-21 de forma tão eloquente, insincera. Além disso, como veremos, ela consiste em ver Deus em toda a vida.

Saúde emocional, por outro lado, envolve principalmente amar ao próximo. Somos conectados com nosso interior, o que torna possível ver e tratar cada indivíduo como digno de respeito, criado à imagem de Deus, e não apenas como objeto a ser usado. Por essa razão, o autoconhecimento, saber o que está acontecendo dentro de nós, é indispensável à saúde emocional e ao amor. De fato, a medida com que amamos e respeitamos a nós mesmos é a medida com a qual seremos capazes de amar e respeitar os outros.

Ao mesmo tempo, a saúde emocional não diz respeito apenas a nós mesmos e a nossos relacionamentos, mas impacta nossa imagem de Deus, tornando-nos capazes de ouvir sua voz e discernir sua vontade.

OS TRÊS DONS DA INTEGRAÇÃO

A saúde emocional e a espiritualidade contemplativa oferecem três dons principais. Cada um deles nos possibilita participar do enorme poder transformador de Jesus Cristo hoje. São eles:

- O dom de desacelerar;
- O dom de se firmar no amor de Deus; e
- O dom de se libertar das ilusões.

O DOM DE DESACELERAR

Quase todo mundo está ocupado. Seja um adolescente ou um cidadão adulto, seja uma dona de casa com filhos pequenos ou um diretor de empresa, seja um professor ou um estudante, rico ou pobre, cristão ou não, vivemos com a agenda cheia, tensos, nervosos, preocupados, cansados e famintos por tempo. Outros não estão ocupados, mas entediados, ignorando a presença de Deus e os dons ao nosso redor.

Claro, fomos gerados para sermos desse jeito. O ativismo é o que melhor explica como os evangélicos chegaram a dominar o mundo de língua inglesa de 1850 a 1900. Trabalhar intensamente para Deus "a tempo e fora de tempo" era esperado dos membros da igreja. Charles Spurgeon, uma das maiores personalidades evangélicas da história da igreja, resumiu nosso compromisso com o ativismo num discurso que deu treinamento para o ministério aos futuros líderes: "Irmãos, façam algo; façam algo; façam algo. Enquanto as comissões gastam tempo com resoluções, façam algo".[7]

Nossa maior fraqueza flui de nossa força principal. Distinguimo-nos em conduzir pessoas a um relacionamento pessoal com Jesus e em mobilizar a igreja a sair e fazer discípulos de todas as nações. Mas, devido a essa excelência, quase sempre não prestamos atenção a Deus. Somos ativos demais para o tipo de reflexão necessária para sustentar uma vida de amor com Deus e com outras pessoas.

A saúde emocional e a espiritualidade contemplativa juntas são poderosas o suficiente para nos desacelerar. Mas a questão não é simplesmente desacelerar. Você pode estar desacelerando, mas a verdadeira questão é: você está prestando atenção a Deus? A saúde emocional e a espiritualidade contemplativa nos chama à *reflexão* para que possamos ouvir Deus e nós mesmos. Vamos dar uma olhada para qual dos lados funciona.

Espiritualidade contemplativa

> Prosseguindo viagem, Jesus entrou num povoado; e uma mulher chamada Marta recebeu-o em casa. Sua irmã, chamada Maria, sentando-se aos pés do Senhor, ouvia a sua palavra. Marta, porém, estava atarefada com muito serviço; e, aproximando-se, disse: Senhor, não te importas que minha irmã me tenha deixado sozinha com o serviço? Dize-lhe que me ajude. E o Senhor lhe respondeu: Marta, Marta, estás ansiosa e preocupada com muitas coisas; mas uma só é necessária; e Maria escolheu a boa parte, e esta não lhe será tirada. (Lucas 10:38-42)

Maria e Marta representam duas abordagens da vida cristã. Marta está ativamente servindo a Jesus, mas está ausente de Jesus. Ela está ocupada com o "fazer" da vida. Sua vida, nesse momento, está cheia de tarefas e obrigações. É uma vida fragmentada, sob pressão e cheia de distrações. Seus deveres se desconectaram do seu amor a Jesus.

O problema de Marta vai além de sua ocupação. Sua vida está fora de centro e dividida. Desconfio que, se Marta tivesse de sentar-se aos pés de Jesus, ainda estaria distraída com tudo em sua mente. Sua pessoa interior é sensível, irritável e ansiosa. Um dos sinais mais óbvios de sua vida estar com defeito é que ela chega a dizer a Deus o que fazer!

Maria, por outro lado, está sentada aos pés de Jesus, ouvin do-o. Ela "está" com Jesus, desfrutando intimidade com ele, amando-o, atenta, aberta, tranquila, experimentando prazer em sua presença. Ela está envolvida no que chamaremos de vida contemplativa.

Maria não está tentando controlar Deus. Sua vida tem um centro de gravidade - Jesus. Desconfio que, se Maria tivesse de ajudar nas muitas tarefas domésticas, não estaria preocupada ou angustiada. Por quê? Sua pessoa interior se desacelerou o suficiente para focar Jesus e centrar sua vida nele.

Quando me tornei cristão, apaixonei-me por Jesus. Eu apreciava o tempo sozinho com ele, lendo a Bíblia e orando. Todavia, quase imediatamente, houve um desequilíbrio entre o círculo de atividades de minha vida (ou seja, "fazer") e o círculo contemplativo (ou seja, "estar" com Jesus). Tal como todos ao meu redor, também lutei com o desejo de mais tempo com Deus, mas simplesmente havia coisas demais a fazer. Veja a seguinte ilustração:

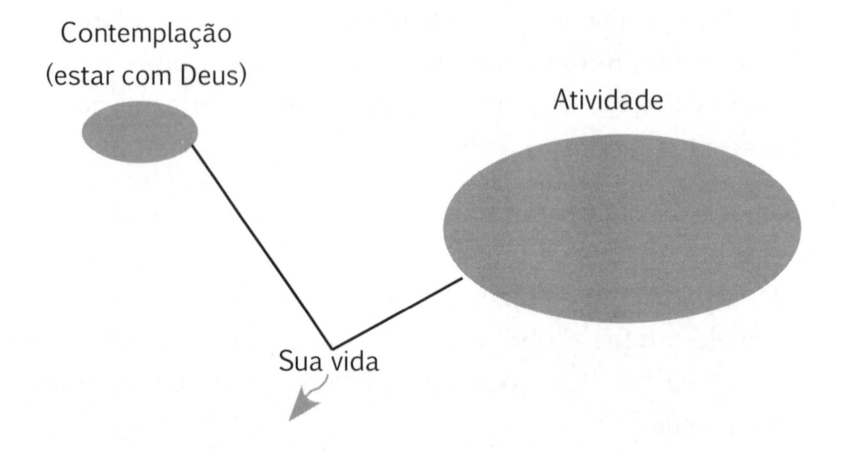

A seta retorcida abaixo de "sua vida" ilustra o resultado do desequilíbrio das duas pontas: contemplação e atividades. Eu me sentia frequentemente fora do centro. Os líderes da igreja logo me ensinaram sobre a importância do momento a sós com Deus ou das devoções para nutrir meu relacionamento pessoal com Cristo. Simplesmente não foi suficiente. A mensagem de ativismo dentro da minha tradição evangélica abafou qualquer ênfase sobre contemplação.

Em cada geração, cristãos escreveram sobre o equilíbrio de Marta e Maria em nossa vida. Todos eles anunciam o mesmo tema: a vida ativa no mundo *para* Deus somente pode fluir de maneira adequada de uma vida *com* Deus. Deus tem uma combinação singular de atividade e contemplação para cada um de nós. Veja esta nova ilustração:

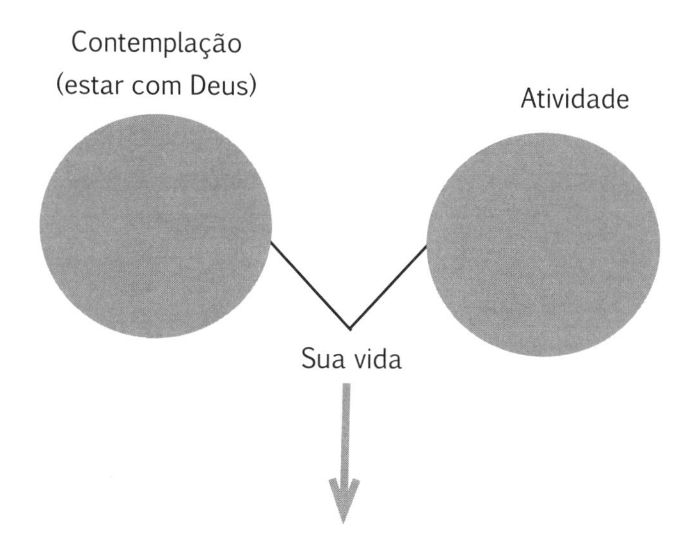

Quando adquirimos a habilidade de integrar atividade com contemplação, descobrimos que a seta de nossa vida tem uma beleza, uma harmonia e uma claridade que torna o "fazer" na vida direto, sincero e prazeroso.

Se precisamos parar e estar com Deus, é para que possamos criar uma contínua e cômoda familiaridade com a presença de Deus o tempo todo - trabalhando, nos divertindo, cozinhando, removendo o lixo, dirigindo, visitando amigos, bem como durante a adoração, a oração e o estudo da Bíblia. Isso requer que desaceleremos e prestemos atenção. Nossa meta é amar a Deus com todo o nosso ser, estar consistentemente cônscio de Deus em nossa vida diária - estejamos nós parados como Maria, sentados aos pés de Jesus, ou ativos como Marta, cuidando das tarefas do dia. Sabemos que encontramos nosso equilíbrio quando estamos tão profundamente arraigados em Deus que nossa atividade é marcada pela tranquila, alegre e rica qualidade de nossa contemplação.

Claro, Deus fez cada um de nós diferente. De quanto tempo precisamos para estar a sós com Deus a fim de que a vida de Cristo flua de nós? A sua combinação de atividades e contemplação será diferente da minha. Deus produziu de uma forma única cada uma de nossas personalidades, temperamentos, situações da vida, paixões e chamados.

Outra forma de descobrir quanto precisamos desacelerar é pensar no quanto estamos atentos a Deus durante nossas atividades. Deus fala a cada um de nós todos os dias - não só pela Escritura e pela criação, mas através de sonhos, silêncio, engarrafamento de trânsito, trabalhos entediantes, interrupções, conflitos, perdas de emprego, rompimento de relacionamentos, sucessos, fracassos e traições. Jesus descreveu isso como sua "semeadura". Nosso problema é que muitas dessas sementes são "arrebatadas" ou morrem prematuramente devido a pressões externas ou devido à nossa absorção por outros interesses e preocupações (v. Marcos 4:1-20). Muitas dessas sementes são perdidas porque não prestamos atenção.[8]

Quando eu tenho suficiente "tempo de desaceleração" sozinho, descubro que minha atividade é marcada por uma profunda e carinhosa comunhão com Deus. Então a vida de Cristo, na maioria das vezes, flui de mim para outras pessoas.

Você deve estar realmente querendo saber como desacelerar para prestar atenção a Deus continuamente. Fique comigo. A resposta se revelará aos poucos nos capítulos a seguir. Por enquanto continuemos com nosso tema atual.

Saúde emocional

O ritmo de minha vida desacelerou consideravelmente onze anos atrás quando comecei minha jornada na saúde emocional. Leva tempo - muito tempo - para sentir, sofrer, ouvir, refletir, estar atento ao que está acontecendo ao nosso redor e em nós; para viver, e não simplesmente existir; e para aprender a amar. Resolver refletir e crescer na saúde emocional ajudou-me a compreender 1Coríntios 13 pela primeira vez: o objetivo da vida cristã é o amor. O apóstolo Paulo diz que podemos fazer grandes milagres, ter grande fé e sacrificar tudo que temos e ainda assim permanecermos espiritualmente como bebês - ou talvez nem sequer sermos cristãos, afinal. O verdadeiro fruto, ele argumenta, é marcado por amor sobrenatural agindo em nós e através de nós (v. 1Coríntios 13:1-13).

Compreender isso exigiu uma mudança radical em minhas prioridades. Três coisas passaram para o primeiro plano:

Lar: Tive de me esforçar para arranjar tempo para amar Geri e cada uma de nossas quatro filhas. Amar Jesus pelo investimento em nosso casamento e na criação das filhas me fez desacelerar de forma considerável. Por exemplo, parei de me esquivar do jogo de futebol de minhas filhas ou dos jogos de tabuleiro em família. Meus objetivos e expectativas em relação ao trabalho diminuíram. Meus objetivos e expectativas em relação ao tempo para cultivar o relacionamento com Geri e nossas quatro filhas decolaram. Não há como ignorar a importância do tempo em família para um casamento de alta qualidade.

Trabalho: Precisei também encontrar tempo para ouvir e estar presente junto à minha equipe e outros ao meu redor. Para isso, tive de parar de marcar muitos compromissos e reuniões em poucos espaços de tempo. Nosso discernimento como equipe e o modo de tomarmos decisões também começaram a mudar. Nós desaceleramos bastante (pelo menos mais do que antes!) para fazer uma pausa e ficar tranquilos o suficiente para reconhecer o cronograma e a voz de Deus muito melhor do que em nossos primeiros anos. Eu, como Abraão, havia gerado muitos "Ismaeis" em minha tentativa de ajudar o plano de Deus a avançar com mais eficiência (v. Gênesis 16:1-3). Finalmente tomamos a decisão de que compromissos e iniciativas que causassem um frenesi de atividades, impedindo-nos de prestar atenção a Deus, a nós mesmos e a outros, seriam rejeitados. Isso passou a integrar nosso discernimento quanto ao tempo oportuno de Deus para novas iniciativas.

Eu: Além de meus momentos de leitura da Bíblia, eu precisava de tempo para prestar atenção ao que estava acontecendo dentro de mim a cada dia para que pudesse levar aquilo a Deus também. Em vez de me manter ocupado para evitar dores e decepções, eu precisava de espaço para explorar meus sentimentos e combater a raiva, a vergonha, a amargura, o sofrimento, o ciúme, o medo ou a opressão - de uma forma sincera e contemplativa perante Deus. Comecei a registrar o que eu sentia enquanto interagia com pessoas e circunstâncias durante o dia. No começo, meus "músculos do sentimento" estavam tão fracos que eu tinha dificuldade em distinguir raiva, tristeza e medo - ou às vezes não sentia nada. Com o passar do tempo, no entanto, aumentou minha percepção do que estava acontecendo internamente, e isso foi integrado ao discernimento da vontade de Deus. Finalmente, comecei a prestar atenção ao dom de limites que Deus me deu - limites relacionados a personalidade, temperamento e combinação de dons, além de aptidão física, emocional e espiritual. Isso abriu para mim um novo mundo de entrega e confiança em Deus em meio a obstáculos e desafios.[9]

Numa cultura tão frenética e desatenta quanto a nossa, um cristão "desacelerado" que seja uma presença contemplativa a Deus e aos outros é um dom extraordinário.

O dom de se firmar no amor de Deus

O cristianismo não consiste em nossa busca disciplinada de Deus, mas na busca incansável de Deus por nós - a ponto de morrer numa cruz por nós para que pudéssemos nos tornar seus amigos. O Deus inexaurível nos ama tanto que sempre que voltamos para ele, depois de nos desviarmos do seu amor por nós, o céu todo rompe em tonitruante celebração (v. Lucas 15:7).

Muitos de nós cremos nisso intelectualmente. Esta é a mensagem da Bíblia de Gênesis a Apocalipse. Experimentar esse amor infinito em nosso coração, entretanto, é outro assunto.

Saúde emocional

As vozes sinistras do mundo e do nosso passado são poderosas. Elas repetem as profundas crenças negativas que aprendemos em nossa família e cultura[10]:

- Eu sou um erro.
- Eu sou um fardo.
- Eu sou estúpido.
- Eu sou inútil.
- Não posso cometer erros.
- Preciso ser aprovado por certas pessoas para me sentir bem.
- Não tenho o direito de sentir alegria e prazer.
- Não tenho o direito de me expressar e dizer o que penso e sinto.
- Não tenho o direito de sentir.
- Sou avaliado com base em minha inteligência, saúde e o que faço, não pelo que sou.

É impressionante como tantos seguidores de Jesus profundamente comprometidos podem afirmar que as declarações anteriores enunciam como eles verdadeiramente se sentem. Tal como o filho pródigo, eles estão contentes em se relacionar com Deus como servos assalariados em vez de desfrutar todos os privilégios de filhos e filhas do nosso Pai celestial (v. Lucas 15:11-21).

De modo único, a saúde emocional nos posiciona para contemplarmos *a largura, o comprimento, a altura e a profundidade desse amor* [...] *que excede todo o entendimento* (Efésios 3:18,19). Somente um pequeno vislumbre é suficiente para nos firmar em nossa verdadeira identidade e mostrar que somos profundamente amados por Deus. Por causa disso, podemos ter uma autocompreensão nova e mais bíblica:

- Tenho a mim mesmo em consideração, apesar de minhas imperfeições e limites.
- Sou digno de declarar o poder que me foi dado por Deus no mundo.

- Tenho o direito de existir.
- Tenho minha própria identidade concedida por Deus e que é distinta e única.
- Mereço ser valorizado e receber atenção.
- Tenho o direito à alegria e ao prazer.
- Tenho o direito de cometer erros e de não ser perfeito.

A saúde emocional me firma poderosamente no amor de Deus ao confirmar que sou merecedor de ternura, mereço estar vivo e ser amado, mesmo quando sou brutalmente honesto a respeito do bom, do mau e do feio sob a superfície do meu *iceberg*.

Conheço muitas pessoas que receiam sentir; elas temem uma torrente de pensamentos negativos dentro de si. Temem que a raiva, o ódio, a amargura, a tristeza ou insegurança irrompam. Talvez isso seja verdade. Mas um dos efeitos surpreendentes da jornada da saúde emocional é uma nova descoberta da misericórdia de Deus no evangelho. Não somente Deus não nos rejeita e nos pune por sermos honestos e transparentes a respeito de todo o nosso ego, mas ele de fato nos aceita e nos ama onde estamos. Estamos firmados no amor de Deus quando ele nos dá permissão para expressar tanto o que é mau quanto o que é bom e cuida de nós de uma forma apropriada.

O discipulado emocionalmente saudável confirma que não sou uma máquina que simplesmente "faz as coisas para Deus", mas um ser humano que precisa de cuidado e descanso. A saúde emocional me conecta ao amor de Deus, mostrando-me que, quando expresso meu verdadeiro ego e me torno minha pessoa única em Cristo, eu não morro. E também me ensina a receber o amor de Deus através do amor e do contato humanos. Os muros de defesa por mim construídos para manter outras pessoas afastadas começam a ruir. De fato, aprender as habilidades da saúde emocional tem sido uma das formas de experimentar a glória de Deus em meu casamento com Geri. Tenho também experimentado um nível de *ágape,* de amor incondicional com outros, que tem sido nada menos que um gostinho do céu.

Espiritualidade contemplativa

A tradição e as disciplinas contemplativas se unem à ancoragem da saúde emocional ao prover meios para nos manter alerta e conscientes do amor de Deus o dia todo. A espiritualidade contemplativa nos move para um relacionamento mais maduro com Deus. Progredimos da atitude "me dá, me dá, me dá" de uma criancinha para uma forma mais madura de se relacionar, em que nos deleitamos em estar com Deus como nosso "Abba Pai" (v. Romanos 8:15-17). A evolução do processo pode ser descrita da seguinte forma:

- Falar para Deus - Isto é simplesmente imitar o que nossos pais ou nossas autoridades nos disseram para orar. Por exemplo: "Abençoa-me, Senhor, em relação a estes teus dons, que estamos prestes a receber por Cristo, nosso Senhor. Amém."
- Falar com Deus - Ficamos mais à vontade encontrando nossas próprias palavras para falar a Deus do que as orações já prontas de nossa infância. Por exemplo: "Dá-me, dá-me, dá-me mais, ó Deus".
- Ouvir Deus - Neste ponto começamos a ouvir Deus e temos um relacionamento de mão dupla com ele.
- Estar com Deus - Finalmente, nós simplesmente desfrutamos da presença de Deus, que nos ama. Isso é muito mais importante do que uma atividade especial que possamos fazer com ele. Sua presença torna gratificante a vida toda.[11]

As práticas da espiritualidade contemplativa - silêncio, solidão, ofício divino, meditação na Escritura, oração, descanso semanal - nos capacitam a nos sintonizar com a consciência do amor inexaurível de Deus por nós. Elas nos ajudam a parar! Essas práticas devocionais são momentos de centralizar em Deus para que possamos estar atentos à sua presença em tempos de plena atividade durante o dia. A prática do sábado, de verdadeiramente parar um dia por semana para descansar, para deleitar-se na criação de Deus e cuidar de mim mesmo, firma-me na prática de "estar", e não somente "fazer", todos os sete dias (v. cap. 8). Parar para Deus em intervalos repetidos durante cada dia - o ofício divino - também fornece o ritmo para me possibilitar comunicação com ele durante o dia todo (também no cap. 8). Madre Teresa de Calcutá exigia que suas Missionárias da Caridade passassem períodos de uma hora por dia em oração para manter seu amor pelos agonizantes. São Francisco de Assis deixou os mosteiros e saiu pelas ruas para proclamar Cristo, mas periodicamente deixava as cidades para estar a sós com Deus durante dias e, às vezes, semanas.

Pode ser que não sejamos chamados para ser monges, mas podemos aprender muitas coisas com eles quando procuramos seguir Cristo no século 21. Todos nós temos, eu acredito, um ser solitário, um monge, dentro de nós. Essa é a parte de nós que precisa de um tempo sozinho rico e criativo com nós mesmos e com Deus. A saúde emocional e a espiritualidade contemplativa permite que o círculo "contemplativo" de nossa vida cresça mais e equilibre a quantidade de atividade na qual estamos envolvidos. Esse ajuste tem a capacidade de nos levar para uma incrível transformação com o amor de Deus em cada dia.

Quando nos firmamos no inexaurível amor de Deus, temos o precioso fruto da cura de sua imagem em nós. Infelizmente, alguns de nós nos relacionamos com Deus como se ele fosse um relojoeiro. Vivemos como se Deus tivesse criado o mundo e o colocado em movimento, mas não tendo mais qualquer envolvimento direto e imediato com a criação. Então, por que orar?

Outros se relacionam com Deus como se ele fosse uma divindade irada, sempre frustrada conosco: "Vocês não são bons o suficiente"; "Vocês estão distantes do que precisam estar"; "Como posso estar feliz com vocês quando não estão fazendo tudo o que eu quero?".

Para outros, ainda, Deus é exigente e anti-humano, fazendo o que ele quer às nossas custas. Somos como peões num jogo de xadrez e Deus está fazendo todos os movimentos. Novamente, por que orar?

A Escritura revela nosso Pai celestial como alguém que procura o nosso bem em toda e qualquer situação. Ele procura nos transformar em crianças adultas. Jesus mesmo disse: *Já não vos chamo servos* [...] *mas eu vos chamo amigos* (João 15:15). Brennan Manning resume bem o nosso que ocorre quando nos firmamos regularmente no amor de Deus:

> Sempre é verdade, até certo ponto, que fazemos nossas imagens de Deus. É mais verdade ainda que nossa imagem de Deus nos faz. Acabamos nos tornando como o Deus que imaginamos. Um dos mais belos frutos de conhecer o Deus de Jesus é uma atitude compassiva para com nós mesmos [...]. É por isso que a Escritura dá tanta importância a conhecer Deus. Curar nossa imagem de Deus cura a nossa própria imagem.[12]

Não há, talvez, nada mais prazeroso e restaurador do que estar fascinado por alguém, especialmente se esse alguém é um Deus que nos ama com amor inesgotável e sem restrições. Por essa razão, Bernardo de Claraval referiu-se a Jesus como "mel para a boca, música para os ouvidos e alegria para o coração".

O DOM DE SE LIBERTAR DAS ILUSÕES

O mundo está cheio de ilusões e pretextos. Convencemo-nos de que não podemos viver sem certos prazeres materiais, realizações e relacionamentos. Ficamos "amarrados" (ou "viciados", para usar uma palavra atual). Prendemos nossa vontade à crença de que algo menos que Deus pode nos satisfazer. Pensamos que se apenas atingirmos aquela grande meta, então realmente nos sentiremos contentes e bem com nós mesmos. Teremos "terminado" e estaremos aptos para descansar.

Mas aos poucos descobrimos que o acúmulo de coisas- roupas, novos brinquedos eletrônicos, carros, casas - não nos proporciona mais a "emoção" do início. A grande sensação desaparece, e assim nos convencemos de que precisamos de mais. Somos seduzidos pelos falsos deuses do *status*, da atenção e da fama. Tornamo-nos cativos da ilusão de que, se apenas conseguirmos um pouco mais de palavras de elogio de pessoas um pouco mais importantes, será suficiente.

A espiritualidade contemplativa e a saúde emocional nos dão a perspectiva dos limites de todos os prazeres materiais, relacionamentos e realizações. Elas nos firmam cada dia na realidade, em Deus, dando-nos a perspectiva adequada para que o amplo poder da besta não nos esmague.

No final do século 3, nos desertos do Egito, norte da África, houve um fenômeno extraordinário: cristãos, homens e mulheres, começaram a fugir das cidades e aldeias do delta do Nilo para buscar Deus no deserto. Eles compreenderam que havia tanto mundo na igreja que tinham de buscar Deus de uma forma radical, mudando-se para o deserto. Esses habitantes do deserto ficaram conhecidos como os primeiros cristãos eremitas. Pouco depois, eles se organizaram em comunidades monásticas. Eles viam o mundo:

> Como o naufrágio de um navio em que cada homem individualmente tinha de nadar para salvar a vida [...]. Eram homens que criam que continuar à deriva, aceitando passivamente os dogmas e valores do que eles conheciam como sociedade, era pura e simplesmente um desastre [...]. Eles sabiam que eram impotentes para fazer qualquer bem para os outros enquanto se debatiam nos destroços. Mas, uma vez com os pés apoiados em terreno firme, as coisas seriam diferentes. Então eles não apenas teriam o poder, mas até mesmo a obrigação de arrastar o mundo todo para a segurança que já estariam experimentando.[13]

O chamado da espiritualidade emocionalmente saudável é um chamado para uma vida radical e contracultural. É um convite à intencionalidade, ao ritmo e à expectativa de uma vida transformada pelo Cristo ressurreto com o poder para enxergar além das ilusões e dos pretextos do nosso mundo.

Saúde emocional

- Eu me liberto para viver na verdade. Eu paro de fingir para mim mesmo, os outros e Deus sobre o que verdadeiramente está acontecendo dentro de mim.
- Eu me liberto ao escolher viver a vida especial que Deus me concedeu. Não vivo mais a mentira da vida ou da jornada de outra pessoa.
- Eu me liberto ao reconhecer meu quebrantamento e minhas vulnerabilidades em vez de tentar encobri-los. Eu redescubro a misericórdia e a graça de Deus.
- Eu me liberto da necessidade de me prender a realizações, coisas ou aprovação das pessoas para me sentir bem. Eu experimento o dom de ser filho do Pai (Abba).

- Eu me liberto dos padrões de minha família e cultura que moldam negativamente como devo me relacionar e viver hoje.
- Eu me liberto da ilusão de que existe algo mais valioso e mais bonito do que o dom de amar e ser amado.

A espiritualidade contemplativa

A espiritualidade contemplativa, além de aprofundar todas essas verdades em nossa vida, acrescenta algumas outras:

- Eu me liberto, num novo nível, de camadas do meu "falso ego" que estou tirando para que o meu verdadeiro ego em Cristo possa emergir.
- Eu me liberto ao me dar conta de que as coisas não são como parecem ser. Os ídolos em minha vida são quebrados quando a ilusão do que eles prometem é exposta. Tenho perspectiva em minha vida em Cristo sobre e contra o sucesso como definido pelo mundo.
- Eu me liberto da ilusão de que vou viver para sempre. A espiritualidade contemplativa coloca perante mim cada dia a brevidade da minha vida terrena, bem como a realidade da eternidade.
- Eu me liberto dos desejos egoístas que sistematicamente me afastam de Deus para fazer a minha própria vontade, não a dele

Permita-me ilustrar como as ferramentas *tanto* da saúde emocional *como* da espiritualidade contemplativa são essenciais para verdadeiramente nos libertar de nossas ilusões. Trabalhei durante anos na história de minha família e em seu impacto sobre meus relacionamentos atuais. Enquanto estava num programa avançado sobre casamento e família, minha classe recebeu a incumbência de entrevistar todo integrante vivo de nossas famílias. Tivemos de montar o quebra-cabeça de nossas famílias, revelar segredos e nos compreender melhor no contexto familiar. Deus usou essa experiência de uma forma maravilhosa em minha vida para me tornar consciente de vários padrões de gerações que impactaram negativamente o meu relacionamento com Geri, nossas filhas, meus colaboradores na New Life Fellowship e comigo mesmo. Pelo poder do Espírito Santo, consegui fazer mudanças específicas para Cristo.

Dois anos depois, durante um prolongado tempo de silêncio e solidão (um dos dons da espiritualidade contemplativa), percebi fome por Deus nascendo dentro de mim. Vi-me com fome e gritando para Deus! Praguejei contra ele. Chamei-o de mentiroso. "O seu jugo não é leve nem suave!", gritei. (Não se preocupe. Eu estava sozinho.) Eu queria saber de onde vinha aquilo.

Aquilo me levou a semanas de meditação e reflexão sobre o convite de Jesus: *Vinde a mim todos os que estais cansados e sobrecarregados, e eu vos aliviarei.* [...] *Pois o meu jugo é suave e o meu fardo é leve* (Mateus 11:28,30). Com o passar do tempo, me dei conta de que, sob meus incontáveis sermões sobre a graça e o amor de Deus, eu percebia Deus como um perfeccionista - uma espécie de capataz. Mas era realmente ele? Ou era um passado para o qual eu não estava disposto a olhar?

Vim a perceber durante esse tempo de solidão que o deus a quem eu estava servindo refletia mais meus pais terrenos que o Deus da Escritura. "Nunca era suficiente", era como eu quase sempre me sentia na família onde cresci. Quase inconscientemente, eu tinha transferido aquilo para o meu Pai celestial, como se ele me dissesse: "Nunca é o bastante, Pete". Nunca eu havia feito aquela associação.

Fiquei impressionado!

A ideia é simples: existem poderosos avanços espirituais que podem acontecer bem abaixo da superfície do nosso *iceberg* quando as riquezas *tanto* da espiritualidade contemplativa *como* da saúde emocional são reunidas. Testemunhei esse fato continuamente em minha própria vida e na vida de inúmeras outras pessoas. Juntas, a saúde emocional e a espiritualidade contemplativa são como uma espécie de fornalha onde o amor de Deus queima o que é falso e irreal e onde a força desse amor, ardente e purificador, nos liberta para vivermos a verdade de Jesus.

DAVI: UM MODELO DE SAÚDE EMOCIONAL E INTEGRAÇÃO CONTEMPLATIVA

Os exercícios da espiritualidade contemplativa fornecem um "recipiente", um delimitador, para que Jesus continue como o princípio, o meio e o fim de nossa vida. Dessa forma os exercícios de saúde emocional nunca nos levam ao narcisismo ensimesmado; eles nos levam a Cristo.

Davi, um homem segundo o coração de Deus, foi um bonito modelo para nós, integrando uma plena vida emocional com uma profunda vida contemplativa com Deus, ao escrever:

> *Ó Deus, dá ouvidos à minha oração e não te escondas*
> *da minha súplica. Atende-me e ouve-me.*
> *Estou perturbado e ando perplexo. Meu coração dispara*
> *dentro de mim, e o pavor da morte me domina.*
> *Temor e tremor me sobrevêm, e o horror toma conta*
> *de mim.*
> *Mas eu invocarei a Deus, e o* SENHOR *me salvará.*
> *À tarde, de manhã e ao meio dia me queixarei*
> *e me lamentarei; e ele ouvirá a minha voz*
> (Salmos 55:1,2,4,5,16,17).

Convido você, no capítulo seguinte, a vir comigo numa empolgante jornada nas oito trilhas da espiritualidade emocionalmente saudável. Vamos começar com o essencial primeiro passo: conhecer a si mesmo para que você possa conhecer Deus.

Ó Senhor, desacelera-me para que eu possa prestar atenção a ti durante este dia, para que eu possa te encontrar até mesmo ao ler estas páginas. É seguro andar contigo, mesmo eu não me sentindo dessa forma hoje. Tu és um lugar seguro. Firma-me a ti hoje, ó Senhor, em meio às tempestades e provações da vida. Liberta-me de todos os pensamentos e ideias a teu respeito que não sejam verdadeiros. Desencadeia uma revolução espiritual em meu interior, Senhor Jesus. Torna-me verdadeiramente livre, ó Senhor, para que eu possa ser uma bênção para todos ao meu redor. Em nome de Jesus. Amém.

Parte II

CAMINHOS PARA UMA ESPIRITUALIDADE EMOCIONALMENTE SAUDÁVEL

4

CONHEÇA A SI MESMO PARA CONHECER DEUS

Tornando-se seu verdadeiro ego

O autoconhecimento e o relacionamento com Deus estão estreitamente associados. De fato, o desafio de abandonar nosso "falso antigo" eu para vivermos autenticamente nosso "verdadeiro novo" ego está no cerne da verdadeira espiritualidade.

O apóstolo Paulo o expressou deste modo: *... vos despir do velho homem* [...] *e vos revestir do novo homem, criado segundo Deus em verdadeira justiça e santidade* (Efésios 4:22,24).

Agostinho escreveu em *Confissões* (400 d.C.): "Como você pode se aproximar de Deus estando distante de si mesmo?". Ele orou: "Concede, Senhor, que eu possa conhecer a mim mesmo para que possa conhecer a ti".

Mestre Eckart, escritor dominicano do século 13, escreveu: "Ninguém pode conhecer Deus sem primeiro conhecer a si mesmo".[1]

Santa Teresa de Ávila escreveu em *O caminho da perfeição*: "Quase todos os problemas na vida espiritual têm sua origem na falta de autoconhecimento".

João Calvino escreveu na abertura de suas *Institutas da religião cristã* (1530): "A sabedoria verdadeira e substancial consiste quase inteiramente em duas coisas: o conhecimento de Deus e o conhecimento de nós mesmos. Mas, embora esses dois ramos da sabedoria estejam estreitamente ligados entre si, não é fácil ver qual dos dois precede e dá origem ao outro".[2]

A grande maioria de nós morre sem saber quem é. Vivemos inconscientemente a vida de alguém, ou pelo menos a expectativa de alguém para nós. Com isso, nos violentamos e atingimos nossa relação com Deus e com o próximo. A seguir, uma história pessoal que ilustra quanto a separação entre o conhecimento de Deus e o autoconhecimento pode muito facilmente nos paralisar no desenvolvimento espiritual e emocional.

Geri vai embora - novamente.

Certo dia Geri entrou na sala de estar enquanto eu lia o jornal.

- Pete, quero que você saiba que neste verão eu *vou* à praia de Nova Jersey.

Ela fez uma pausa, esperando minha reação.

"Não, *você não vai*", pensei.

Levantei o olhar do jornal e lancei-lhe um olhar intimidador.

Ela não demonstrou medo.

- Vou passar o mês de julho na casa da mamãe... saio em duas semanas.

- Você não pode - rebati com firmeza. Depois levantei a voz, esperando intimidá-la. - Você não pode me deixar sozinho o mês inteiro em Nova Iorque. Isso vai arruinar nosso casamento.

Isso não era verdade, e eu sabia. Eu não queria ficar sozinho nem me sentir um bobo perante o olhar dos membros da igreja. Fazia dez anos que vivíamos em Queens, densamente povoado, na cidade de Nova Iorque.

Geri estava bem preparada.

- Faz dez anos que quero ir à praia nesse calor terrível do verão. A casa da mamãe fica a três quarteirões do mar. Eu tenho cedido às suas objeções há dez anos. Eu decidi. Ficar aqui é problema seu. É com você. Eu vou - respondeu ela calmamente, dando-me as costas e indo em direção à cozinha.

Meu corpo gemeu. Pude sentir um nó na boca do estômago. Meus dedos se fecharam em punho. Meu pescoço e meus ombros se enrijeceram.

Aquilo não era uma discussão. Senti como se fosse um divórcio.

Eu a segui até a cozinha. Todos os argumentos bíblicos que eu havia usado nos últimos dez anos para manter Geri em Nova Iorque percorreram minha mente:

Deus nos quer juntos. Uma só carne... fazendo tudo juntos. Temos um excelente casamento.

Seria um mau testemunho para os outros. Eu sou pastor titular de uma igreja. Você é a esposa do pastor. Estamos nisso juntos... uma equipe. Deus nos chamou os dois aqui.

Mulheres não tomam esse tipo de decisão sem seu marido - ou pelo menos sem a concordância dele. Isso não é bíblico.

Fiquei de boca fechada sem pronunciar um argumento sequer. Eu sabia que aquilo simplesmente camuflava o fato de aquelas quatro semanas de julho na casa da mãe parecerem quatro anos e um divórcio.

Geri já havia transformado a dinâmica do nosso casamento um ano e meio antes, quando saiu da igreja que eu pastoreava. Aquilo nos lançou numa crise e numa jornada transformadora de vida de espiritualidade emocionalmente saudável.

Ela estava de volta à [Igreja] New Life. Nosso casamento estava indo bem. Éramos bebês naquela nova jornada - juntos, eu pensava.

Por que outra bomba?

Ela estava certa. O problema era meu. Eu sabia - pelo menos intelectualmente. Minhas emoções, entretanto, estavam gritando.

Tínhamos quatro filhas: Maria, com 12 anos; Christy, com 10; Faith, com 7, e Eva, com 3. Morávamos no primeiro andar de uma casa geminada que recebera o apelido de casa-trem (por causa dos quartos em sequência).

Eu costumava me levantar nas manhãs de verão e dizer a Geri, brincando:

- Ouça. - A um quarteirão de distância ouvíamos o som dos carros passando em uma rodovia de seis faixas. - Feche os olhos e imagine que isso é o barulho das ondas na praia.

Raramente ela se divertia com a comparação.

Qual era a dura realidade da qual eu estava fugindo, bem enterrada sob a superfície de minha vida? Havia mais do que uma.

Eu queria que ela fosse a mãe que eu nunca tivera - para não me "abandonar" emocionalmente, estar à disposição do "menino ferido" dentro do homem que já estava cumprindo uma grande responsabilidade para com Deus e a família.

Eu também estava preocupado com o que os outros pensariam de mim. Já previa a reação de minha mãe ítalo-americana. Geri já havia contrariado muitas vezes o comportamento que se esperava das mulheres de meus antepassados.

Em minha mente, eu já estava imaginando uma conversa com minha mãe, na qual ela dizia, sem acreditar: "Nunca ouvi falar de uma coisa dessa. Eu nunca faria isso com meu marido. Nem em sonho!".

Aquilo fugia do padrão de gerações dos Scazzeros.

Nossa conversa foi curta naquele primeiro dia.

Fiz cara feia. Fiquei aborrecido e mais deprimido.

Mas eu sabia que ela estava com a razão. Seria ótimo para ela, para nossas quatro filhas - e, no final das contas, para mim. Mas eu era grande, um bebê emocional, dependente dela de maneira inadequada, relutante em crescer.

O que é realmente triste é que eu liderava e pastoreava uma grande igreja! Finalmente parei de "fazer biquinho". Nas duas semanas seguintes, nós conversamos. Geri reconheceu a importância e o valor do nosso casamento, que não era bom ficarmos separados desnecessariamente. Entre sua volta à igreja aos domingos e minha descida à praia para uns dias de folga, realmente foram apenas quatro dias por semana separados. Aquilo ajudou em um nível.

Não obstante, eu lutei. E, de qualquer maneira, Geri foi.

Eu odiei. Ela adorou.

Com o passar do tempo, entretanto, comecei também a gostar mais do tempo sozinho. Deus o usou para "reprogramar meu interior", consertar alguma avaria de minha família de origem e me ajudar a crescer dentro de mim mesmo sem Geri.

No final das contas, eu me emancipei.

A realidade, contudo, era que o meu discipulado e minha espiritualidade não haviam abordado nem minhas inseguranças nem minha compreensão de mim mesmo. A libertação requeria aprender a sentir, aprender a distinguir sentimento e pensamento e, finalmente, reunir coragem para seguir meu "verdadeiro ego" dado por Deus em vez de seguir as vozes e exigências ao meu redor.

SENTIMENTOS E O INÍCIO DE UMA REVOLUÇÃO

Tal como muitos cristãos hoje, fui ensinado que os sentimentos são falíveis e não confiáveis. Eles oscilam e são a última coisa com que devemos nos preocupar em nossa vida espiritual. Mas essa é uma visão incorreta.

Daniel Goleman, autor de *Emotional Intelligence*,* definiu *emoção* como "referência a um sentimento e seus pensamentos característicos, estados psicológico e biológico e âmbito de propensões

* Goleman, Daniel, *Inteligência emocional: a teoria revolucionária que redefine o que é ser inteligente*. Rio de Janeiro: Editora Objetiva, 2007.

para agir". O que ele quis dizer é que Deus criou os seres humanos para sentirem uma ampla gama de emoções. Existem centenas de emoções, cada uma com suas variações, combinações e centenas de nuances especiais. Os pesquisadores as têm classificado em oito famílias principais:

- Raiva (fúria, hostilidade, irritabilidade, contrariedade).
- Tristeza (sofrimento, autocomiseração, desespero, depressão, solidão).
- Medo (ansiedade, impaciência, nervosismo, horror, terror, apreensão).
- Prazer (alegria, alívio, contentamento, deleite, empolgação, euforia, êxtase).
- Amor (aceitação, confiança, devoção, adoração).
- Surpresa (comoção, admiração, espanto).
- Desgosto (desprezo, escárnio, aversão, tédio, repulsa).
- Vergonha (culpa, remorso, humilhação, constrangimento, decepção).[3]

Nunca passou pela minha cabeça que Deus pudesse me falar no campo do "sentimento" de uma forma que não comprometesse sua verdade. Como eu poderia ouvir meus desejos, sonhos, gostos e desgostos? Não haveria a possibilidade de eles me colocarem no caminho da rebelião, afastado de Deus?

Por isso eu os ignorei.

Como eu disse no capítulo anterior, a maioria dos cristãos não pensa ter permissão para levar em conta seus sentimentos, mencioná-los ou expressá-los abertamente. Isso se aplica especialmente a quando pensamos nos sentimentos mais "difíceis" do medo, da tristeza e da raiva. Foi raiva e depressão, no entanto, que finalmente me fizeram parar e admitir que algo estava muito errado. Eu não podia mais suportá-los. Começaram a aparecer por toda parte, em meus relacionamentos no trabalho e em casa.

Quando negamos as dores, as perdas e as emoções ano após ano, tornamo-nos cada vez menos humanos. Transformamo-nos aos poucos em cascas vazias com faces sorridentes nelas pintadas. É triste dizer que isso é o fruto de muito de nosso discipulado em nossas igrejas. Mas quando comecei a me permitir sentir uma gama mais ampla de emoções, incluindo tristeza, depressão, medo e raiva, foi desencadeada uma revolução em minha espiritualidade. Logo me dei conta de que o fracasso em reconhecer o lugar bíblico dos sentimentos dentro de nossa vida cristã mais ampla fez um grande dano, mantendo na escravidão pessoas livres em Cristo.

NOSSO DEUS SENTE

A jornada da genuína transformação para a espiritualidade emocionalmente saudável começa com um compromisso: permitir-se sentir. Isso é parte essencial de nossa humanidade e personalidade singular como homens e mulheres feitos à imagem de Deus.

A Escritura revela Deus como um ser emocional que sente - uma Pessoa. Tendo sido criados à imagem dele, nós também fomos criados com o dom de sentir e experimentar emoções. Considere o seguinte:

- E Deus VIU QUE ISSO ERA BOM... MUITO BOM (Gênesis 1:25,31). Em outras palavras, Deus se deleitou, saboreou, sorriu de contentamento sobre nós.
- O SENHOR ARREPENDEU-SE de ter feito o homem na terra, e isso lhe pesou no coração (Gênesis 6:6).
- Eu, o SENHOR teu Deus, sou Deus ZELOSO (Êxodo 20:5).
- Por muito tempo me calei, estive em silêncio e me contive; mas agora darei gritos como a que está em trabalho de parto, GEMENDO E RESPIRANDO OFEGANTE (Isaías 42:14).

- O FUROR DA IRA do SENHOR não retrocederá, até que ele tenha executado e cumprido os propósitos do seu coração (Jeremias 30:24).
- Numa terra distante, o SENHOR lhe apareceu, dizendo: COM AMOR ETERNO TE AMEI; POR ISSO COM FIDELIDADE TE ATRAÍ (Jeremias 31:3).
- Como te abandonaria [...] ó Israel? [...]. O meu coração se comove, as minhas COMPAIXÕES DESPERTAM todas de uma vez (Os 11:8).
- ... começou a ENTRISTECER-SE e a ANGUSTIAR-SE. Então ele lhes disse: A minha alma está TRISTE até a morte (Mateus 26:37b,38).
- Olhando para eles ao redor, indignado e MUITO TRISTE por causa da dureza de seus corações, ele disse ao homem: Estende a tua mão (Marcos 3:5).
- Naquela mesma hora Jesus EXULTOU no Espírito Santo (Lucas 10:21). (Todas as ênfases são do autor.)

Reserve uns minutos e reflita nas implicações do nosso Deus sentir. Você é feito à imagem dele. Deus pensa. Você pensa. Deus tem vontade. Você tem vontade. Deus sente. Você sente. Você é um ser humano feito à semelhança de Deus. Parte dessa semelhança é sentir.

No mínimo, o chamado do discipulado inclui experimentar nossos sentimentos, refletir sobre nossos sentimentos e, então, ponderadamente, responder aos nossos sentimentos sob o senhorio de Jesus.

VOCÊ SENTE - MESMO NÃO TENDO CONSCIÊNCIA DISSO

O problema, no entanto, é que não podemos refletir e responder de forma ponderada aos nossos sentimentos se não soubermos o que eles são. Grande parte do nosso verdadeiro ego é enterrada viva - tristeza, fúria, raiva, carinho, alegria, felicidade, medo, depressão. Todavia, Deus projetou nosso corpo para reagir fisiologicamente a eles no mundo ao nosso redor.

Deus nos fala através de um nó na boca do estômago, da tensão muscular, do tremor e da agitação, da liberação de adrenalina em nossa corrente sanguínea, da dor de cabeça e da súbita elevação da batida cardíaca. Deus pode estar gritando para nós através do nosso corpo físico enquanto procuramos (e preferimos) um sinal mais "espiritual". A realidade é que quase sempre o nosso corpo conhece nossos sentimentos antes de nossa mente.

Quando eu falo sobre a necessidade de prestar atenção às nossas emoções, quase sempre ouço comentários como estes:

- Não sou muito bom com sentimentos. Realmente não tenho tempo para isso. Seja como for, minha família era mais de fazer.
- Não sei o que estou sentindo. Tudo é muito confuso.
- Às vezes quando estou prestes a interagir com pessoas importantes ou alguém que não conheço, sensações físicas me intrigam, mas não sei o que está acontecendo.
- Às vezes fico inundado por emoções que me desorganizam e me confundem.
- Às vezes após um encontro difícil com alguém - por exemplo, em um conflito - eu fico deprimido. Não sei por quê.
- Às vezes até durante um comercial de TV, lágrimas vêm aos meus olhos.
- Quando estou me sentindo mal, não sei dizer se estou assustado ou com raiva.
- Eu carrego um sentimento opressivo de vergonha, culpa e/ou anormalidade.
- Minha família nos ensinou que meninas não se zangam e meninos não choram.

O problema para muitos de nós surge quando temos um sentimento "difícil" como raiva ou tristeza. Inconscientemente temos uma "regra" contra esses sentimentos. Sentimo-nos imperfeitos porque não devemos estar sentindo as coisas "erradas". Então mentimos para nós mesmos, às vezes convencendo-nos de que não estamos sentindo nada porque achamos que não deveríamos estar sentindo. Nós bloqueamos nossa humanidade.

Foi assim comigo. Eu realmente nunca investiguei o que estava sentindo; não estava preparado para ser honesto com Deus ou comigo mesmo. Como resultado, em geral eu dizia uma coisa com minhas palavras, mas meu tom de voz, expressões faciais e postura corporal diziam outra. O problema é que, quando negligenciamos nossas emoções mais intensas, somos falsos conosco e fechamos uma porta aberta pela qual podemos conhecer Deus.

Lembro-me da falta de jeito quando comecei a ser honesto e falar abertamente de meus sentimentos. Primeiro eu me perguntei se estava traindo Deus ou deixando o cristianismo. Eu temia que, se abrisse a caixa de Pandora, ficaria perdido num buraco escuro de emoções insolúveis. Eu estava quebrando um mandamento inconfesso de minha família e de minha tradição religiosa.

Para minha surpresa, Deus soube lidar com minhas emoções selvagens quando elas irromperam após 36 anos de sufocamento. Cheguei vivo como nunca. E redescobri o amor e a graça de Deus - tal como Davi, Jó e Jeremias. Comecei também minha jornada de autoconhecimento para que pudesse conhecer Deus.

DESCOBRINDO SUAS EMOÇÕES E A VONTADE DE DEUS

Apenas depois de algum tempo é que conheci a obra de Inácio de Loyola, o fundador da Companhia de Jesus (os Jesuítas). Ele escreveu sobre a importância de manter um equilíbrio entre a nossa razão (intelecto) e os sentimentos (coração). Atribuindo a devida importância a nossas emoções no discernimento da vontade de Deus, suas orientações têm servido aos crentes há 450 anos. Ele enfatizou corretamente o fundamento de um total compromisso com a vontade de Deus, a Escritura e o sábio conselho. Além disso, descreve de modo excelente o modo com que Deus nos fala por meio da matéria-prima de nossos sentimentos. A questão não é, de jeito nenhum, seguir cegamente nossos sentimentos, mas reconhecê-los como *parte* da forma como Deus se comunica conosco.

Inácio explorou as diferenças entre consolações (os movimentos e sentimentos interiores que produzem vida, alegria, paz e o fruto do Espírito) e desolações (os que produzem "morte", desordem interna, inquietação e "turbulência espiritual").[4] Com essa íntima consciência do que estamos sentindo em nosso interior, Inácio repetiu o apóstolo João, que disse: *não acrediteis em qualquer espírito, mas avaliai se os espíritos vêm de Deus* (1João 4:1). Às vezes eles são nossos desejos carnais ou do inimigo. Outras vezes Deus está nos instigando a uma escolha melhor. Deus pretende que amadureçamos no aprendizado para reconhecermos como ele fala e nos orienta por meio de nossos sentimentos.

Um de nossos maiores obstáculos para conhecer Deus é a nossa própria falta de autoconhecimento. Por isso acabamos usando uma máscara - diante de Deus, de nós mesmos e de outras pessoas. E não podemos nos tornar autoconscientes se ocultamos nossa humanidade por medo de nossos sentimentos. Esse medo leva à má vontade para o autoconhecimento verdadeiro e atrasa nosso crescimento em Cristo.

Em *The Cry of the Soul* [O choro da alma], Dan Allender e Tremper Longman resumem por que a consciência de nossos sentimentos é tão importante:

> *Ignorar nossas emoções é dar as costas à realidade. Ouvir nossas emoções nos conduz à realidade. E a realidade é onde encontramos Deus* [...]. *As emoções são a linguagem da alma. Elas são o clamor que dá voz ao coração* [...]. *Entretanto, com frequência nos fazemos*

de surdos – por negação emocional, distorção ou desmotivação. Nós filtramos qualquer coisa perturbadora para ganhar um frágil controle de nosso mundo interior. Ficamos assustados e envergonhados do que vai em nossa consciência. Ao negligenciar nossas emoções intensas, somos falsos com nós mesmos e perdemos uma maravilhosa oportunidade de conhecer Deus. Esquecemos que a mudança vem através da brutal honestidade e vulnerabilidade perante Deus.[5]

Permita-se experimentar todo o peso de seus sentimentos. Permita-os sem censurá-los. Então você pode refletir e ponderadamente decidir o que fazer com eles. Confie que Deus virá até você por meio deles. Este é o primeiro passo no difícil trabalho do discipulado.

Uma vez que aquelas emoções "enterradas vivas" ressuscitaram, percebi que nunca poderia voltar a uma espiritualidade que não incluísse a saúde emocional. E quando eu finalmente me permiti começar a perguntar: "Como me sinto a respeito da igreja, de minha vida, dos meus vários relacionamentos?" perante Deus e os outros, liberou-se uma efusão que não apenas me libertou, como libertou todos ao meu redor.

A GRANDE TENTAÇÃO DE UM FALSO EGO

Eu passei anos meditando nas tentações de Jesus no deserto (v. Lucas 4:1-13). Elas delineiam as três falsas identidades ou máscaras que Satanás oferece a cada um de nós. E elas nos mostram as escolhas que nós, também, devemos fazer para permanecer fiéis à nossa vida e identidade singular, dadas por Deus.

Antes de começar a comentar a passagem, recebemos uma imagem instantânea de quem Jesus entende que é. O céu se abre. O Espírito desce como uma pomba, e o Pai de Jesus fala em voz audível: *Este é o meu Filho amado, de quem me agrado* (Mateus 3:17).

Em outras palavras: "Eu amo você. Você é bom. É bom demais que você exista".

Jesus ainda teria de realizar milagres ou morrer na cruz pelos pecados da humanidade. Contudo, ele recebe uma afirmação de que é profundamente amado por seu Pai celestial por quem ele é. Esse amor é o fundamento de sua autocompreensão. É com base nele que Jesus avalia a si mesmo.

Viver e nadar no rio do profundo amor de Deus por nós em Cristo está bem no centro da verdadeira espiritualidade. Embebermo-nos nesse amor nos capacita à entrega da vontade de Deus, especialmente quando ela parece tão contrária ao que podemos ver, sentir ou compreender. Esse conhecimento prático do amor e da aceitação de Deus fornece o único e óbvio fundamento para amar e aceitar nosso verdadeiro ego. Somente o amor de Deus em Cristo é capaz de sustentar o peso de nossa verdadeira identidade.

Deus nos desenvolveu e formou internamente com uma singular personalidade, pensamentos, sonhos, temperamento, sentimentos, talentos, dons e desejos. Ele plantou "sementes verdadeiras do ego" dentro de nós. Elas formam o autêntico "nós". Nós somos também profundamente amados. Somos um tesouro.

As fortes tentações, entretanto, nos ameaçam. Cada uma, à sua maneira, grita: "O amor de Deus por você nunca será suficiente! Você não é querido. Você não é suficientemente bom".

Tentação número 1: Eu sou o que faço (desempenho)

O Diabo disse a Jesus: *Se tu és o Filho de Deus, ordena que estas pedras se transformem em pães* (Mateus 4:3). Aparentemente Jesus não havia feito nada durante trinta anos. Ele ainda não começara seu ministério. Poderia ser visto como um fracasso. Ninguém acreditava nele. Ele estava com fome. Que contribuição ele havia feito ao mundo?

Nossa cultura faz a mesma pergunta. O que você conseguiu? Como você demonstrou sua utilidade? O que você faz? Muitos só se consideram úteis se obtêm muito sucesso - no trabalho, na família, na escola, na igreja, nos relacionamentos. Quando não conseguimos, intensificamos nossas ações, entramos em depressão devido à vergonha ou até culpamos outros por nossa situação difícil ou desagradável.

Thomas Merton, monge trapista e autor do *best-seller A montanha dos sete patamares**, escreveu :

> Alguns anos antes, um homem que estava compilando um livro sobre pessoas bem-sucedidas escreveu e me pediu uma declaração sobre meu sucesso. Respondi indignado que para mim não havia sucesso significativo. Jurei que havia passado minha vida evitando incansavelmente o sucesso. Se aconteceu de eu ter escrito um *best-seller*, aquilo fora por puro acaso, por desatenção e ingenuidade, e eu tomaria muito cuidado para nunca mais repetir a dose. Se eu tinha uma mensagem para os meus contemporâneos, certamente era: sejam o que vocês quiserem, loucos, bêbados... sejam qualquer coisa, mas evitem o sucesso. Não ouvi mais resposta dele, e não sei se a minha resposta foi publicada.[6]

Merton compreendeu a facilidade com que o sucesso mundano nos tenta a encontrar nosso próprio valor fora do inesgotável amor de Deus por ele em Cristo.

Tentação número 2: Eu sou o que tenho (posse)

Jesus foi levado para contemplar toda a glória e o poder da terra. Basicamente o Diabo lhe disse: "Olhe ao seu redor para o que todo mundo tem. Você não tem nada. Como você pode pensar que é alguém? Como você irá sobreviver? Você é um joão-ninguém".

* São Paulo, Editora Vozes, 2005.

O Diabo buscou manipular questões profundas como o medo e a fonte da segurança.

Nossa cultura mede o sucesso pelos produtos concretos. A propaganda gasta agora mais de quinze bilhões de dólares por ano seduzindo crianças e adolescentes com brinquedos, roupas, *iPods*, CDs etc. Tenta persuadi-los de que precisam dessas coisas e nelas está a verdadeira identidade. Quando adultos, nos medimos por comparações: Quem tem mais dinheiro? O corpo mais bonito? A vida mais confortável? Não raro, nosso senso de valor está atrelado à nossa posição no trabalho - salário e benefícios. Quem tem a melhor educação de qual escola, mais talentos e prêmios, mais títulos no currículo? Quem tem o namorado ou marido mais atencioso, mais educado? A garota ou esposa de melhor aparência?

A peça *Amadeus* nos dá um exemplo impressionante disso. Antonio Salieri é o músico da corte cuja alma é destruída pela inveja, por não possuir o suficiente. Ele deseja criar música para Deus e ser famoso. Ele é realmente bom. O problema é que ele não é tão bom quanto Mozart, que é um gênio. Mozart possui habilidade para compor *mentalmente* uma sinfonia, algo que poucas pessoas na história puderam fazer.

Em vez de reconhecer o gênio de Mozart e trazê-lo para o mundo, Salieri fica zangado com Deus por ser tão injusto. Tragicamente, ele acredita que Mozart é amado de Deus, enquanto ele não.

Eu entendo Salieri. Definir-me como filho imensamente amado por Deus, encontrar meu valor pessoal em meu Abba Pai, que diz de mim: "Você é meu filho, Pete, a quem eu amo; em você eu me agrado", independentemente do que eu faço, é revolucionário. Minha cultura, minha família de origem e a carne me dizem que somente as posses, os talentos e os elogios de outras pessoas são suficientes para segurança. Jesus é o modelo de como submeter minha vontade ao amor do Pai como a verdadeira fonte de segurança para quem eu sou.

TENTAÇÃO NÚMERO 3: EU SOU O QUE OUTROS PENSAM (POPULARIDADE)

Algumas pessoas são dependentes do que outros pensam.

Satanás convidou Jesus a se lançar do ponto mais alto do templo para que as pessoas pudessem crer nele. Naquele ponto as pessoas não tinham opinião formada sobre Jesus. Ele era, na verdade, invisível. Como poderia ele pensar que tinha importância e valor?

Dar importância demais ao que os outros pensam é bem mais comum do que se imagina. O que vou dizer ou não dizer numa conversa? Qual escola meus filhos irão frequentar? Quem eu vou namorar? Devo dizer àquela pessoa que ela me magoou? Que tipo de carreira vou seguir? Nossa autoimagem sobe a grandes alturas com um elogio e é devastada por uma crítica.

Temos verdadeira liberdade quando não mais precisamos ser especiais aos olhos de outros, pois sabemos que podemos ser amados e bons o bastante.

M. Scott Peck ilustra o assunto contando um encontro com um colega de classe na escola, quando ele tinha 15 anos de idade. A seguir, suas reflexões após um diálogo com seu amigo:

> *De repente me dei conta de que, durante toda a conversa de dez minutos com meu amigo, eu estivera totalmente preocupado comigo mesmo. Durante os dois ou três minutos antes de nos encontrarmos, tudo que eu estava pensando era nas coisas inteligentes que eu poderia dizer e que poderiam impressioná-lo. Durante nossos cinco minutos juntos, eu estava prestando atenção ao que ele tinha dizer somente para que eu pudesse ver que efeito minhas observações estavam tendo sobre ele. E durante os dois ou três minutos após nossa separação, o único conteúdo do meu pensamento foram aquelas coisas que eu poderia ter dito e que poderiam tê-lo impressionado ainda mais. Não me preocupei nadinha com meu colega de classe.*[7]

O que é mais assustador ao ler uma explicação detalhada do que está sob a superfície com a idade de 15 anos é que a mesma dinâmica continua aos 20, 30, 50, 70 e 90 anos. Permanecemos presos na armadilha de viver uma vida fingida devido a uma preocupação doentia com o que outras pessoas pensam.

O FALSO EGO PROFUNDAMENTE ARRAIGADO: DENTRO E FORA DA IGREJA

Avalie os dois exemplos seguintes. Embora somente o segundo alegue ser seguidor de Cristo, as questões centrais na vida deles não são diferentes. A tragédia é que, para o cristão, anos seguindo Cristo não mudou seu falso ego. Ele permaneceu profundamente arraigado e intocado pelo poder do evangelho.

Joe DiMaggio

Um de meus heróis na minha infância foi Joe DiMaggio, jogador de beisebol pelo *New York Yankees*. Embora ele tivesse jogado para a geração do meu pai, circularam histórias e lendas durante décadas desde minha infância até a adolescência. Elas o colocaram firmemente como "o maior jogador de beisebol vivo" do século 20, um impressionante herói da história dos esportes americanos. Multidões irrompiam em aplausos à sua entrada num restaurante ou evento público. Os repórteres, ano após ano, elogiavam seu extraordinário talento no beisebol como se ele fosse um deus.

Uma joia final foi acrescentada à sua coroa terrena quando uma das mais belas mulheres do seu tempo - Marilyn Monroe - tornou-se sua esposa.

Após a morte de Joe, entretanto, uma entristecedora biografia dele foi publicada. Relatou em vívidos detalhes que o "gerenciamento da imagem" de Joe, até seus últimos dias, com a idade de 83 anos, não passou de uma máscara. Por trás da máscara, havia um homem egocêntrico, competitivo, mesquinho e egoísta, movido por poder e dinheiro.

Em *Joe DiMaggio: The Hero's Life* [Joe DiMaggio: a vida do herói], Richard Ben Cramer detalha a "monotonia" da vida de Joe devido a seu compromisso em "não mostrar nada que não fosse uma superfície brilhante do seu próprio legado". Qualquer um que tentasse penetrar essa superfície encontrava silêncio, exclusão ou raiva. "A história de Joe DiMaggio, o ícone, foi bem conhecida. A história de DiMaggio, o homem, foi bem enterrada".[8]

Quem sabe quais crenças centrais negativas Joe pode ter carregado consigo mesmo. Duvido que o próprio Joe DiMaggio soubesse. Entretanto, uma coisa é certa: sua vida foi uma mentira e uma tragédia.

O que talvez seja mais trágico é que tantos de nós que somos seguidores de Jesus Cristo também permanecemos presos nas camadas do nosso falso ego.

Sheila Walsh

Sheila Walsh, cantora cristã, escritora e ex-coanfitriã do *The 700 Club** contou sua história de espiritualidade desconectada, que, em 1992, levou-a ao fracasso:

> *De manhã eu estava posando para a televisão nacional com meu impecável conjunto e o cabelo armado. À noite, eu estava na área reservada de um hospital psiquiátrico. Foi a coisa mais agradável que Deus poderia ter-me feito. Bem no primeiro dia no hospital, o psiquiatra me perguntou:*
>
> *– Quem é você?*
>
> *– Sou a coanfitriã do Clube 700.*
>
> *– Não foi o que perguntei – rebateu ele.*

* [NE]: O Clube 700 (*The 700 Club*) é um programa de TV estadunidense apresentado por Pat Robertson, Terry Meeuwsen, Gordon Robertson e Lee Webb. Trata-se de um programa de interesse geral que cobre eventos relacionados com a saúde, as finanças e o estilo de vida cristão. É transmitido em seu país de origem pela ABC Family, FamilyNet, LeSEA, TBN e outras emissoras locais.

- Bem, sou escritora. Sou cantora.

- Não foi o que perguntei. Quem é você?

- Não tenho ideia.

E ele respondeu:

- Agora está certo, e é por isso que você está aqui.

Sheila continuou:

- Eu me avaliava pelo que os outros pensavam de mim. Aquilo estava me matando aos poucos. Antes de dar entrada no hospital, membros da equipe do Clube 700 me avisaram: "Não faça isso. Você nunca mais vai poder subir ao palco. Se as pessoas souberem que você esteve numa instituição de tratamento mental e sob medicação, acabou".

Eu respondi:

- Sabe de uma coisa? Acabou de qualquer jeito. Por isso não posso pensar nisso.

Eu realmente pensei haver perdido tudo. Minha casa. Meu salário. Meu emprego. Tudo. Mas encontrei minha vida. Descobri no poço mais fundo de minha vida que Deus sabia tudo o que era verdade a meu respeito.[9]

Às vezes nosso falso ego tornou-se de tal forma parte do que somos que nem sequer nos damos conta disso. As consequências - medo, autodefesa, sentimento de posse, manipulação, tendências autodestrutivas, autopromoção, permissividade e necessidade de nos distinguirmos - são difíceis de esconder.[10]

Viver a vida dada por Deus envolve permanecer fiel ao verdadeiro ego; envolve distinguir seu verdadeiro ego das exigências e vozes ao seu redor e discernir a visão singular, o chamado e a missão que o Pai tem para você.[11] Isso requer ouvir Deus do interior do seu ego e compreender como ele fez você de maneira singular. Conhecer sua personalidade, temperamento, amores e desafetos, pensamentos e sentimentos, tudo contribui para a sua descoberta.

João Crisóstomo, o Boca de Ouro, pregador e arcebispo de Constantinopla, descreveu nosso trabalho da seguinte forma: "Encontre a porta do seu coração. Você descobrirá que ela é a porta do reino de Deus".

O VERDADEIRO EGO DE JESUS

Parece que quase todos têm expectativas, ou um falso ego, para impor sobre a vida de Jesus. Ao viver fielmente seu verdadeiro ego, ele decepcionou muitas pessoas. Jesus estava seguro no amor do Pai, em si mesmo e, portanto, foi capaz de suportar enorme pressão. Sua família de origem, que nutria expectativas em relação a ele como filho de carpinteiro, foi deixada para trás, e ele se tornou um adulto maduro, orientado por seus próprios valores. Como resultado, ele desapontou sua família. Em certo ponto, seus familiares questionaram se ele estava fora de si (v. Marcos 3:21).

Ele desapontou as pessoas com quem cresceu em Nazaré. Quando Jesus declarou que era realmente o Messias, tentaram lançá-lo de um penhasco (v. Lucas 4:28,29). Ele permaneceu autoconfiante em suas convicções, independentemente do insulto das multidões em sua cidade natal.

Ele desapontou seus amigos mais chegados, os doze discípulos. Eles projetaram em Jesus o tipo de Messias que ele deveria ser. Isso não incluía um fim de vida ignominioso. Então o abandonaram. Judas, um de seus amigos mais chegados, "o apunhalou pelas costas" para ser verdadeiro consigo mesmo. Mas, apesar de não o terem compreendido, Jesus nunca se ressentiu deles.

Jesus ouviu sem reagir; comunicou sem se opor. Todavia, ele desapontou profundamente as multidões. Queriam um Messias terreno que as alimentasse, resolvesse todos os problemas, derrubasse os opressores romanos, operasse milagres e fizesse sermões inspiradores. De certo modo, Cristo pôde servir e amá-las, novamente, sem se ressentir delas.

Ele desapontou os líderes religiosos. Estes não gostaram da ruptura que sua presença trouxe ao dia a dia ou à teologia deles. Finalmente atribuíram seu poder a demônios. No entanto, Jesus conseguiu manter uma presença tranquila em meio a grande tensão.

Jesus não era *abnegado*. Ele não viveu como se *apenas* outras pessoas tivessem importância. Ele conhecia seu valor, sua importância. Ele teve amigos; pediu às pessoas para ajudá-lo. Ao mesmo tempo, Jesus não foi *egoísta*; não viveu como se ninguém mais contasse. Ele deu sua vida por amor. Seu eu, emanando de um lugar de carinhosa união com o Pai, era um ego verdadeiro, maduro e saudável.

A pressão sobre nós para vivermos uma vida que não seja a nossa é também grande. Poderosas forças hereditárias (v. cap. 5) e batalha espiritual agem contra nós. No entanto, viver fielmente ao nosso verdadeiro ego em Cristo representa uma das maiores tarefas do discipulado.

DIFERENCIAÇÃO – VIVER FIELMENTE AO SEU VERDADEIRO EGO

Uma forma muito útil de esclarecer o processo de crescimento em fidelidade ao nosso verdadeiro ego é pelo uso de um novo termo: "diferenciação". Desenvolvido por Murray Bowen, fundador da moderna teoria dos sistemas familiares, o termo trata da capacidade de uma pessoa de "definir seus objetivos e valores de vida independentemente das pressões das pessoas ao seu redor".[12] A ênfase fundamental de diferenciação é a capacidade de pensar com clareza e cuidado como um outro meio, além dos nossos sentimentos, de conhecer a nós mesmos.

A diferenciação envolve a habilidade de continuar sendo o que você é e o que não é. Distinguir o grau em que você consegue afirmar seus valores e suas metas independente das pressões ao seu redor (separação) enquanto permanece próximo às pessoas importantes para você (proximidade) ajuda a determinar o seu nível de diferenciação. As pessoas com um alto nível de diferenciação têm suas próprias crenças, convicções, direções, metas e valores independentemente das pressões ao seu redor. Elas podem escolher, perante Deus, como querem ser sem ser controladas pela aprovação ou desaprovação dos outros. A intensidade de sentimentos, o alto estresse ou a ansiedade de outros ao seu redor não subjugam sua capacidade de pensar de forma inteligente.

Posso não concordar com você ou você não concordar comigo. Todavia, posso permanecer em relacionamento com você. Não é preciso eu me afastar de você, o rejeitar, evitar ou criticar para me autoafirmar. Posso ser eu mesmo separado de você.

Na página seguinte, você poderá encontrar a minha adaptação da escala Bowen de diferenciação. Na parte mais baixa da escala estão os que têm um pequeno senso de sua vida singular dada por Deus. Eles necessitam de contínua afirmação e validação dos outros porque não têm um claro senso de quem são. Dependem do que outras pessoas pensam e sentem para terem um senso do seu próprio valor e identidade. Ou, por medo de se aproximarem demais de alguém e assim serem engolidos, evitam por completo a proximidade com outras pessoas. Sob pressão, têm pouca habilidade para fazer a distinção entre seus sentimentos e seu processo de pensamento (intelectual).

Considerando que Jesus foi 100% verdadeiro a si mesmo, ou "individualmente diferenciado", onde você se situaria nessa escala?

0......................:25..........................50..........................75..........................100

0–25

Não consegue distinguir entre fato e sentimento.

Emocionalmente carente e altamente reativo aos outros.

Muita energia vital gasta em conseguir a aprovação dos outros.

Pouca energia para atividades orientadas a metas.

Não pode dizer: "Eu penso... eu creio...".

Pouca separação emocional de sua família.

Dependente de relacionamentos conjugais.

Age muito mal em mudanças, crises e ajustes na vida.

Incapaz de ver onde ele termina e outros começam.

25–50

Alguma habilidade para distinguir entre fato e sentimento.

A maior parte do ego é um "falso ego" e é reflexo dos outros.

Quando a ansiedade é pequena, funciona relativamente bem.

Rápido em imitar outras pessoas e mudar para ganhar a aceitação dos outros.

Em geral, expressa um conjunto de princípios e crenças, mas faz o contrário.

A autoestima se eleva com elogios ou é esmagada pela crítica.

Torna-se ansioso (ou seja, é altamente reativo e fica "fora de si") quando um sistema de relacionamento se desintegra ou fica desequilibrado.

Costuma tomar decisões ruins devido à inabilidade de pensar claramente sob pressão.

Busca poder, honra, conhecimento e o amor dos outros para cobrir seu falso ego.

50–75

Está consciente de que o pensamento e o sentimento funcionam em equipe.

Razoável nível de "verdadeiro ego".

É capaz de seguir as metas da vida que são determinadas de seu interior.

É capaz de afirmar crenças calmamente sem desmerecer outras pessoas.

O casamento é uma parceria que funciona, em que a intimidade pode ser desfrutada sem a perda do ego.

Permite que as crianças progridam por fases de desenvolvimento até a autonomia adulta.

Age bem - sozinho ou com outros.

É capaz de lidar com crises sem se desintegrar.

Permanece em conexão relacional com outras pessoas sem insistir que vê o mundo da mesma forma.

75-100 (Poucas pessoas agem neste nível)

É conduzido por princípio e direcionado por meta - seguro do que é, não afetado por crítica ou elogio.

É capaz de deixar a família de origem e tornar-se um adulto direcionado por seu interior, independente.

Seguro de suas crenças, mas não dogmático ou fechado em seu pensamento.

É capaz de ouvir e avaliar as crenças dos outros, descartando crenças antigas em favor de novas.

É capaz de ouvir sem reagir e comunicar sem despertar a inimizade de outros.

É capaz de respeitar outros sem ter de mudá-los.

Tem consciência da dependência de outros e da responsabilidade *por* outros.

É livre para desfrutar a vida e folgar.

É capaz de manter uma presença tranquila em meio ao estresse e à pressão.

É capaz de assumir responsabilidade por seu próprio destino e sua vida.

DESENVOLVENDO SEU VERDADEIRO EGO

Estamos tão desacostumados de ser nosso verdadeiro ego que parece impossível saber onde começar. Thomas Merton descreveu bem o que com frequência fazemos:

> *Eu... gosto de vestir este falso ego... e encubro minhas experiências ao meu redor com prazeres e glória, como ataduras, para me tornar visível a mim mesmo e ao mundo, como se eu fosse um corpo invisível que pudesse tornar-se visível apenas quando algo visível cobrisse sua superfície. Mas não há substância sob as coisas com as quais estou vestido. Sou vazio... E quando elas se vão, não resta nada de mim, a não ser minha nudez, o vazio e o vácuo.*[13]

Chegar ao seu centro requer seguir Deus ao interior do desconhecido, ao interior de um relacionamento com ele que vira de cabeça para baixo a sua presente espiritualidade. Deus nos convida a remover as falsas camadas que usamos e assim mostrar nosso verdadeiro ego, para despertar as "sementes do verdadeiro ego" que ele plantou dentro de nós.

A trilha pela qual devemos seguir é inicialmente muito difícil. Forças poderosas em torno e dentro de nós agem para sufocar o processo de nutrição das sementes plantadas em cada um de nós.[14] Ao mesmo tempo, o Deus do universo fez sua morada em nós (v. João 14:23). Deus nos deu exatamente a glória que deu a Jesus (v. João 17:21,22). O Espírito Santo nos foi dado para que possamos nos libertar no nosso verdadeiro ego em Cristo. Pela graça de Deus, devemos ser o povo mais livre da terra!

A questão, portanto, é como desmanchar o falso ego e permitir que surja nosso verdadeiro ego em Cristo. A seguir, algumas verdades práticas para começar a fazer uma transição radical e viver fielmente ao nosso verdadeiro ego em Cristo.

PRESTE ATENÇÃO AO SEU INTERIOR EM SILÊNCIO E SOLITUDE

Queremos ser homens e mulheres segundo a vontade de Deus - nosso verdadeiro ego em Cristo. Todavia, enormes distrações nos impedem de ouvir nossos sentimentos, nossos desejos, nossos sonhos, nossos gostos e desgostos. Muitas pessoas ao nosso redor gostariam de nos consertar, salvar, aconselhar, para que nos tornássemos as pessoas que elas gostariam que fôssemos.[15]

É necessário estar sozinhos para podermos ouvir.

Minha jornada para a espiritualidade emocionalmente saudável começou de forma muito simples. Cada dia, como parte de minhas devoções com Deus, eu me permitia sentir emoções perante Deus. Então eu começava a anotar. Com o passar do tempo, comecei a discernir padrões e movimentos de Deus de uma nova forma em minha vida.

No começo, eu me perguntei se não seria heresia acrescentar essas atividades à minha vida de oração. Por fim, determinei que o que estava acontecendo dentro de mim era verdadeiro, tivesse eu consciência disso ou não.

Permiti-me sentir todo o peso de meus sentimentos, sem censurar nenhum deles. Como me senti com relação àquele comentário crítico que um colaborador fez para mim enquanto andávamos até nossos carros? Por que fiquei zangado? Do que fiquei com medo? Com o que fiquei animado? O que poderia ser aquela depressão que senti esta tarde?

Desde então, eu estivera registrando. E releio o que escrevi para rever verdades que Deus me disse naqueles momentos.

Isso toma tempo. Diminuí consideravelmente o ritmo de minha vida. Dos seis dias de trabalho por semana (e cerca de setenta horas), diminuí para cinco dias, 45 horas de trabalho por semana. Com o passar dos anos, isso me levou muito naturalmente às disciplinas clássicas cristãs do silêncio (fugir de ruídos e sons) e da solidão (estar só, sem contato humano). O silêncio e a solidão são tão fundamentais à espiritualidade emocionalmente saudável que são um tema repetido neste livro. Observamos isso de Moisés a Davi e a Jesus e a todos os grandes homens e mulheres de fé que foram antes de nós.

Assim como você, eu tenho incontáveis exigências pressionando por minha atenção. Com o ritmo frenético de nossa vida, o incessante ruído da televisão, do rádio, dos computadores, da música e nossa agenda superlotada, não é de admirar que o ritmo antigo do silêncio e da solitude esteja perdido para a maioria dos crentes do Ocidente. Mas precisamos arrumar tempo. Como disse o sábio abade Moisés quando um irmão lhe pediu uma boa palavra: "Vá, sente-se em sua cela [aposento do monge], e sua cela lhe ensinará tudo".[16]

Encontre companheiros confiáveis

Não conheço muita gente que tenha entrado nesse processo - tirar camadas do seu falso ego para que seu verdadeiro ego apareça - sem a ajuda constante de alguns companheiros maduros e confiáveis na caminhada. Em seu clássico *Life Together* [Vida em comunhão], Dietrich Bonhoeffer advertiu: "Que a pessoa que não pode estar sozinha cuide da comunidade. Que a pessoa que não está na comunidade cuide de estar sozinha".[17] Devemos estar "sozinhos juntos", uma "comunidade de solitudes".[18]

João Cassiano, no século 5, conta a história de um homem chamado Herói que passou cinquenta anos vivendo como ermitão no deserto, livre de todas as preocupações do mundo. Quando os outros ermitãos se reuniam para adorar no sábado ou em dias de festa, Herói se recusava a participar para não dar a impressão de que estava relaxando suas rígidas disciplinas por Deus. Certo dia, Herói entendeu que Deus queria que ele pulasse dentro de um poço como prova de sua fidelidade. Ele esperava que um anjo o salvasse, mas, caído no fundo, ficou quase morto. Os monges, seus companheiros, o puxaram para fora, tentando convencê-lo de que na verdade ele não ouvira a voz de Deus - sem sucesso, porém. Mesmo à beira da morte, eles não puderam convencê-lo de que não tinha ouvido a voz de Deus. "Ele continuou tão teimoso em seu próprio engano que não pôde ser persuadido, mesmo diante da morte, de que fora iludido pela esperteza de demônios". Seu orgulho era grande demais.[19]

Nessa jornada da espiritualidade emocionalmente saudável, o que está em jogo é uma mudança radical no centro do nosso ser. Pelo menos duas forças críticas atrapalham uma troca tão profunda. Primeira, é enorme a pressão de fora para continuarmos levando uma vida que não é a nossa. Segunda, nossa vontade obstinada é muito mais profunda e insidiosa do que pensamos. A possibilidade de autoengano é tão grande que sem companheiros idôneos podemos facilmente cair na armadilha de viver ilusões.

Entre meus companheiros idôneos, estiveram mentores, diretores espirituais, conselheiros, amigos maduros e os membros do nosso pequeno grupo e da liderança da Igreja New Life Fellowship. Cada um deles me ajudou a prestar atenção a Deus e enxergar minhas inconsistências. De modo mais significativo, Deus tem usado Geri, minha esposa, para, carinhosamente, refletir comigo sobre quem eu sou. A seguir, um exemplo bem recente.

Recentemente eu completei 49 anos de idade. Um pouco antes do meu aniversário, inocentemente Geri sugeriu que eu usasse uma ilustração num sermão de domingo que incluísse a menção à minha idade.

Dei um suspiro.

- Eu nunca faria isso.

Ela olhou, surpresa.

- Por que não? - ela perguntou.

Então eu revelei algo que surpreendeu até mesmo a mim.

- Bem, veja, Geri, daqui a um ano vou estar com 50 anos. Dez anos depois vou estar com 60. Eva (nossa filha de 10 anos) fica me lembrando que o meu cabelo está ficando prateado mesmo agora.

Ela arregalou os olhos, dando-se conta de que algo profundo estava acontecendo.

- Bem, fico constrangido em ser sincero - continuei. Não pude parar de falar. Eu estava ficando cada vez mais ansioso. - Geri, a verdade é que eu me sinto como se estivesse atrasado - gaguejei. - Eu devia ter escrito este livro quando tinha 35 anos. Durante toda a minha infância, eu me senti como se estivesse atrasado... como se tivesse perdido alguns importantes pedaços da minha vida ao crescer... e desde então venho recuperando o tempo perdido. Eu sempre sinto diferente, um tipo de retrocesso. E penso que, independente do que seja, carrego isso comigo.

Geri ouviu meu discurso de cinco minutos, percebendo que estava em terreno santo. Quando terminei, ela respondeu calmamente:

- Isso é muito significativo, Pete. Você deve querer algum tempo a sós com Deus e refletir sobre isso.

- Claro - respondi, com a cabeça baixa. Saí da sala. Senti-me nu e silenciosamente esperei ser capaz de sepultar o assunto.

Deus, claro, tinha outros planos.

Quando compreendi a pergunta de Geri sobre por que eu não podia admitir minha idade francamente, fui forçado a reconhecer que a sensação de estar atrasado e ultrapassado tinha longas raízes entrelaçadas remontando à minha família de origem e continuavam a me impactar naquele momento. Deus estava tirando outra camada do meu falso ego (que longo processo!). Ele estava tirando outra camada da cebola para que o verdadeiro Pete em Cristo pudesse viver livremente.

Alguém que esteja lendo isso pode estar pensando: "Não tenho ninguém para andar comigo nesta jornada". Ore. Peça a Deus por alguém para acompanhar você nessa fase de sua vida. Permita que Deus o surpreenda. Muitas vezes ele parece nos direcionar para pessoas muito diferentes de nós e que não são pastores ou líderes. Peça sugestões aos que você respeita. E preste atenção ao que ele pode estar dizendo a você.

Saia de sua zona de conforto

Morrer para o seu falso ego e permitir que o seu verdadeiro ego se revele pode ser assustador. Para alguns, fazer ou receber um elogio parece errado. Outros têm reação alérgica a estar na presença de pessoas zangadas. Para outros, entrar em conflito é como a morte. Para outros, ainda, pedir ajuda soa como um fracasso total, e até discordar de um amigo pode proporcionar uma noite de insônia.

Fazer as coisas de maneira diferente, especialmente no começo, pode parecer muito estranho. Durante anos, eu aprendi com líderes e consultores pelo país como liderar uma igreja grande e crescente. Nenhum desses treinamentos se preocupou com o autoconhecimento. O problema era que eu me sentia esmagado administrando uma grande organização, supervisionando orçamentos, gerenciando pessoal, prazos e infindáveis listas de tarefas. Eu estava ocupado, muito ocupado, e morrendo por dentro.

As verdadeiras sementes que Deus havia colocado dentro de mim - as que gostavam de pregar e ensinar, criar, escrever, a contemplação de Deus e amar as pessoas - lutavam por espaço. Eu me sentia sufocado; estava aprisionado. Mas era a vontade de Deus, não era? Pastores de igrejas grandes não gerenciavam grandes orçamentos e pessoal administrativo, constantemente construindo e expandindo a infraestrutura da organização?

Inicialmente, pareceu muito errado e estranho começar a pensar de forma diferente. Eu não queria ser um presidente ou um gerente. Desejava ser pastor e viver de outro jeito. A igreja então me pediria para renunciar? As pessoas me rejeitariam?

O sofrimento de levar uma vida que não era a de Deus para mim finalmente foi maior do que o sofrimento da mudança. Foram anos de sofrimento para que eu começasse a ouvir Deus a partir do meu interior, para que eu me permitisse a pergunta: "Estou vivendo fielmente a vida que Deus me pediu para viver?".

Então aos poucos mudei para como seria eu servir a Cristo na New Life Fellowship.

E a igreja floresceu.

Dei-me conta de que o que Rumi disse era verdade: "Dentro de você há um artista que você não conhece [...]. Se você está aqui de modo infiel conosco, está causando um terrível dano. Se abriu seu amar ao amor de Deus, você está ajudando pessoas que não conhece e nunca viu":[20]

Creio firmemente que o maior dom que podemos dar ao mundo é o nosso verdadeiro ego vivendo em amorosa união com Deus. De fato, como podemos declarar identidades singulares de outras pessoas quando não declaramos a nossa própria? Podemos realmente amar nossos semelhantes sem amar a nós mesmos?

Por essa razão, a conhecida história hassídica do rabino Zusia permanece tão importante para nós hoje. O rabino Zusia, quando já idoso, afirmou: "No mundo futuro, não vão me perguntar: 'Por que você não foi Moisés?', e sim: 'Por que você não foi Zusia?'"

Mudar a maneira pela qual vivemos durante vinte, quarenta ou sessenta anos é nada mais, nada menos, que uma revolução.

Ore por coragem

Quando nos diferenciamos em nosso verdadeiro ego em Cristo, sempre causamos alguma reação naqueles que nos são próximos. Podemos deparar com uma contrarrevolução ou com uma ordem de "volte ao que era antes" quando decidimos abandonar nossos antigos hábitos de comportamento e vida.

Murray Bowen, criador do termo "diferenciação", enfatiza que nas famílias existe uma poderosa oposição quando um membro desse sistema amadurece e aumenta seu nível de diferenciação. Ele argumenta que até um pequeno crescimento pode causar uma reação nas pessoas mais próximas.

Da mesma forma, tenho visto repetidamente que, quando alguém muda (tornando-se um verdadeiro ego em Cristo), pessoas em volta se decepcionam.

Bowen descreve a oposição em três estágios:

- Estágio um: "Você está errado em mudar e eis por quê".
- Estágio dois: "Volte ao que era antes, e vamos aceitá-lo novamente".
- Estágio três: "Se você não voltar, estas são as consequências" (que são então listadas):[21]

Em cada etapa de nossa jornada com Cristo, sempre que Geri e eu demos passos para definir mais claramente quem somos e quem não somos em Cristo, houve consequências. Isso também acontecerá com você. Mas continue efetuando mudanças. Esteja disposto a tolerar o desconforto necessário ao seu crescimento. Ore pelo poder do Espírito Santo para continuar. Você está fazendo algo que nunca foi feito antes em sua história! Em alguns casos, você estará desafiando padrões arraigados de muitas gerações. Espero que você possa despertar alguma emoção profunda!

DEUS E A BARREIRA DO SOM

Quando decidimos começar a fazer mudanças em nossa vida, a pressão pode dar a sensação de que a nossa pessoa interior ou os relacionamentos da vida exterior implodirão no processo. Em relação a cada um de nós, o abalo que acontece em nossa vida pode ser comparado, acredito, à quebra da barreira do som pela primeira vez. Ambos requerem grande coragem.

O ano era 1947, e ninguém havia, com êxito, quebrado a velocidade do som – 1:216 quilômetros por hora no nível do mar. Havia uma crença amplamente sustentada da existência de uma "barreira do som", uma parede invisível de ar que poderia esmagar uma aeronave que tentasse furar a velocidade de Mach 1. De fato, um avião britânico, junto com o piloto, havia explodido numa tentativa anterior àquele ano de romper a barreira. O avião não pôde sustentar a pressão.

Mais ou menos nessa época, a Força Aérea dos Estados Unidos estava desenvolvendo um projeto para colocar pilotos militares no espaço, mas eles primeiro precisavam romper a barreira do som. Chuck Yeager foi convidado para ser o seu piloto de prova. Seu chefe, o coronel Boyd, lhe informou: "Até lá, ninguém sabe com certeza o que vai acontecer. Chuck, você estará voando para o desconhecido":[22]

O avião contava com a última tecnologia e o último *design*, mas nem a Força Aérea, nem o coronel podiam garantir o resultado. Ninguém havia feito aquilo.

Da mesma forma, ninguém vive a sua vida, a não ser você. Talvez você esteja se perguntando sobre o que acontecerá se envolver-se nesta jornada da espiritualidade emocionalmente saudável, se assumir com seriedade o propósito de Deus para viver cada vez mais fielmente a vida que ele lhe deu.

Após nove tentativas, no dia 14 de outubro de 1947, Yeager finalmente rompeu a barreira do som. "Fiquei aturdido", escreveu ele sobre a experiência. "Depois de toda a ansiedade, quebrar a barreira do som acabou virando uma pista de corrida perfeitamente pavimentada [...]. Depois de toda a expectativa, foi realmente um desapontamento. O 'desconhecido' foi um murro na gelatina":[23]

Conto essa história não para sugerir que devemos levar a vida em alta velocidade. (Minha oração é que você desacelere!) Hebreus 11 nos fala que alguns conquistaram reinos. Outros foram serrados ao meio em razão de sua fé. Somente Deus sabe o seu futuro. Todavia, você pode estar certo de uma coisa: como o avião de Yeager, sua vida vai sofrer tremores no processo de amadurecimento desejado por Deus. Por quê? A matéria-prima de sua vida não está acostumada a romper a barreira do som. Inicialmente, ela se sentirá desconfortável, como se o avião estivesse estremecendo com a pressão.

Se você avançar, entretanto, descobrirá que Deus está com você e atrás de você. Sua graça é suficiente. Seu poder é acessível. E o desconhecido à frente será de fato como dar murro em gelatina.

Conhecer a si mesmo para que possa conhecer Deus é a aventura de uma vida toda. Você deu agora os primeiros passos na trilha para uma espiritualidade emocionalmente saudável. No capítulo seguinte, vamos examinar um assunto fundamental para o autoconhecimento: retroceder para poder avançar.

E, como orou Agostinho, "Concede, Senhor, que eu possa conhecer a mim mesmo para que possa conhecer a ti".

Senhor, ajuda-me a ficar tranquilo diante de ti. Leva-me a uma visão maior de quem tu és e, fazendo isso, que eu possa ver a mim mesmo – o bom, o mau e o feio. Dá-me coragem para seguir-te, para fielmente me tornar a pessoa singular para a qual me criaste. Peço-te pelo poder do Espírito Santo para não copiar a vida ou a jornada de outra pessoa. "Deus, esconde-me nas trevas do teu

amor, para que a consciência do meu falso eu diário desapareça de mim como um vestuário poluído [...]. Que o meu 'eu profundo' caia na tua presença [...] conhecendo a ti somente [...] levado para a eternidade como uma folha morta do inverno de novembro":[24]
Em nome de Jesus. Amém.

5

RETROCEDA PARA AVANÇAR

Rompendo com o poder do passado

A espiritualidade emocionalmente saudável tem a ver com realidade, não com negação ou fantasia. Consiste em aceitar a escolha de Deus de nascermos numa família em especial, num lugar em especial, em determinado momento da história.

Essa escolha nos concedeu certos dons e oportunidades. Entregou-nos certa quantidade do que chamarei de "bagagem emocional" em nossa jornada. Para alguns, essa bagagem foi mínima; para outros, veio a ser pesada. De fato, alguns de nós estamos tão acostumados em andar com esse excesso de peso que não podemos imaginar viver de outra forma.

A verdadeira espiritualidade nos liberta para vivermos alegremente no presente. Ela requer, entretanto, retroceder para avançar. Isso nos leva exatamente ao núcleo de espiritualidade e discipulado na família de Deus – livrando-nos dos pecaminosos padrões destrutivos de nosso passado para vivermos a vida de amor que Deus deseja.

FRANK

Frank trabalha para uma grande empresa como gerente do médio escalão. Casado, dois filhos adolescentes, Frank havia frequentado a New Life Fellowship durante mais de um ano quando perguntou se poderíamos nos encontrar. Ao chegar para o jantar na semana seguinte, era óbvio que ele estava visivelmente abalado e deprimido.

- Oi, Frank, o que há? - perguntei.

- Pete, você não vai acreditar - irrompeu ele -, Maria me disse na noite passada que não tinha certeza se me amava mais. Perguntei se havia outra pessoa. Ela disse que não, mas vai saber.

Seus ombros caíram. Ele olhou para o chão e continuou:

- Você sabe que nunca fui muito bom nessa coisa de relacionamento, mas fiz tudo o que pude para ser um bom marido, bom pai, bom provedor. Eu não sei... eu oro. Nós oramos. Não tenho ideia do que está acontecendo.

Eles se conheceram na faculdade e se casaram logo depois de formados. Frank então trabalhou como pastor durante dez anos (em três diferentes cidades) antes de finalmente entrar na empresa. Recentemente, havia sido transferido para Nova Iorque.

Depois de um longo silêncio, eu perguntei:

- O que você acha que precipitou isso agora, após tanto tempo juntos?

Ele atacou:

- Ela está preocupada porque eu lhe disse que podemos ter de nos mudar novamente em dois anos. Bem... ela está sempre se queixando, mais que nunca, de eu estar distante, emocionalmente incessível, desconectado, seja lá o que for! Ela tem estado realmente preocupada com minha falta de envolvimento com os meninos. É muito difícil para mim! Eu tento, mas depois retrocedo ao meu próprio mundo de trabalho e igreja tão rapidamente que... não sei. Tenho tentado fazê-la feliz. - Sua voz virou um sussurro. - Não sei o que pensar. E não tenho ideia do que fazer.

Tanto Frank como Maria foram criados em lares cristãos. Eles conhecem a Bíblia.

Durante anos eles adoram a Deus e ouvem milhares de sermões. Frequentam pequenos grupos dedicadamente e trabalham nos grupos de louvor de suas igrejas. Vão a retiros de casais cristãos e participam de conferências de liderança.

Todavia, são infelizes.

Por quê?

Por que uma vida toda de espiritualidade na igreja, cercados pela verdade de Jesus, não transformou profundamente a vida interior e o casamento deles? Onde está o rico e abundante fruto de uma vida bem vivida em Deus?

Por que tantos de nós vivemos uma vida com espaços interiores aparentemente intocados pelo poder e pela misericórdia do Senhor Jesus Cristo? Este livro todo, eu espero, começa a oferecer uma resposta a esse desafio.

Um ingrediente crítico, entretanto, dessa resposta, é a necessidade de retroceder para avançar. Isso pode ser resumido em duas verdades bíblicas essenciais:

1. As bênçãos e os pecados de nossas famílias retrocedendo duas ou três gerações impactam profundamente quem somos hoje.
2. O discipulado requer abandonar os padrões pecaminosos de nossa família de origem e reaprender a viver à maneira de Deus em sua família.

O caminho para uma espiritualidade emocionalmente saudável recomenda que esses ingredientes bíblicos sejam centrais em nossa compreensão do que significa ser um seguidor de Jesus.

O PODER DA FAMÍLIA

Quando a Bíblia usa a palavra "família", ela se refere a toda a nossa família estendida de três ou quatro gerações. Isso significa que a sua família, no sentido bíblico, inclui todos os seus irmãos, irmãs, tios, tias, avós, bisavós, tios-avôs etc. retrocedendo a 1800!

Embora sejamos afetados por poderosos eventos externos e circunstâncias em nossa vida terrena, nossa família é o grupo mais poderoso ao qual sempre vamos pertencer. Mesmo os que saem de casa como jovens adultos, determinados a "romper" com a história de sua família, logo descobrem que o jeito de sua família de "levar" a vida os segue aonde eles vão.

O que acontece numa geração quase sempre se repete na seguinte. As consequências de ações e decisões tomadas numa geração afeta as seguintes.

Por esse motivo, é comum observar certos padrões de uma geração na geração seguinte, como divórcio, alcoolismo, comportamento viciante, abuso sexual, casamento infeliz, a fuga de um filho, desconfiança de autoridade, gravidez fora do casamento, incapacidade de manter relacionamentos estáveis etc. Cientistas e sociólogos têm debatido há décadas se isso é resultado da "natureza" (ou seja, nosso DNA) ou da "educação" (ou seja, nosso ambiente) ou de ambos. A Bíblia não responde a essa pergunta. Ela apenas afirma que essa é uma "lei misteriosa do universo de Deus".[1]

Examine o seguinte:

Deus, na entrega dos Dez Mandamentos, conectou essa realidade à exata natureza de quem ele é: *Não farás para ti imagem esculpida* [...] *pois eu, o* SENHOR *teu Deus, sou Deus zeloso.* EU CASTIGO O PECADO DOS PAIS NOS FILHOS ATÉ A TERCEIRA E QUARTA GERAÇÃO DAQUELES QUE ME REJEITAM; MAS SOU MISERICORDIOSO COM MIL GERAÇÕES DOS QUE ME AMAM E GUARDAM OS MEUS MANDAMENTOS (Êxodo 20:4-6, ênfase do autor).

Deus repetiu a mesma verdade quando Moisés pediu para ver a glória de Deus: *Tendo o* SENHOR *passado diante de Moisés, proclamou:* SENHOR, SENHOR, *Deus misericordioso e compassivo, tardio em irar-se e cheio de bondade e de fidelidade* [...] QUE DE MANEIRA ALGUMA CONSIDERA inocente quem é culpado; que castiga o pecado dos pais nos filhos e nos filhos dos filhos até a terceira e quarta geração (Êxodo 34:6,7, ênfase do autor).

Quando Davi assassinou Urias para se casar com Bate-Seba, esposa dele, Deus declarou: *Agora a espada jamais se afastará da tua família, porque me desprezaste e tomaste para ti a mulher de Urias, o heteu* (2Samuel 12.10, ênfase do autor). Tensões familiares, rivalidade entre irmãos e conflito interno marcaram seus filhos, netos e bisnetos por gerações.

Padrões familiares do passado são representados em nossos relacionamentos presentes sem necessariamente estarmos conscientes disso. Alguém pode parecer estar atuando sozinho - mas na realidade está atuando num sistema familiar mais amplo que pode remontar, como a Bíblia diz, a três ou quatro gerações.

Infelizmente, não é possível apagar os efeitos negativos de nossa história. Essa história de família vive dentro de todos nós, especialmente naqueles que tentam enterrá-la. O preço que pagamos por esse voo é alto. Somente a verdade nos liberta.

FRANK E MARIA - O DESAFIO DIANTE DELES

Para Frank, seguir Cristo e cumprir o importante trabalho de discipulado exigirá dele um exame sobre o que significou crescer numa família do Exército dos Estados Unidos que se muda a cada três ou quatro anos. Seu pai com frequência ficava à disposição fora de casa seis meses seguidos. A tensão foi mais do que sua mãe estava disposta a suportar. Consequentemente, ela terminou o casamento.

Frank, como filho mais velho, preencheu a lacuna deixada pelo pai - pelo menos financeiramente. Ele trabalhou duro, mas teve muita dificuldade com amizades. As frequentes mudanças o haviam traumatizado. Foi difícil aproximar-se das pessoas ou manter amizades duradouras.

Ele raramente falava com seu pai.

Você pode perceber aonde estou indo com isso, não pode? Mas Maria também tem trabalho a fazer. Por que ela estava tão ansiosa em relação à estabilidade de Frank e sua ética de trabalho? Seu pai era alcoólatra e se tornou cristão quando ela contava 10 anos. Ele então mergulhou no *softbol* masculino e nas atividades da igreja. Permaneceu emocionalmente ausente. Maria, apenas uma criança e quase sempre solitária, apegou-se muito à mãe. São amigas há anos, embora seu casamento com Frank esteja agora prejudicando o relacionamento delas.

Maria e Frank têm à frente uma maravilhosa oportunidade de crescimento. Mas isso inclui um rompimento com o antigo estilo de vida e de relacionamento que eles aprenderam de suas famílias. As formas de pensar e se relacionar retroagem não apenas a seus pais, mas a seus avós e bisavós!

Por isso Cristo disse: *Quem ama seu pai ou sua mãe mais do que a mim* [cultura, outras influências significativas, tradições doentias da igreja] *não é digno de mim* (v. Mateus 10:37). Ele sabia que nossa família é imperfeita e que nossos relacionamentos e padrões de amor são falhos devido ao pecado. Independentemente de nossa cultura, país de origem, educação, classe social ou idade, as primeiras mensagens e roteiros que recebemos de nossa história influenciam poderosamente nossos relacionamentos e comportamentos atuais, bem como nossa autoestima.

ABRAÃO, ISAQUE E JACÓ

Gênesis, o primeiro livro da Bíblia, relata como se desenvolve a verdade de que pecados e bênçãos são passados de geração para geração. Num nível, as bênçãos que Abraão recebeu por sua obediência foram passadas de geração em geração - aos filhos (Isaque), netos (Jacó) e bisnetos (José e seus irmãos). Ao mesmo tempo observamos um padrão de pecado e destruição transmitido através de gerações. Na verdade, repete-se mais do que se aprende.

Por exemplo, observamos:

Um padrão de mentira em cada geração

- Abraão mentiu duas vezes a respeito de Sara.
- O casamento de Isaque e Rebeca foi caracterizado por mentiras.
- Jacó mentiu para quase todos; seu nome significa "enganador".
- Dez dos filhos de Jacó mentiram a respeito da morte de José, falsificando um funeral e mantendo um "segredo de família" por mais de dez anos.

O favoritismo por pelo menos um progenitor em cada geração

- Abraão favoreceu Ismael.
- Isaque favoreceu Esaú.
- Jacó favoreceu José e depois Benjamim.

Irmão passando pela experiência de separação de outro irmão em cada geração

- Isaque e Ismael (filhos de Abraão) foram separados um do outro.
- Jacó fugiu de seu irmão, Esaú, e ficou completamente separado durante anos.
- José foi separado de seus dez irmãos por mais de uma década.

INTIMIDADE INSATISFATÓRIA NOS CASAMENTOS DE CADA GERAÇÃO

- Abraão teve um filho com Hagar fora do casamento.
- Isaque teve um terrível relacionamento com Rebeca.
- Jacó teve duas esposas e duas concubinas.

OS DEZ MANDAMENTOS DE SUA FAMÍLIA

Muitas vezes nós subestimamos a profunda e inconsciente marca que nossa família de origem deixa em nós. De fato, minha observação é que somente quando nos tornamos mais velhos é que percebemos a profundidade de sua influência. Cada um dos integrantes de nossa família, ou aqueles que nos criaram desde a infância, "imprimiram" certos estilos de comportamento e de pensamento em nós, assim como nossa cultura, os meios de comunicação, nossa interpretação de eventos, tudo isso nos marca. Esses padrões comportamentais operam sob um conjunto de "mandamentos". Alguns deles são falados e explícitos. A maioria não é falada. Eles foram "gravados" em nossos cérebros e em nosso DNA, tanto que, se não houver intervenção do próprio Deus nem discipulado bíblico, nós simplesmente incorporamos essas expectativas aos nossos relacionamentos mais íntimos como adultos.

Analise os Dez Mandamentos na tabela seguinte:

1. DINHEIRO
- Dinheiro é a melhor fonte de segurança.
- Quanto mais dinheiro tiver, mais importante você é.
- Ganhe muito dinheiro para provar que você "conseguiu".

2. CONFLITO
- Evite conflito a todo custo.
- Não deixe as pessoas "perderem a cabeça" com você.
- Raiva e briga constante é normal.

3. SEXO
- Não se deve falar sobre sexo abertamente.
- Os homens podem ser promíscuos; as mulheres devem ser castas.
- A sexualidade no casamento é algo fácil.

4. SOFRIMENTO E PERDA
- A tristeza é sinal de fraqueza.
- Você não pode ficar deprimido.
- Recupere-se das perdas rapidamente e siga em frente.

5. EXPRIMIR RAIVA
- A raiva é perigosa e má.
- Você deve explodir em raiva para provar seu ponto de vista.
- O sarcasmo é uma forma aceitável de liberar raiva.

6. FAMÍLIA
- Você deve a seus pais por tudo o que eles fizeram por você.
- Não lave "roupa suja" de sua família em público.
- A obrigação para com a família e a cultura vem antes de tudo.

7. RELACIONAMENTOS
- Não confie nas pessoas. Elas desapontarão você.
- Ninguém mais irá me magoar.
- Não mostre fraqueza.

8. ATITUDES PARA COM CULTURAS DIFERENTES
- Seja amigo íntimo somente de pessoas parecidas com você.
- Não se case com pessoa de outra raça ou cultura.
- Certas culturas/raças não são tão boas quanto a minha.

9. SUCESSO
- É entrar nas "melhores escolas".
- É ganhar muito dinheiro.
- É casar e ter filhos.

10. SENTIMENTOS E EMOÇÕES
- Você não deve ter certos sentimentos.
- Seus sentimentos não são importantes.
- Está certo reagir a seus sentimentos sem pensar.

O grande problema, claro, é quando os roteiros invisíveis da família são contrários aos de Cristo. Quando os mandamentos da família a nós passados estão tão profundamente incrustados em nosso DNA que não podemos sequer discernir a diferença, o resultado pode ser trágico.

COMPARTIMENTAÇÃO

Em 1976 eu me tornei cristão com a idade de 19 anos. Deus então me transferiu para sua família - o corpo de Cristo. Embora eu então fosse um novo membro da família de Cristo, quase tudo o que eu havia aprendido sobre a vida viera da minha família de origem.

O assunto do discipulado passou a ser: como viver do jeito de Cristo. Aprender a orar, ler a Escritura, participar de pequenos grupos, adorar e usar meus dons espirituais foi a parte fácil. Arrancar mensagens profundamente arraigadas, hábitos e maneiras de comportamento, especialmente sob estresse, mostraria ser muito mais complexo e difícil.

Minha família, como todas as famílias, tinha regras invisíveis, não verbalizadas, que se esperava serem obedecidas. Incluíam, por exemplo, o papel dos gêneros, como e quando expressar raiva, pontos de vista sobre raça e outras culturas, a definição de sucesso, como a autoridade devia ser tratada, a sexualidade em relação aos homens e mulheres, expectativas do casamento e conceitos de igreja. Eram coisas que eu não queria tratar e, consequentemente, retroceder para avançar foi algo ao qual resisti fortemente. Geri me fazia perguntas sobre o passado de minha família, e eu argumentava: "O que adianta lembrar? Seria muito doloroso. Sou muito grato por ser uma nova criação em Cristo". Como a maioria, eu não queria trair minha família. Que tipo de cristão desenterraria "sujeira" e segredos sobre sua própria família - especialmente uma família ítalo-americana?

Olhar para o passado ilumina o presente. Mas não se iluda; é doloroso.

Como poucos se lançam ao difícil trabalho de retroceder para avançar, os sintomas de uma espiritualidade desconectada estão em toda parte. A compartimentação de nossa espiritualidade torna-se necessária porque existe bem pouca integração. Eu sei. Vivi desse jeito durante anos.

Voltemos a Frank e seu lento despertar para os impactos do passado sobre o presente.

O DOLOROSO FRUTO DE UMA ESPIRITUALIDADE DESCONECTADA

Em bate-papos posteriores no restaurante local com Frank, pedi-lhe para me descrever sua família.

- Nosso casamento é realmente melhor do que o de meus pais, pelo menos - ele começou. - Meu avô foi extremamente violento fisicamente, além de alcoólatra. Mas meu pai tornou-se cristão. Ele pareceu sair da bagunça de sua família. Todavia, ele lutou a vida toda com algum tipo de vício sexual. Não sei qual. Ele raramente falava sobre isso. Na verdade, nós nos mudamos em média a cada três anos quando meu pai recebia missões diferentes no Exército. Por isso eu nunca realmente tive amigos próximos em lugar nenhum. Nossa família girava em torno de meu pai. Era quase como se todos andassem na ponta dos pés em torno dele, com medo de sua irritabilidade - especialmente mamãe. Toda a vida dela, realmente, era em função dele. Ela abriu mão de todas as suas vontades e de todos os desejos em função dele e de nós, os filhos. Ela morreu recentemente. Mas não tenho certeza se ela de fato alguma vez viveu. Ela apenas existiu. Por isso me aproximar de Maria foi realmente difícil para mim. Eu queria algo melhor para nós. Mas parece que isso não a incomodava. Ela nunca havia dito nada antes - pelo menos até agora!

Após alguns encontros, Frank sentiu-se seguro o bastante para revelar um segredo que carregara durante vários anos:

- Eu fui exposto à pornografia com a idade de 12 anos. Você pode imaginar como é viver numa base militar com essa idade. Desde então, tenho lutado. Realmente eu me sinto debilitado por isso. Grupos de prestação de contas, confissões, oração por telefone, nada adianta. Não sei. Como saber? É opressivo.

Novamente houve uma longa pausa quando ele esperou por minha reação.

- Estive com um conselheiro vários anos atrás e conversamos sobre depressão, mas nunca realmente chegamos a assuntos básicos. O vício da pornografia só aumentou até eu sair do grupo no qual estava servindo. Eu me sentia todo envergonhado. Então comecei a ter alguma vitória, pelo menos um pouco, e voltei a servir no grupo.

A vida de Frank parecia um brinquedo surpresa. Embora ele regularmente reprimisse seus sentimentos de ser invisível quando criança ou os sentimentos de ser dominado por seus pais quando menino, eles sempre apareciam repentinamente no presente. Frank sentia como se estivesse traindo seus pais falando tão abertamente sobre seus "segredos", mas a dor se tornara finalmente tão grande que ele tinha pouca escolha.

Como nada disso era parte do discipulado ou de programas de formação espiritual na maioria de nossas igrejas, quase sempre é uma crise que empurra alguém como Frank, ou eu, nessa direção. Não conheci ninguém que quisesse carregar o peso e passar seus infindáveis pecados e fardos para seus filhos e os filhos de seus filhos.

É contra esse pano de fundo que a glória e o poder do Senhor Jesus oferece uma incrível esperança.

AS BOAS-NOVAS DE JESUS CRISTO

As boas-novas do cristianismo são que a sua família biológica de origem não determina o seu futuro. Deus determina! O que se passou antes de você não é o seu destino! A linguagem mais significativa no

Novo Testamento para tornar-se um cristão é "adoção na família de Deus". É um novo começo radical. Quando colocamos nossa fé em Cristo, somos renascidos novamente pelo Espírito Santo na família de Jesus. Somos transferidos das trevas para o reino da luz.

O apóstolo Paulo usou a imagem da adoção romana para comunicar essa profunda verdade, enfatizando que estamos agora num novo e perfeito relacionamento com um novo Pai. Deus se torna nosso Pai. Nossos débitos (pecados) são cancelados. Recebemos um novo nome (cristão), uma nova herança (liberdade, esperança, glória, os recursos do céu) e novos irmãos e irmãs (outros cristãos) (v. Efésios 1).

A mãe e os irmãos de Jesus chegaram a uma casa onde ele estava ensinando e pediram-lhe que saísse. Jesus respondeu à multidão dentro da casa que estava sentada aos seus pés: *Quem é minha mãe e quem são meus irmãos? E olhando em redor para os que estavam sentados à sua volta, disse: "Aqui estão minha mãe e meus irmãos! Aquele, pois, que fizer a vontade de Deus, esse é meu irmão, irmã e mãe"* (Marcos 3:33-35). Para o crente, a igreja foi então a "primeira família":[2]

No mundo antigo de Jesus, era extremamente importante honrar mãe e pai. Jesus demonstrou isso, mesmo pendurado na cruz, confiando o cuidado de sua mãe ao apóstolo João. Todavia, Jesus foi direto e claro ao convocar as pessoas a serem leais em primeiro lugar a ele mesmo, acima de sua família biológica, ao dizer: *quem ama seu pai ou sua mãe mais do que a mim não é digno de mim* (Mateus 10:37).

O discipulado, então, consiste no abandono dos padrões de hábitos pecaminosos de nossa família biológica e na transformação para vivermos como membros da família de Cristo.

Esta é a vida cristã. A intenção de Deus é que cresçamos como homens e mulheres maduros e transformados pela presença residente de Cristo. Nós honramos nossos pais, cultura e história, mas obedecemos a Deus.

Todo discípulo, então, deve olhar para a fraqueza e para o pecado de sua família ou cultura. O problema é que poucos de nós temos refletido honestamente sobre o impacto de nossa família de origem e outros importantes eventos "abaladores" de nossa história.

O filósofo George Santayana expressou isso muito bem: "Quem não pode aprender com o passado está condenado a repeti-lo". Por exemplo, talvez sua família tenha definido o sucesso pela profissão, educação ou dinheiro. Talvez você tenha recebido mensagens subjacentes de que, para ser amado, cuidado ou aceito, precisa mostrar certos comportamentos. Isso impactou sua visão de si mesmo (ou seja, sua autoestima).

Na família de Deus, o sucesso é definido como ser fiel ao seu propósito e plano para a sua vida. Somos chamados a buscar em primeiro lugar o seu reino e sua justiça (v. Mateus 6:33). As demais coisas, ele promete, nos serão acrescentadas. Além disso, Deus declara que somos amados. Somos suficientemente bons em Cristo (v. Lucas 15:21-24).

O discipulado, então, é trabalhar essas verdades em nossa vida prática diária.

Infelizmente, quando olhamos além da superfície, a maioria de nós não está fazendo nada fundamentalmente diferente do que nossa família fez. A intenção de Deus, entretanto, é que nossas igrejas locais e comunidades sejam locais onde, lenta, porém consistentemente, sejamos recriados, praticando o estilo de vida de Cristo.

Deus deseja que sua nova comunidade seja o lugar onde somos libertos.

Isso requer que eu reconheça a triste realidade: todos nós trazemos à nossa nova comunidade nossos antigos estilos "egípcios" de vida e relacionamento. A seguir, um vislumbre de como isso funcionou para mim.

A FAMÍLIA SCAZZERO-ARIOLA

A seguir, apresento um genograma simplificado de minha família. Genogramas são uma representação gráfica da árvore genealógica. Seu objetivo é visualizar informação sobre membros da família e seus relacionamentos no decorrer de duas ou três gerações.

GENOGRAMA DA FAMÍLIA SCAZZERO-ARIOLA

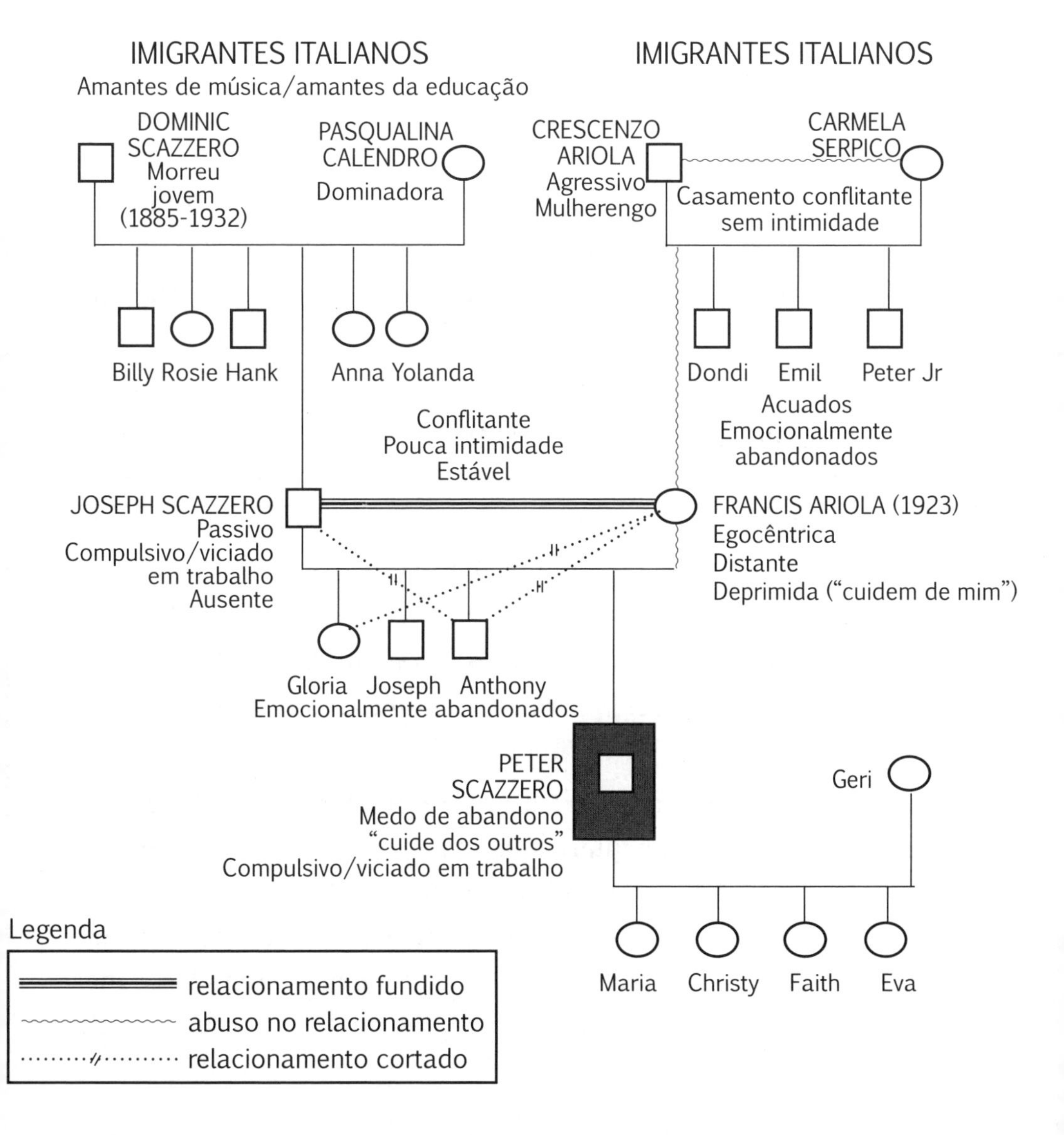

Todas as nossas famílias são afetadas e arruinadas pelos efeitos da Queda. A minha não é diferente. No canto inferior à direita do genograma da página anterior, você observará o retângulo em negrito "Peter". Sou o mais jovem de quatro filhos. Geri e eu temos quatro filhas. Ao olhar para o lado direito do genograma, você verá minha mãe, Francis, com seus pais, Crescenzo e Carmela, acima.

No lado esquerdo, você verá meu pai, Joseph e então seus pais, Dominic e Pasqualina, acima.

Para compreender a dinâmica de quem eu sou, você tem de olhar para a família de minha mãe. O pai dela, Crescenzo, casou-se com minha avó num casamento arranjado para poder vir aos Estados Unidos. Ele era um "mulherengo" que viveu como um "casado solteirão". Ele mandou a esposa e os filhos trabalhar numa confeitaria italiana enquanto continuou vivendo sua própria vida separada.

Minha mãe não se lembra de ouvi-lo dizer o primeiro nome dela. Crescenzo gritava, por exemplo: "Se desonrar a família, eu mato você". Ele conseguiu um pônei e o deu ao filho de outro homem. Quando um de seus amigos manifestou vivo interesse num cachorrinho que pertencia à minha mãe (com uns 10 anos de idade), ele deu o cão de presente, ignorando as lágrimas de minha mãe.

Meu pai trabalhou para ele na Confeitaria Ariola antes de se casar com a filha dele. Certa vez ele me disse: "Ele tratava os cachorros melhor do que os filhos".

Francis, minha mãe, era a única filha. Seus anos de criança e adolescência foram solitários, isolados e rigorosamente controlados. Ela nunca teve infância e carregou as cicatrizes emocionais de seus maus-tratos para dentro de nossa família. Dar e receber amor, desfrutar a vida, diversão, riso, jovialidade, alegria eram desconhecidos para ela. Ela lutou contra a depressão e os sentimentos de profunda solidão a vida toda.

Meu pai foi emocionalmente inacessível, absorvido por trabalho e passatempos. Ele delegou a criação da família à minha mãe enquanto trabalhava. Uma das nossas tragédias foi que a família de meu pai cortou relações com ele por causa do casamento com minha mãe. Isso durou mais de vinte anos.

O que então eu trouxe para o meu casamento com Geri e para meu discipulado com Jesus? Muitas coisas, mas aqui estão cinco pesadas "mochilas emocionais" que inconscientemente carreguei em minha vida cristã durante anos até compreender o que era a espiritualidade emocionalmente saudável.

Responsabilidades demais

Junto com meus irmãos, nosso papel foi "tornar mamãe feliz", visto que meu pai era ausente para ela. Embora fôssemos crianças, esperava-se que cuidássemos dela. Havia pouco espaço para brincadeira, diversão, conversas.

Quando me tornei cristão, naturalmente comecei a cuidar dos outros. Em um ano de conversão, eu estava liderando nosso grupo cristão na faculdade, cuidando das ovelhas. Eu simplesmente transferi o excesso de zelo por minha família de origem para a salvação de outros e o crescimento da igreja. É alguma surpresa que eu tenha me tornado pastor para cuidar dos outros? É de admirar que eu tivesse grande dificuldade em manter limites saudáveis e apropriados como adulto?

Desempenho demais

Segunda coisa, como imigrantes ítalo-americanos lutando para ter sucesso nos Estados Unidos, carregávamos uma expectativa constante: "Vocês farão seus pais orgulhosos; eles sofreram muito para vocês poderem ter sucesso e ir para a faculdade". Corria fortemente nas veias de nossa família a aprovação com base no desempenho, e isso me levou a "trabalhar duro para Jesus". "Prove quem você é" era a mensagem.

Sabíamos que éramos amados, mas sempre soubemos que havia uma linha que não podíamos transpor. Meu irmão Anthony, quando desobedeceu a meu pai, saiu da faculdade e entrou para a Igreja da Unificação; foi deserdado e proibido de retornar à casa durante anos.

Quantas pessoas "bem-sucedidas", com altas conquistas, são movidas por uma vergonha profundamente entranhada e um sentimento de abandono, chorando silenciosamente: "Olhem para mim!"?

EU TINHA EXPECTATIVAS CULTURAIS, NÃO BÍBLICAS, PARA O CASAMENTO E A FAMÍLIA

Terceira, minhas convicções relacionadas ao casamento e ao papel dos gêneros foram moldadas muito mais fortemente por minha família do que pela Escritura. Claro que Geri se queixava. Mas todas as mulheres em nossa grade familiar se queixavam do marido. Aquilo não era normal? Nosso casamento certamente parecia melhor do que a maioria. Eu estava "ajudando" com as crianças, não estava?

Jamais observei um casal feliz, íntimo, investindo na qualidade de seu relacionamento diante dos filhos. As mulheres eram para ficar em casa com os filhos. Os homens lideravam e tomavam as decisões importantes para a família. Eu achava que era também como Deus queria.

EU RESOLVIA CONFLITOS DE FORMA PRECÁRIA

Quarta, embora eu administrasse seminários sobre resolução de conflitos e comunicação, o modo básico com que lidava com conflitos e raiva lembrava minha família de origem, não a família de Cristo. Minha mãe se enfurecia e atacava. Para evitar conflito, meu pai, o pacificador, cedia a tudo o que minha mãe queria. Eu adotei o estilo básico do meu pai, assumindo a responsabilidade sempre que algo estava errado para terminar qualquer tensão. Eu o justificava como sendo igual a Cristo, uma ovelha indo para o matadouro. Ao fazer isso, entretanto, eu não praticava o amor como devia.

Eu não me permitia sentir

Finalmente, eu não sabia como aceitar e processar meus próprios sentimentos, necessidades e desejos. Desde pequeno, eu me sentia "invisível" em nossa família, cuidando sistematicamente para mantê-la unida. Assim, perguntas como "O que você sente? O que você quer? Do que você precisa?" nunca me eram feitas. Adulto, fui naturalmente atraído por certos ensinos bíblicos (por exemplo, Lucas 9:23, sobre negar a si mesmo, e João 15:13, sobre dar a vida pelos outros) enquanto ignorava outros (por exemplo, lembrar-se do descanso do dia de sábado [v. Êxodo 20:8]).

Uma criança não diz: "O que há de errado com este ambiente onde estou crescendo?". Elas pensam: *O que há de errado comigo?* Por isso eu cresci sentindo-me inadequado, falho... imperfeito. *Se as pessoas soubessem*, eu pensava comigo mesmo.

Eu amava a mensagem de Cristo. Nenhuma outra religião no mundo revela um Deus pessoal que nos ama pelo que somos, não pelo que fazemos. Sua aprovação é incondicional. Todavia, durante os primeiros dezessete anos do meu discipulado, o profundo impacto que a história da minha família teve sobre mim impediu que essa verdade penetrasse profundamente em minha experiência. Tal como muitas pessoas que conheci, menti para mim mesmo por medo, torcendo a verdade para mim mesmo: *Oh, Pete, não foi tão ruim assim. Para quantas pessoas não é pior?*

A verdade é que eu "perdi uma perna em minha infância". Não posso recuperar isso. Todavia, porque, pela graça de Deus, eu retrocedi, posso andar. Posso andar mancando, mas não sou mais aleijado. Eu sou livre. Mas, quando me recordo e penso como vivi os primeiros dezessete anos de minha vida cristã, fico surpreso... chocado... envergonhado... Houve tanto sofrimento desnecessário!

O PRESENTE É UMA JANELA PARA O PASSADO

Eu tenho analisado genogramas que descrevem os importantes temas do passado de pessoas tanto na Igreja New Life Fellowship como em toda a América do Norte, em seminários e conferências há mais de uma década. Nossa igreja tem membros da China, Argentina, Líbano, Polônia, Grécia, Indonésia, Filipinas, Haiti, Índia e mais de sessenta países. Temos feito genogramas para muitas delas. Fizemos genogramas para pessoas pobres do sul do Bronx e de megaigrejas suburbanas dos Estados Unidos, para doutores de universidades tradicionais e outros que abandonaram o ensino médio. Quase sempre as pessoas dizem depois: "Puxa, pastor Peter, acho que minha família [ou cultura, ou país] é um tanto bagunçada".

Minha resposta é sempre a mesma: "Não. Todas as famílias são incompletas e arruinadas. Não existem genogramas 'puros'. Nenhum de nós vem de família perfeita com pais perfeitos. A maioria dos pais fez o melhor que pôde com o que trouxe consigo para a maturidade. E é provável que algumas das coisas que nos magoam, como crítica e rejeição, foram resultado do que lhes foi entregue por suas famílias de origem, e não um reflexo sobre nós do seu amor por nós".

Nosso temor de trazer à tona segredos e pecados, entretanto, leva muitos a preferir a ilusão de que, se não pensarem a respeito, tudo vai desaparecer. Não é assim. Feridas não curadas nos expõem a pecado habitual contra Deus e os outros.

Jane, por exemplo, é membro de uma classe da escola dominical. Ela ajuda a organizar as cadeiras, prepara refrescos antecipadamente e coloca tudo em ordem quando a aula termina. Seu relacionamento com as autoridades primárias de sua infância - seu pai e sua mãe - foi tenso. Eles raramente estavam em casa e eram muito críticos. Ela também foi abusada sexualmente por um tio quando adolescente. Hoje, 25 anos depois, sempre que alguém em posição de autoridade dá sugestões ou faz críticas construtivas a Jane, ela se coloca na defensiva e se retrai. Ela não percebe que o seu passado não examinado a prende a formas desrespeitosas e rancorosas de se relacionar com o presente.

Veja, até mesmo as piores e dolorosas experiências em família são parte de nossa identidade total. Deus teve um plano ao nos colocar em nossa família e cultura em particular. E, quanto mais sabemos a respeito de nossa família, mais conhecemos a respeito de nós mesmos - e mais liberdade temos para tomar decisões de como queremos viver. Podemos dizer: "Isto é o que eu quero manter. Isto é o que não quero levar comigo para a geração seguinte".

Se ignorarmos a verdade por causa do temor, terminamos como a srta. Havisham, do romance *Great Expectations,** de Charles Dickens. Filha de um homem rico, ela recebeu uma carta no dia do seu casamento, às 8h40, de que seu futuro marido não iria comparecer. Ela parou todos os relógios da casa no momento exato da chegada da carta e passou o resto da vida em seu vestido de noiva (que acabou amarelando), usando apenas um sapato (visto que ainda não havia calçado o outro no momento da tragédia). Mesmo já idosa, permaneceu debilitada pelo peso daquele golpe esmagador. Foi como se "tudo no quarto e na casa tivesse parado". Ela decidiu viver no passado, não no presente ou no futuro.

O MODELO SISTEMA DO CASTOR[3]

O modelo Sistema do Castor é uma forma útil e conhecida de compreender nossa família. Com base principalmente em como compreendem seus limites, as famílias se classificam em cinco níveis diferentes de saúde.

Nível cinco: A família em sofrimento

Essa é uma família severamente perturbada. Há falta completa de liderança real. O caos, a incerteza, a confusão e a baderna são os

* Dickens, Charles, *Grandes esperanças.* São Paulo, Abril Cultural, 1984.

adjetivos que descrevem esses lares. Os conflitos nunca são tratados ou resolvidos. Não existe habilidade para olhar os assuntos com clareza.

Nível quatro: A família com limites

Essa é uma família polarizada. Em vez da anarquia, como no nível cinco, uma ditadura domina aqui. Em vez de falta de regras, essa casa só tem regras sacramentadas. Há rígidas formas de pensar, sentir e de se comportar esperadas de todos os membros. Os indivíduos não podem dizer: "Não concordo com o que você disse".

Nível três: A família presa a regras

Essa família não está no caos ou sob uma ditadura. É mais saudável do que a do nível quatro. Sentir-se amado e útil, entretanto, depende de obedecer a regras faladas e não faladas da família. "Se você me amasse, faria tudo o que sabe que estará de acordo com minha aprovação." Existe um árbitro invisível, com as regras do sistema sendo mais importantes do que o indivíduo. Um nível sutil de manipulação, intimidação e culpa permeia o lar.

Níveis dois e um: A família adequada e a família ótima

Nessas famílias existe uma aptidão em ser flexível e tratar com carinho cada membro individualmente, valorizando, ao mesmo tempo, o senso de intimidade. Bons sentimentos, confiança e trabalho de equipe pelos pais capacitam os membros a trabalhar em meio a dificuldades e conflitos. O que diferencia as famílias do nível dois das do nível um pode ser resumido numa palavra: prazer. Os membros das famílias do nível um têm verdadeiro prazer em estar uns com os outros.

Agora faça a si mesmo a pergunta: Qual das categorias dessas cinco famílias melhor descreve minha experiência de desenvolvimento? Como minha família de origem ainda me impacta hoje? Quais são as áreas que eu preciso trabalhar intencionalmente para avançar em Cristo (por exemplo, limites, lidar com conflitos, intimidade)?

JOSÉ – EXEMPLO DE COMO RETROCEDER PARA AVANÇAR

Um quarto do livro de Gênesis é sobre José crescendo e se transformando num adulto emocional e espiritualmente maduro que viveu plenamente seu excepcional destino em Deus. Como tantas famílias, entretanto, a família de José foi caracterizada por grande devastação e tristeza.

José aparece no capítulo 37 de Gênesis com a idade de 17 anos, o décimo primeiro de doze filhos e o favorito de seu pai, Jacó. Eles constituíam uma família complicada, misturada, com Jacó, suas duas esposas e duas concubinas e todos os filhos vivendo sob o mesmo teto.

José parece imaturo, arrogante e alheio ao fato de que seus sonhos e visões de Deus somente o alienavam mais de seus irmãos, que nutriam um ódio crescente por ele. Chegaram a mentir ao dizer que ele havia sido morto por um animal selvagem e o venderam como escravo para o Egito, na esperança de nunca mais dele se ouvir.

De muitas formas, o nível e o número de segredos numa família dão uma indicação do seu nível de saúde e maturidade. A família de José, por esse padrão, estava muito doente. O pai de José, o avô e o bisavô, todos se envolveram em mentiras e meias verdades, sigilos e inveja. Agora, eles levam esse padrão hereditário para um novo nível.

Imagine o impacto para José. Ele perdeu os pais, os irmãos, cultura, alimento, língua, liberdade e esperanças num único dia! Então no Egito, enquanto servia como escravo na casa de Potifar, foi falsamente acusado de estupro e mandado para a prisão durante anos. Uma porta se abriu para sua libertação enquanto estava na masmorra, mas foi esquecido mais uma vez. Penou na prisão de dez a treze anos. Que desperdício! Que traição! Sua vida, aos 30 anos, parecia uma tragédia. Se alguém tivesse de estar cheio de amargura e raiva por tanta dor familiar, esse alguém seria José!

Todavia, ele permaneceu fiel buscando e amando a Deus. Mesmo quando foi presa de terríveis eventos fora do seu controle, a Escritura descreve José "andando com Deus".

Então o incrível aconteceu. Numa noite, pela interpretação de um sonho, José foi arrancado do fundo da prisão e transformado na segunda pessoa mais poderosa do Egito, o superpoder do dia. Ele continuou a andar com o Senhor até o dia de sua morte, sendo usado como parceiro do Deus de Israel para ser uma bênção para sua família de origem, para o Egito e para o mundo. Ele honrou e abençoou a família que o havia traído.

José retrocedeu para avançar. A pergunta é: como? Que lições podemos aprender com sua vida?

José teve um profundo senso da grandeza de Deus

Repetidamente, José confirmou a grande e amorosa mão de Deus em todos os seus sofrimentos e dificuldades. *Não fostes vós que me enviastes para cá, mas sim Deus*, ele disse repetidas vezes (v. Gênesis 45:8). Ao fazer isso, ele afirmou que Deus misteriosamente nos conduz em seus propósitos através das trevas e da escuridão. Deus é o Senhor onipotente que tem toda a história sob seu domínio, agindo de maneiras na maioria das vezes ocultas a nós na terra. José compreendeu que em todas as coisas Deus está em ação, a despeito de, por meio de e contra todo esforço humano, para orquestrar seus propósitos.

Deus nunca perde nada de nosso passado para o seu futuro quando nos submetemos a ele. Cada erro, pecado e desvio que realizamos na viagem da vida são empregados por Deus e se tornam seu dom para um futuro de bênção.

Por que Deus permitiu que José passasse por tal sofrimento e perda? Vemos os vestígios do bem que surgiram disso em Gênesis 37-50, mas muito permanece um mistério. Mais importante, José confiou na bondade e no amor de Deus, mesmo quando as circunstâncias foram de mal a pior.

José admitiu honestamente a tristeza e a perda de sua família

Muitos de nós somos resistentes em retroceder e sentir a ferida e a dor do nosso passado. Pode nos parecer um buraco negro ou um abismo prestes a nos engolir. Nós nos perguntamos se não estamos apenas piorando. Todavia, José chorou várias vezes quando se reuniu com sua família. De fato, a Escritura relata que ele chorou tão alto que os egípcios o ouviram (v. Gênesis 45:2). Ele não minimizou nem racionalizou os anos de sofrimento. Mas, reconhecendo e vivenciando seu sincero sofrimento, ele verdadeiramente perdoou e pôde abençoar os irmãos que o traíram. E assumiu a liderança da família até o fim de seus dias, sustentando-a financeira, emocional e espiritualmente. Ele viu como Deus o mandou à frente, ao Egito, para salvar a vida dos parentes por meio de um grande livramento (v. Gênesis 45:7).

Quando José começou a prosperar no Egito após longos anos de sofrimento, deu a seus dois filhos nomes que refletiram a dor e a tristeza do seu passado. Seu primeiro filho recebeu o nome de Manassés, da palavra hebraica para "esquecer", porque Deus o tinha capacitado a esquecer de todos os seus problemas. Seu segundo filho chamou-se Efraim, da palavra hebraica "frutífero", porque Deus o tornara frutífero em sua nova terra de sofrimento (v. Gênesis 41:50-52).

José reescreveu o roteiro de sua vida de acordo com a Escritura

José tinha muitas razões para dizer a si mesmo: *Eu não tenho o direito de existir. Minha vida é um erro. Sou um inútil. Não devo confiar em ninguém. Não devo me arriscar. Não devo ter sentimentos. É doloroso demais. Sou um fracasso.* Mas não fez isso.

Tanto a família quanto os eventos traumáticos em nossa história nos passam mensagens negativas ou roteiros que dirigem inconscientemente nossa vida. Essas decisões que tomamos, sempre esquecidas, são encenadas repetidas vezes em situações adultas – mesmo quando não são necessárias. Por exemplo, quem não conhece alguém que foi magoado numa igreja e jurou para si mesmo: "Jamais vou confiar em algum líder espiritual ou em igreja novamente!"?

José tinha plena consciência do seu passado. Pense numa peça e num roteiro sendo entregue a um ator para certo papel. A maioria de nós nunca examina os roteiros a nós entregues por nosso passado.

José o fez. Ele pensou nisso. E então abriu a porta para o futuro de Deus, reescrevendo-o com Deus.

Tem sido dito que a real medida do senso de quem somos é quando voltamos à casa de nossos pais por mais de três dias. Nesse ponto precisamos nos perguntar com que idade nos sentimos. Temos voltado aos nossos padrões de comportamento mais alinhado com nossa infância, ou temos nos libertado do nosso passado para viver o que Deus tem para nós agora?

José foi parceiro de Deus para ser uma bênção

José podia ter destruído seus irmãos pela raiva. Em vez disso, ele se uniu a Deus para abençoá-los. Para alguns de nós, profundamente magoados como José, isso pode parecer um caminho difícil, quase impossível.

José fez uma escolha. É a mesma escolha que fazemos todos os dias: Deus é confiável? Deus é bom? Pode-se descansar em Deus?

José havia claramente desenvolvido uma história secreta durante um longo período em seu relacionamento com Deus. Sua vida toda foi estruturada em torno de seguir o Senhor Deus de Israel. Então, quando chegou o momento de uma decisão crítica, ele estava pronto. Da mesma forma, existem as escolhas *diárias* que gravitam em torno de nossa caminhada com Deus (das quais falaremos nos capítulos posteriores) que são fundamentais para servirmos como instrumento de bênção para muitos.

UMA PALAVRA FINAL: NOSSA NECESSIDADE DE ESTARMOS "SOZINHOS JUNTOS"

A força gravitacional que nos puxa de volta para o pecado, para padrões destrutivos de nossa família de origem e cultura, é enorme. Alguns de nós vivemos como se estivéssemos simplesmente pagando pelos erros de nosso passado. Por essa razão Deus nos chamou para fazermos essa jornada com companheiros na fé. Retroceder para avançar é algo que devemos fazer no contexto de comunidade - com amigos idôneos, um mentor, diretor espiritual, conselheiro ou terapeuta. Precisamos de pessoas confiáveis em nossa vida a quem possamos perguntar: "O que você sente em relação a mim? Diga-me os sentimentos e pensamentos que você tem quando está comigo. Por favor, seja honesto comigo". Ouvir suas respostas será um longo caminho na direção da cura e para uma perspectiva sobre áreas de nossa vida que precisam ser abordadas. É desnecessário dizer que isso requer muita coragem.

Esse trabalho de retroceder para avançar certamente nos leva a um muro em nossa jornada com Cristo. Vemo-nos desorientados, confusos e abalados em um território desconhecido. Assim, o próximo passo para uma espiritualidade emocionalmente saudável nos convoca para... uma jornada através da Muralha.

Senhor, creio que és um Deus com grandes propósitos. Tu me colocaste em minha família especial, num lugar especial e num tempo especial da história. Eu não vejo o que tu vês, mas peço-te que me mostres, Senhor, a revelação e o propósito que tens para mim em tua decisão. Senhor, não quero trair ou ser ingrato pelo que me foi dado. Todavia, ao mesmo tempo, ajuda-me a discernir o que eu preciso abandonar do meu passado e quais são os temas principais que precisam ser abordados em meu discipulado. Dá-me coragem; dá-me sabedoria para aprender com o passado, mas não ser aprisionado por ele. E que eu, como José, seja uma bênção para minha família terrena, para a família espiritual e para o mundo. Em nome de Jesus. Amém.

6

JORNADA ATRAVÉS DA MURALHA

Abdicando do poder e do controle

A espiritualidade emocionalmente saudável exige que se passe pela dor da Muralha - ou, como os antigos a chamavam, "a noite escura da alma". Para muitos, retroceder para avançar nos impele contra a Muralha. Outros são induzidos a isso por circunstâncias e crises além do seu controle.

Independentemente de como chegamos lá, todo seguidor de Jesus, em determinado momento, enfrentará a Muralha. A espiritualidade emocionalmente saudável ajuda a fornecer um mapa rodoviário (parcial) tanto de como passar pela Muralha quanto de começar a viver no outro lado.

O insucesso em compreender sua natureza resulta em grandes e demorados sofrimento e confusão. Receber o dom de Deus na Muralha, entretanto, transforma nossa vida para sempre.

A VIDA CRISTÃ COMO UMA JORNADA

A imagem da vida cristã como uma jornada representa como poucas a nossa experiência de seguir Cristo. Jornadas implicam movimento, ação, paradas e partidas, desvios, atrasos e viagens para o desconhecido.

Deus chamou Abraão para deixar sua antiga vida em Ur com a idade de 75 anos a fim de começar uma nova jornada. Deus, de um arbusto em chamas, chamou Moisés para começar uma nova fase de sua jornada com a idade de 80 anos. Deus chamou os israelitas para saírem do Egito e começar uma jornada de quarenta anos de transformação pessoal no deserto. Deus chamou Davi para sair do conforto do seu trabalho como pastor para vencer Golias e servir como rei de Israel. Deus chamou Jeremias para quarenta a cinquenta anos de trabalho difícil, permanecendo firme em relação aos valores de Deus em meio a um povo rebelde.

Jesus chamou os doze discípulos para uma jornada que mudaria a vida deles para sempre. Judas, entretanto, ficou desiludido e paralisou no meio do caminho. Ele não pôde imaginar do que Jesus era capaz, e nem sonhava com sua entrega às autoridades para a crucificação! Não enxergou como podia surgir algo bom da desintegração do poderoso ministério palestino que estava ajudando tantas pessoas. O plano de Jesus o ofendeu.

A sua "paralisação" acabou resultando em um total abandono de Cristo, o que resultou talvez no mais triste relato de uma oportunidade perdida!

Conheço muitos crentes hoje que também estão paralisados. Alguns desistiram totalmente. Não conseguem vislumbrar o quadro maior da obra transformadora que Cristo procura fazer neles na Muralha que enfrentam. A desorientação e o sofrimento de suas circunstâncias presentes os cegam. E eles fracassam em achar companheiros para a jornada.

O que muitos não compreendem é que o crescimento para a maturidade em Cristo requer a passagem pela Muralha.

A MURALHA – ESTÁGIOS DE FÉ

Ao longo da história da igreja, grandes homens e mulheres como Agostinho, Teresa de Ávila, Inácio de Loyola, Evelyn

Underhill e John Wesley escreveram sobre as fases dessa jornada para nos ajudar a compreender o quadro maior, ou mapa, do que Deus está fazendo em nossa vida. Em *The Critical Journey: Stages in the Life of Faith*, Janet Hagberg e Robert Guelich desenvolveram um modelo que inclui o lugar essencial da Muralha em nossa jornada.[1] A seguir, minha adaptação do trabalho deles:

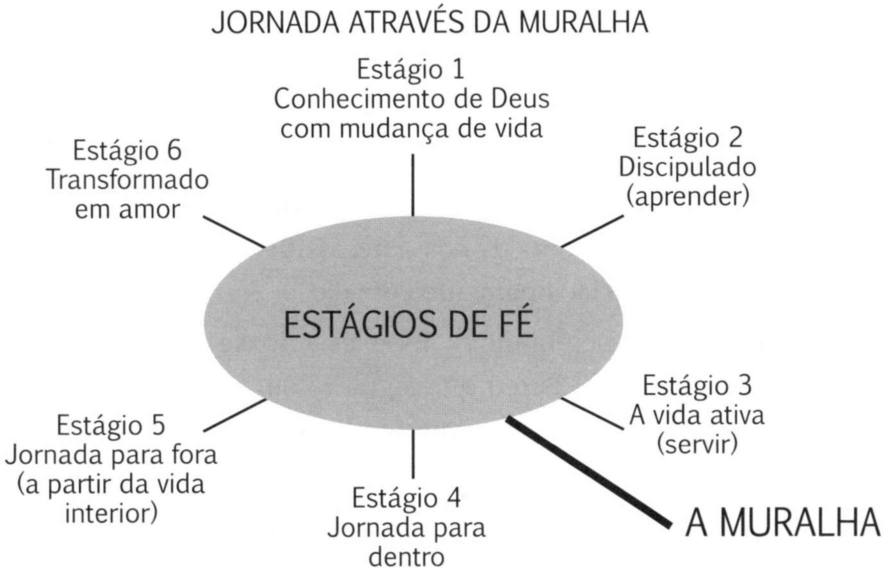

JORNADA ATRAVÉS DA MURALHA

ESTÁGIOS DE FÉ

Estágio 1
Conhecimento de Deus
com mudança de vida

Estágio 2
Discipulado
(aprender)

Estágio 3
A vida ativa
(servir)

A MURALHA

Estágio 4
Jornada para
dentro

Estágio 5
Jornada para fora
(a partir da vida
interior)

Estágio 6
Transformado
em amor

Observe que cada estágio está construído naturalmente sobre o outro. No mundo físico, os bebês devem passar a ser meninos e meninas e depois adolescentes que se tornam homens e mulheres adultos. Da mesma forma, espiritualmente, cada estágio se forma nos que vêm antes deles. Não podemos pular do discipulado no estágio 2 para a jornada para fora do estágio 5.

Entretanto, uma diferença importante é que podemos facilmente ficar estagnados em determinado estágio e escolher não avançar em nossa jornada com Cristo. Recusamo-nos a confiar em Deus nesse lugar desconhecido, misterioso. Voltamo-nos para dentro de nós mesmos. Nosso solo, sempre aos poucos, torna-se duro (v. Marcos 4:1-20).

É importante lembrar que, embora possamos nos identificar com mais de um estágio (eu sempre me relaciono com os estágios 2 e 3), ou mesmo que nos encontremos em transição entre eles, nossa tendência será ter um "estágio que melhor caracteriza [nossa] fé agora":[2]

Vamos dar uma olhada nos estágios:

Estágio 1: Conhecimento de Deus com mudança de vida - Esse estágio, seja na infância, seja na idade adulta, é o início de nossa jornada com Cristo, quando nos conscientizamos de sua realidade. Damo-nos conta de nossa necessidade por misericórdia e começamos nosso relacionamento com ele.

Estágio 2: Discipulado - Esse estágio se caracteriza pelo aprendizado sobre Deus e o que significa ser seguidor de Cristo. Tornamo-nos parte de uma comunidade cristã e começamos a nos firmar nas disciplinas da fé.

Estágio 3: A vida ativa - Esse é o estágio descrito como o "fazer". Nós nos envolvemos, trabalhando ativamente para Deus, servindo a ele e ao seu povo. Assumimos a responsabilidade por submeter nossos talentos e dons excepcionais para servir a Cristo e aos outros.

Estágio 4: A Muralha e a jornada para dentro - Observe que a Muralha e a jornada para dentro estão intimamente relacionados. A Muralha nos impele para uma jornada interior. Em alguns casos, a jornada interior acaba nos levando para a Muralha. Contudo, lembre-se, é Deus que nos leva à Muralha.

Estágio 5: Jornada para fora - Tendo passado pelas crises da fé e da intensa jornada interior necessária para passar pela Muralha, começamos novamente a nos mover na direção do "fazer" para Deus. Podemos fazer algumas das mesmas coisas externas que fizemos antes (por exemplo, treinar liderança, servir e começar atos de misericórdia para com os outros). A diferença é que agora nossa contribuição vem de um novo centro, firmado em Deus. Descobrimos o amor profundo, intenso e tolerante de Deus por nós. Uma profunda calma interior começa agora a caracterizar nosso trabalho para Deus.

Estágio 6: Transformado em amor - Deus envia continuamente eventos, circunstâncias, pessoas e até mesmo livros à nossa vida para nos manter em movimento em nossa jornada. Ele está determinado a completar a obra que começou em nós, gostemos ou não! Seu objetivo, na linguagem de John Wesley, é que sejamos feitos perfeitos em amor, que o amor de Cristo se torne nosso amor tanto para com Deus como para com os outros. Que nos demos conta de que o amor verdadeiramente seja o início e o fim. Nesse estágio, o perfeito amor de Deus expulsa todo o medo (v. 1João 4:18). E toda a nossa vida espiritual consiste, finalmente, em entrega e obediência à perfeita vontade de Deus.

Eu prefiro a ideia de estações do ano a estágios para descrever nossa vida em Cristo. Nós não controlamos as estações; elas acontecem. Inverno, primavera, verão e outono acontecem gostemos ou não.

Da mesma forma as Muralhas.

Para muitos de nós, a Muralha aparece em meio a uma crise que vira nosso mundo de cabeça para baixo. Ela vem, talvez, através de um divórcio, da perda do emprego, da morte de um amigo chegado ou de um membro da família, um diagnóstico de câncer, uma decepcionante experiência na igreja, uma traição, um sonho desfeito, um filho rebelde, um acidente de carro, incapacidade de engravidar, um profundo desejo de se casar que permanece irrealizado, insensibilidade ou perda de alegria em nosso relacionamento com Deus. Questionamos a nós mesmos, Deus e a igreja. Descobrimos pela primeira vez que a nossa fé parece não "funcionar". Temos mais perguntas que respostas quando todo o fundamento de nossa fé parece estar em risco. Não sabemos onde Deus está, o que ele está fazendo, para onde ele está indo, como irá nos buscar lá ou quando isso irá terminar.

Minha Muralha incluiu uma quantidade de eventos se acumulando um depois do outro. Ela começou com um sentimento de ter sido traído, quando houve uma divisão em nossa congregação de língua espanhola. Depois, experimentei uma longa depressão e uma perda de motivação para servir a Cristo, além de uma crise conjugal com Geri. Tudo isso, junto a um cuidadoso exame de como minha família de origem havia impactado quem eu era no presente. Tentei contornar, pular por cima e cavar um buraco por baixo da Muralha. Nada funcionou. Por fim, fui em frente *através* dela porque o sofrimento de permanecer onde estava era insuportável.

Em certo nível, é correto dizer que as Muralhas nos chegam de diferentes maneiras em nossa vida. Não é simplesmente um evento único pelo qual passamos e vamos adiante. Parece ser algo ao qual retornamos como parte do nosso contínuo relacionamento com Deus. Vemos isso, por exemplo, em Abraão esperando na Muralha durante 25 anos pelo nascimento do seu primeiro filho com sua esposa, Sara. De dez a treze anos depois, Deus o conduziu novamente a outra Muralha - o sacrifício do longamente esperado filho amado, Isaque, sobre um altar. Pense em Moisés, Elias, Neemias, Jeremias e Paulo. Cada um deles parece ter passado pela Muralha inúmeras vezes em sua jornada com Deus. "Involuntariamente e sem conhecimento nós retrocedemos para imperfeições. Maus hábitos são como raízes vivas que retornam. Essas raízes devem ser arrancadas e tiradas do jardim de nossa alma [...]. Isso requer a intervenção direta de Deus".[3]

Observe que eu disse "ter passado", e não "chegado a". Porque esses homens de fato fizeram a viagem para o outro lado da Muralha. Do mesmo modo, nós podemos fazer essa viagem.

Quando conseguimos atravessar a Muralha, não sentimos mais a necessidade de ser famosos ou bem-sucedidos, mas de fazer a vontade de Deus. Experimentamos o que significa viver em união com o amor de Deus por Cristo no Espírito Santo. Aprendemos, como o apóstolo Paulo, *o segredo de estar contente em toda e qualquer situação* (Filipenses 4:12). Tornamo-nos *santos e irrepreensíveis* (Efésios 1:4). Tornamo-nos, finalmente, nosso verdadeiro ego em Cristo.[4]

PRESO À MURALHA – A NOITE ESCURA DA ALMA

Sem a compreensão da Muralha na jornada, entretanto, inúmeros sinceros seguidores de Cristo ficam estagnados lá e não avançam mais com o propósito de Deus. Alguns de nós nos escondemos atrás de nossa fé para fugir do sofrimento de nossa vida em vez de confiar em Deus para nos transformar por meio dela. Usamos superficialidades como *Deus faz com que todas as coisas concorram para o bem* (v. Romanos 8:28). Nós rimos e entoamos cânticos de louvor contemporâneos sobre nossa vitória em Jesus. Não praguejamos nem nos tornamos amargos para com Deus. Mantemo-nos unidos para demonstrar aos membros mais fracos do corpo e ao mundo que a nossa fé é sólida e forte.

O problema é que a fé emocionalmente saudável admite o seguinte:

- Eu estou perplexo.
- Não sei o que Deus está fazendo neste momento.
- Estou magoado.
- Estou com raiva.
- Sim, isto é um mistério.
- Estou muito triste agora.
- Ó Deus, por que me abandonaste?

A melhor forma de compreender a dinâmica da Muralha é examinar a obra clássica de São João da Cruz, *Dark Night of the Soul* [A noite escura da alma], escrita há mais de cinco séculos.[5] Ele descreve a jornada em três fases: inicial, adiantada e perfeita. Para sair do estágio inicial, ele argumentou, requer-se receber dom de Deus da noite escura, ou Muralha. Essa é a "maneira comum" de crescermos em Cristo. Se muitos começam bem sua jornada, mas não a terminam, uma das principais razões é a falta dessa compreensão.

Como saber se estamos na "noite escura"? Nossos bons sentimentos da presença de Deus evaporam. Sentimos que a porta do céu se fechou quando oramos. Trevas, desamparo, fraqueza, sensação de fracasso ou derrota, esterilidade e sequidão descem sobre nós. As disciplinas cristãs que serviram para nos elevar até este momento "não funcionam mais". Não podemos enxergar o que Deus está fazendo, e poucos frutos são visíveis em nossa vida.

Esse é o modo de Deus reprogramar e "purificar nossos afetos e paixões" para que possamos nos deleitar em seu amor e entrar numa comunhão mais rica e plena com ele. Deus quer passar a nós sua verdadeira doçura e amor. Seu desejo é que possamos conhecer sua verdadeira paz e seu verdadeiro descanso. Ele age para nos libertar dos embaraços e das idolatrias prejudiciais do mundo. Deseja um íntimo e veemente relacionamento de amor conosco.

Por essa razão, João da Cruz escreveu que Deus nos manda "a noite escura do fogo carinhoso" para nos libertar. João listou as sete imperfeições espiritualmente mortais de iniciantes que devem ser purificadas:

1. Orgulho: eles têm a tendência a condenar outros e ficar impacientes com suas faltas. Eles são muito seletivos quanto a quem pode ensiná-los.

2. Cobiça: eles são descontentes com a espiritualidade que Deus lhes dá. Nunca acham que aprenderam o suficiente, estão sempre lendo muitos livros em vez de crescer em pobreza de espírito e em sua vida interior.
3. Luxúria: Eles têm mais prazer nas bênçãos espirituais de Deus do que no próprio Deus.
4. Ira: Eles se irritam com facilidade, não têm doçura, e têm pouca paciência para esperar em Deus.
5. Gula espiritual: eles resistem à cruz e escolhem prazeres como se fossem crianças.
6. Inveja espiritual: eles sentem-se infelizes quando outros estão bem espiritualmente. Estão sempre se comparando.
7. Preguiça: eles fogem do que é difícil. O objetivo deles é a tranquilidade espiritual e as boas sensações.[6]

Embora eu tenha falado sobre a importância crucial de prestar atenção aos nossos sentimentos para conhecermos Deus, a "noite escura" nos protege de adorá-los. Essa é uma das formas mais comuns de idolatria da vida espiritual.

São João da Cruz conhecia nossa tendência de nos tornarmos presos a sentimentos relacionados a Deus, confundindo-os com o próprio Deus. Essas sensações, valiosas ou sem conteúdo, não são Deus, mas somente mensageiras de Deus que nos falam dele. Para que não adoremos nossos sentimentos em vez de Deus, diria João da Cruz, Deus precisa removê-los por completo, para fortalecer e purificar nossa alma.[7] Esta é a forma que Deus usa para reprogramar nossas papilas gustativas e nos proporcionar um gosto mais pleno de quem ele é.

São João escreveu: "[Deus] está purificando a alma, aniquilando-a, esvaziando-a ou consumindo nela (como o fogo consome a podridão e a ferrugem do metal) todas as afeições e hábitos imperfeitos que contraiu por toda a vida [...] que estão profundamente arraigados na essência da alma [...]. Ao mesmo tempo, é Deus que está passivamente trabalhando aqui na alma".[8]

Além de purificar nossa vontade e compreensão dos pecados capitais acima mencionados, Deus também acrescenta algo à nossa alma. Ele misteriosamente infunde ou transmite seu amor a nós. Deus nos invade poderosamente quando perseveramos com paciência através desse sofrimento. Nossa grande tentação é desistir ou retroagir, mas, se permanecermos quietos, ouvindo sua voz, Deus irá inserir algo de si mesmo em nosso caráter, algo que marcará o restante de nossa jornada com ele.[9]

ENCONTRAR MEU CAMINHO ATRAVÉS DA MURALHA

Durante muitos anos eu fracassei em fazer a diferença entre a "noite escura da alma" e as provações e derrotas. Essa confusão me impediu de realmente passar pela Muralha. Eu supus que havia sofrido mais que o cristão comum. Isso certamente me qualificou para bênçãos não merecidas, não foi?

Em 1994 eu estava pastoreando duas congregações em duas línguas - uma em inglês pela manhã e uma em espanhol à tarde. A vida era muito difícil. Havia constantes crises e dificuldades, mas a maior parte se devia a um discipulado que não incluía saúde emocional.

Quando a congregação da tarde, em espanhol, se dividiu e duzentas pessoas saíram para começar outra congregação, começou a minha noite escura. Fiquei deprimido e com raiva. Pela primeira vez em minha vida cristã, eu não "senti" a presença de Deus. A Bíblia virou pó. Minhas orações pareciam bater no céu e ricochetear. Deus não estava se comunicando comigo!

Pensei haver chegado ao fundo do poço e que dali só podia subir.

Lembro-me de ter conversado com um ex-membro de nossa igreja sobre o fundo que eu atingira.

- Fundo do poço - ela riu. - Você não faz ideia de quão mais fundo tem de descer!

Eu estava num sofrimento tão grande que não acreditei em tal declaração, contudo ela pareceu discernir que havia uma purificação profunda que era necessária em mim. Ela estava certa. Haveria mais dois anos no *vale da sombra da morte* (Salmos 23:4). Pensei que eles nunca terminariam. Eles levaram nosso casamento a bater na Muralha e Geri a sair da igreja que eu estava pastoreando para finalmente eu dobrar meus joelhos. Lembro-me de ter questionado Deus: "Existe algo mais que queres arrancar de mim, seu sádico?".

Durante aquele período de dois anos, continuei minhas disciplinas espirituais. Segui Jesus por obediência. Eu o servi como líder, mas tudo em mim queria desistir. Desistir de Deus e de sua igreja bagunçada para sempre. Mal sabia que ele estava purificando e implantando algo em mim durante aquele horror.

Lembro-me ainda de como saí daquilo. Comecei a rastejar e a sentir pela primeira vez, dizendo a mim mesmo: "Algo está diferente. Totalmente diferente. Não posso explicar, mas sinto-me mais livre do que nunca da opinião das pessoas, mais certo sobre quem eu sou, com mais certeza de Deus e do seu amor do que nunca"!

Espero que isso signifique que Deus não tem outras "noites escuras" para mim.

A Bíblia parece sugerir que esse pode não ser o caso.

QUANTO TEMPO ISSO VAI DEMORAR?

Pode ser meses. Mais provavelmente, pode ser um ano ou dois... ou mais.

Desculpe-me. Sei que isso não é o que você quer ler. No final das contas, Deus escolhe o período de tempo e o nível de intensidade. Ele tem um único propósito para cada um de nós, sabendo quanto existe para purificar em nosso ser interior e quanto ele quer infundir de si mesmo em nós para seus propósitos maiores e duradouros. Nosso Pai sabe quanto podemos enfrentar.

De fato, João da Cruz divide a noite escura em dois níveis. O primeiro nível (que ele chama de "noite do sentido") é o de nosso encontro, quando viajamos com Cristo. O segundo ("a noite do espírito") é para bem poucos. Ele a descreve como "violenta e severa", quando "somos arrastados e imersos novamente num grau pior de aflição mais severa, mais escura e mais dolorosa [...]. Quanto mais brilhante, mais pura é a luz sobrenatural e divina, mais ela escurece a alma".[10]

O importante aqui é notar que as provações que encontramos cada dia não são a Muralha ou a "noite escura da alma". Provações são o trânsito engarrafado, o chefe importuno, atraso na partida de aviões, defeito no carro, febre, latido de cães no meio da noite.

Tiago faz referência a isso: *Meus irmãos, considerai motivo de grande alegria o fato de passardes por várias provações, sabendo que a prova da vossa fé produz perseverança; e a perseverança deve ter ação perfeita, para que sejais aperfeiçoados e completos, sem vos faltar coisa alguma* (Tiago 1:2-4).

Muralhas são Davi fugir de um rei invejoso durante treze anos no deserto. Muralhas são Abraão esperar 25 anos pelo nascimento de seu primeiro filho, Isaque. Muralhas são Jó perder seus dez filhos, a saúde e seus bens num só dia!

CARACTERÍSTICAS DA VIDA NO OUTRO LADO

Pode ser difícil discernir com precisão quando começamos a jornada através da Muralha e quando devemos estar no outro lado. Conheço muitas pessoas que passaram por grandes sofrimentos e bateram em Muralhas descomunais. Contudo, as Muralhas não as mudaram. Elas apenas ricochetearam. Elas retornaram a uma

Muralha semelhante, porém diferente posteriormente. Novamente elas ricochetearam, quase sempre mais amargas e iradas do que antes.

Em última análise, Deus é quem nos move através da Muralha. E com isso vem o mistério. Como e quando Deus nos faz passar é com ele. Nós fazemos escolhas para confiar em Deus, esperar em Deus, obedecer a Deus, apegar-nos a Deus, permanecermos fiéis quando tudo em nós quer desistir e fugir. Mas o trabalho é *dele*, lento e profundo de transformação em nós, e não nosso.

Então como sabemos se estamos fazendo progresso ou se estamos, talvez, até mesmo do outro lado? A seguir apresento pelo menos quatro dinâmicas para considerar:

Um nível maior de quebrantamento

Os cristãos podem ser notoriamente críticos em nome da defesa da verdade. Mas as pessoas que passaram pela Muralha são quebrantadas. Elas viram, como observa Karl Barth, que "a raiz e a origem do pecado é a arrogância na qual o homem quer ser juiz de si mesmo e do seu próximo".[11] Antes de passarmos pela Muralha, preferimos exercer o direito de determinar o bem e o mal em vez de deixarmos esse conhecimento para Deus. Posteriormente, sabemos mais.

Eu sei. Fico constrangido quando penso quanto julguei sistematicamente as jornadas de outras pessoas com Cristo que foram diferentes da minha. Eu tinha uma opinião e atitude a respeito de quase todo e qualquer indivíduo que fosse diferente de mim.

As primeiras palavras pronunciadas por Jesus no Novo Testamento foram revolucionárias: *Bem-aventurados os pobres em espírito, pois deles é o reino do céu* (Mateus 5:3). A palavra usada por ele descrevia um pedinte que havia atingido o fundo do poço, despido de tudo. Jesus não estava descrevendo uma pessoa privada de tudo materialmente, e sim que não se engrandecia acima dos outros.

Imagine um pedinte. Não alguém que você pode encontrar nas ruas de uma cidade americana, andando à procura de uns trocados para comprar cerveja ou cigarro. Em vez disso, imagine uma pessoa numa pobreza tão deprimente que ela é incapaz de fazer algo mais do que se deitar numa esquina com a mão estendida, esperando pela misericórdia de alguém. Imagine alguém que sabe que irá morrer, a menos que alguém tenha compaixão dele. Você pode imaginar esse pedinte dizendo:

- Eu não fui sempre assim; tenho diploma universitário.
- Não gosto da forma como você está me olhando. Fique com seu dinheiro.
- Eu ganho mais dinheiro do que o resto desses pedintes.
- Olhe para o que aquele outro pedinte na esquina está usando. Será que ele não tem vergonha?

As pessoas no outro lado da Muralha não julgam as outras.

O orgulho e a nossa tendência para julgar os outros se encontram em cada esquina do mundo, em todas as culturas, locais de trabalho, locais de recreação, famílias, vizinhos, times esportivos, salas de aula, casamentos, abrigos, salas do conselho e festas de aniversário de crianças. Quando nos convertemos, isso não desaparece automaticamente; apenas assume uma nova face.

- Não acredito que ela se define como cristã.
- Os membros de megaigrejas são superficiais.
- A igreja deles é pequena e morta.
- Olhe para o que ele está fazendo. Ele não é cristão.

Outra forma útil de medir seu nível de quebrantamento é considerar quanto somos ofensáveis. (Sim, eu sei que *ofensáveis* não existe no dicionário.) Imagine uma pessoa inflada, bombástica, que, quando criticada, julgada ou insultada, imediatamente recua e reage. Ou parte para o ataque ou decide que não mais existimos.

Compare essa imagem com uma pessoa que está tão firmada no amor de Deus que é incapaz de ser ofendida. Quando criticada, julgada ou insultada, ela pensa: *É bem pior do que você pensa!*

"Bem-aventurado quem não espera nada, porque desfrutará de tudo", disse São Francisco de Assis.[12] Poucas pessoas desfrutaram de coisas materiais quanto ele. Ele compreendeu que ninguém pode conquistar uma estrela ou o pôr do sol; esse reconhecimento e a dependência de Deus são o fundamento da realidade. São Francisco, como outros que passaram pela Muralha, compreendeu que todos dependemos, a todo instante, da misericórdia de Deus.

Essa é uma das razões por que integrei às minhas disciplinas espirituais a Oração do Senhor. As palavras da oração, adaptadas de uma parábola de Jesus que se encontra em Lucas 18:9-14, são: *Senhor Jesus Cristo, Filho de Deus, tem misericórdia de mim, pecador.* Remontando ao século 6, a Oração de Jesus tem sido desde então um fundamento da espiritualidade cristã oriental para ajudar os crentes a permanecerem firmados e dependentes de Deus por todo o dia. Ao repetir a oração durante o dia, sincronizando as sílabas dessas palavras com a batida do nosso coração durante o dia, a intenção é que nossa vida incorpore as riquezas da oração.[13]

Maior apreço pelo desconhecido santo (mistério)

Eu gosto de controle. Gosto de saber para onde Deus está indo, exatamente o que ele está fazendo, a rota exata de como chegarmos lá, e exatamente quando vamos chegar. Também gosto de lembrar Deus de sua necessidade de se comportar de forma que se encaixe com minhas claras ideias dele. Por exemplo, Deus é justo, misericordioso, bom, sábio, amoroso. O problema, então, é que Deus está além da compreensão de todo conceito que tenho dele. Ele é totalmente incompreensível.

Sim, Deus é tudo o que está revelado na Escritura, mas também infinitamente mais. Deus não é um objeto que eu possa determinar, controlar, possuir ou comandar.[14] E ainda eu tento de algum modo ter a posse dele. Inconscientemente, faço um trato com Deus mais ou menos assim: "Eu obedeço e cumpro minha parte do trato. Agora tu me abençoas. Não permitas qualquer sofrimento grave".

Deus não gosta de ser rebaixado à posição de nosso secretário ou assistente pessoal. Lembre-se com quem estamos lidando aqui: Deus é imanente (muito perto) e, todavia, transcendente (totalmente acima e distante de nós). Deus é cognoscível, todavia é incognoscível. Deus está dentro de nós e ao nosso lado, todavia é inteiramente diferente de nós. Por essa razão, Agostinho escreveu: "Se você compreende, não é Deus que você compreende".[15]

Na maior parte do tempo, não temos ideia do que Deus está fazendo.

Há uma antiga história sobre um sábio que vivia numa das vastas fronteiras da China. Certo dia, sem nenhuma razão aparente, a égua de um jovem fugiu e foi levada por nômades através da fronteira. Todos tentaram oferecer consolo pela má sorte do homem, mas seu pai, um homem sábio, disse:

- O que faz você ter tanta certeza de que isso não é uma bênção?

Meses depois, sua égua retornou, trazendo consigo um magnífico garanhão. Dessa vez todos se congratularam pela boa sorte do filho. Mas seu pai disse:

- O que faz você pensar que isso não é uma catástrofe?

A vida doméstica ficou mais rica por aquele lindo cavalo que o filho gostava de cavalgar. Mas certo dia ele caiu do cavalo e quebrou o quadril. Novamente, todos ofereceram consolo por sua má sorte, mas dessa vez o pai disse:

- O que faz você ter tanta certeza de que isso não é uma bênção?

Um ano depois, nômades atravessaram a fronteira, e todos os homens fisicamente aptos foram requisitados para empunhar o arco e ir para a batalha. As famílias chinesas que viviam na fronteira perde- ram nove em cada dez homens. Somente porque o filho do homem estava mancando, pai e filho sobreviveram para cuidar um do outro.

O que pareceu ser bênção e sucesso foi uma coisa terrível. O que pareceu ser um acontecimento terrível muitas vezes acabou se tornando uma preciosa bênção.[16]

Eu, também, posso dizer honestamente que quanto mais sei a respeito de Deus, menos sei a seu respeito.

Moisés viu Deus pela primeira vez numa sarça em chamas. Deus apareceu em luz (v. Êxodo 3:2). Então Deus levou Moisés para o deserto, onde ele se revelou numa coluna de nuvem durante o dia e de fogo durante a noite. Isso foi um misto de luz e trevas (v. Êxodo 13:21). Finalmente, Deus levou Moisés para as "densas trevas" do monte Sinai, onde lhe falou face a face (v. Êxodo 20:21). Como observou pela primeira vez Gregório de Nissa, foi nessas puras trevas que habitou a Luz Infinita de Deus. E quanto mais Moisés conheceu Deus, esse Deus verdadeiro e vivo se tornou mais espantoso, mais deslumbrante e "desconhecido" para ele.[17]

São Tomás de Aquino, nos anos 1200, escreveu uma obra de vinte volumes sobre Deus. Sua obra começa assim: "Este é o supremo conhecimento a respeito de Deus, saber que não sabemos". Ao fim de sua vida, entretanto, ele teve uma visão de Cristo na igreja. Após essa experiência, ele afirmou: "Não posso mais escrever, porque Deus me deu o conhecimento glorioso de que tudo o que está contido em minha obra é como palha - mal serve para absorver as santas maravilhas que caem numa estrebaria".[18]

Um dos excelentes resultados da Muralha é a ingenuidade pueril, o profundo amor pelo mistério. Podemos descansar mais facilmente e viver com mais liberdade no outro lado da Muralha, sabendo que Deus está no controle e é digno da nossa confiança. Podemos, então, cantar alegremente com Davi: *Fez das trevas seu retiro secreto; a escuridão das águas e as espessas nuvens do céu eram o pavilhão que o cercava* (Salmos 18:11).

Uma profunda aptidão para esperar por Deus

Um desdobramento de um maior quebrantamento e do santo desconhecimento é uma maior capacidade de esperar no Senhor. Passar pela Muralha quebra algo profundo dentro de nós - aquela teimosia vigorosa, tenaz e terrível que deve produzir, fazer algo acontecer, que deve ser feito para Deus (somente se ele não faz).

Se eu tivesse de identificar meus maiores pecados e erros de julgamento nos últimos trinta anos seguindo Cristo, cada um deles apontaria para um fracasso em esperar no Senhor. O que realmente significa o que lemos: *Espera pelo Senhor; anima-te e fortalece teu coração; espera, pois, pelo Senhor* (Salmos 27:14)? Ou *Espero no Senhor, minha alma o espera; em sua palavra eu espero* (Salmos 130:5)?

Desde terminar as frases dos outros a começar novas igreja filhas com muita rapidez, eu tenho lutado para esperar no Senhor. Deus, eu creio, prolongou minha Muralha (e depois acrescentou algumas outras menores) para me purgar dessa profunda e persistente teimosia de [querer] correr adiante dele. Embora eu chute e grite, Deus lentamente me ensina a esperar. Agora eu compreendo por que esse é um tema tão persistente na Escritura.

Abraão aprendeu a esperar nessa Muralha. Aos 75 anos de idade, foi-lhe dito que ele seria pai de nações. Após onze anos de espera, ele decidiu resolver as coisas por conta própria e gerou Ismael com sua serva Hagar (v. Gênesis 16:1-4). Deus o forçou a esperar outros quatorze anos antes de lhe prometer o nascimento de um filho. A humilhação pública e particular que sofreu o transformou no pai da fé por toda a história.

Moisés aprendeu a esperar em sua Muralha. Após assassinar um homem e fracassar em libertar os israelitas, ele passou os quarenta anos seguintes aprendendo a esperar em Deus. No deserto, Deus o transforma no mais humilde homem da terra (v. Números 12:3).

Davi aprendeu a esperar em sua Muralha. Após a impressio- nante vitória sobre Golias, Davi, inocente, foi forçado a fugir do poderoso exército do rei Saul de dez a treze anos, perdendo seus sonhos, família, reputação e segurança material. No deserto, Deus o transformou num homem segundo o seu coração (v. 1Samuel 16 a 2Samuel 1).

Ana aprendeu a esperar na Muralha. Após anos de esterilidade, orações não respondidas e zombaria da segunda esposa do seu marido, Deus finalmente ouviu suas orações. Seus anos de dor e aflição a transformaram na mãe piedosa de Samuel, o qual transformaria uma nação (v. 1Samuel 1-2).

Jesus aprendeu a esperar no anonimato e no silêncio, tanto como o filho de um modesto carpinteiro, quanto no deserto, resistindo à tentação do Diabo para agir antes do tempo de seu Pai. Como resultado dessa espera, Jesus emergiu do deserto no poder do Espírito (v. Lucas 4:14). Podemos confiar em Deus para fazer o mesmo em nós - se aprendermos a esperar nele.

Um grande desapego

A questão crítica na jornada com Deus não é "Eu sou feliz?", e sim "Eu sou livre? Estou crescendo na liberdade que Deus me deu?"[19] Paulo tratou dessa questão central do desapego em 1Coríntios 7:29-31, fazendo o apelo para uma radical e nova compreensão do nosso relacionamento com o mundo:

> *Irmãos, digo-vos, porém, isto: O tempo se abrevia. Assim, os que têm mulher vivam como se não tivessem; os que choram, como se não chorassem; os que se alegram, como se não se alegrassem; os que compram, como se nada possuíssem; os que usam as coisas deste mundo, como se dele nada usassem, porque a forma deste mundo passa.*

Devemos viver como o resto do mundo - casando-nos, experimentando aflição e alegria, comprando coisas e usando-as - mas sempre conscientes de que essas coisas em si mesmas não são nossa vida. Devemos ser marcados pela eternidade, livres do poder dominador das coisas.

O desapego é o maior segredo da paz interior. Ao longo do caminho, na jornada com Cristo, prendemo-nos (literalmente "nos pregamos") a comportamentos, hábitos, coisas e pessoas de uma forma não saudável. Por exemplo, eu amo minha casa, meu carro, meus livros, Geri, nossas quatro filhas, nossa igreja, nosso conforto e minha boa saúde. Tal como você, raramente me dou conta de quão preso estou a algo até que Deus o remove. Então começa a forte luta. Eu digo: "Deus, eu devo ter aquele segundo carro por conveniência". Deus responde: "Não, você não precisa disso. Você precisa de mim!".

Quando cravamos as unhas em algo e não queremos tirá-las, estamos indo além de desfrutá-las. Agora *precisamos* possuí-las.

A Muralha, mais do que qualquer outra coisa, rompe nossas ligações sentimentais com quem pensamos dever ser, ou com quem pensamos falsamente que somos. Camadas do nosso falso ego são removidas. Algo mais verdadeiro, que é Cristo em nós e através de nós, vagarosamente emerge.

Richard Rohr escreveu muito sobre as cinco verdades essenciais para as quais os homens devem despertar se quiserem crescer em sua masculinidade e espiritualidade dadas por Deus:[20] Suas conclusões, eu creio, descrevem as poderosas verdades bíblicas às quais todos nós temos acesso depois de passar pela Muralha e experimentar um desapego maior:

- A vida é difícil.
- Você não é tão importante.
- Sua vida não consiste em você.
- Você não está no controle.
- Você irá morrer:[21]

UMA PALAVRA FINAL

Lembre-se, o propósito de Deus é que tenhamos uma união amorosa com ele no final da jornada. Desprendemo-nos alegremente *de* certos comportamentos e atividades *com o intuito* de um apego mais íntimo e amoroso com Deus. Devemos aproveitar o mundo, porque a criação de Deus é boa. Devemos apreciar a natureza, as pessoas e todos os dons de Deus, junto com sua presença na criação - sem sermos dominados por eles. Tem sido dito acertadamente que os que são mais desapegados na jornada têm melhor capacidade de provar a mais pura alegria na beleza das coisas criadas.

Thomas Merton resumiu bem nosso desafio: "Gostaria de saber se existem vinte homens vivos no mundo agora que veem as coisas como realmente são. Isso significaria que houve vinte homens que foram livres, que não foram dominados nem mesmo influenciados por um apego a qualquer coisa criada ou ao seu próprio ego ou a qualquer dom de Deus". [22]

A jornada com Jesus nos chama a uma vida de devoção inseparável dele. Isso requer que simplifiquemos nossa vida, removendo distrações. Parte disso significará aprender a sofrer nossas perdas e aceitar o dom de nossos limites. Tratamos disso no capítulo seguinte.

Pai celestial, ensina-me a confiar em ti mesmo quando eu não sei para onde estás indo. Ajuda-me a me entregar e a não me voltar para dentro de mim mesmo devido ao medo. As tempestades e os ventos da vida, ó Senhor, sopram forte ao meu redor. Não posso enxergar à minha frente. Às vezes sinto que vou me afogar. Senhor, tu estás centrado, totalmente em descanso e paz. Abre meus olhos para que eu possa ver que estás comigo no barco. Eu

estou seguro. Desperta-me, Jesus, para tua presença comigo, ao meu redor, acima de mim e abaixo de mim. Concede-me graça para seguir-te até o desconhecido, para o próximo passo em minha jornada contigo. Em teu nome. Amém.

7

AMPLIE SUA ALMA ATRAVÉS DO SOFRIMENTO E DA PERDA

Rendendo-se aos seus limites

Não há maior desastre na vida espiritual do que estar imerso na irrealidade. De fato, a verdadeira vida espiritual não é um escape da realidade, mas um total compromisso com ela. A perda marca o lugar onde ocorre o autoconhecimento e uma poderosa transformação - se tivermos a coragem de participar plenamente do processo. A perda e o sofrimento, entretanto, não podem ser separados da questão de nossos limites como seres humanos.

Os limites estão atrás de todas as perdas. Não podemos fazer ou ser tudo o que queremos. Deus colocou enormes limites até nos mais dotados de nós. Por quê? Para nos manter com os pés no chão, para nos manter humildes. De fato, o verdadeiro significado da palavra "humildade" tem sua raiz no latim *húmus*, que significa "da terra".

Nossa cultura normalmente interpreta perdas como invasões estranhas que interrompem nossa vida "normal". Nós entorpecemos nossa dor através de negação, acusação, racionalização, dependência e rejeição. Buscamos atalhos espirituais que contornem nossas feridas. Exigimos que outros levem nossa dor.

Todavia, todos nós enfrentamos muitas mortes dentro de nossa vida. A escolha é se essas mortes serão finais (esmagando nosso espírito e nossa vida) ou nos abrem para novas possibilidades e profundidades de transformação em Cristo.

A HISTÓRIA DE TODOS NÓS

Jonathan Edwards, num famoso sermão sobre o livro de Jó, observou que a história de Jó é a história de todos nós. Jó perdeu tudo num só dia - família, riqueza, saúde (v. Jó 1:13–2:8). A maioria de nós passa pela experiência da perda mais lentamente, ao longo do período de uma vida, até se ver à porta da morte, deixando *tudo* para trás.

Perdemos nossa juventude. Não há cirurgia plástica, cosméticos, boa dieta ou rotina de exercícios que interrompam o processo de envelhecimento.

Perdemos nossos sonhos. Quem não perdeu sonhos, sonhos de carreira, casamento ou de filhos pelos quais esperamos?

Perdemos nossas rotinas e estabilidade em mudanças. Cada vez que saímos do emprego, emigramos para um novo país ou mudamos de casa, experimentamos uma perda. Nossos filhos crescem mais independentes e mais poderosos quando se movem pelas transições da vida. Nossa influência e poder diminuem. Nossos pais envelhecem, e nós nos tornamos seus cuidadores.

Muitos de nós, em um ou mais momentos da vida, passamos pela experiência de perdas catastróficas. Inesperadamente, um membro da família morre. Um amigo ou filho comete suicídio. Nosso cônjuge tem um caso amoroso. Vemo-nos sozinhos novamente após um doloroso divórcio ou rompimento. Somos diagnosticados com câncer. Nossa empresa repentinamente reduz o número de funcionários, e nos vemos desempregados depois de 25 anos de emprego estável. Nosso filho nasce gravemente deficiente.

Um amigo leal nos trai. Esterilidade, aborto, amizades rompidas, perda de memória ou acuidade mental, abuso.

Afligimo-nos por muitas coisas que não podemos fazer, nossos limites. Experimentamos maiores ou menores perdas da família que nos criou. Algumas pessoas, como eu, "perderam uma perna naquela guerra" durante os anos de infância e agora andam mancando.

Finalmente, perdemos nossas ideias erradas de Deus e da igreja. (Graças a Deus!) O que torna isso tão difícil é quanto investimos de nossa vida em certo jeito de seguir Jesus, em certas aplicações de verdades bíblicas, somente para perceber quanto disso foi tolice ou até mesmo errado. Sentimo-nos traídos por uma tradição da igreja, por um líder, ou até mesmo pelo próprio Deus. Percebemos que Deus na verdade é muito maior e mais incompreensível do que pensamos.

Perdemos nossas ilusões sobre essa nova família de Jesus, a igreja. Ela não é a família perfeita com pessoas perfeitas como esperamos. De fato, as pessoas nos decepcionam. Às vezes ficamos desnorteados e chocados pela falta de consciência do pecado (mal) por parte delas. Toda pessoa que vive em comunidade com outros crentes, mais cedo ou mais tarde, experimenta essa desilusão e o sofrimento que a acompanha.

JÓ

Jó foi o Bill Gates do seu tempo. Sua riqueza era descomunal. A Bíblia relata que ele tinha sete mil ovelhas, três mil camelos (animais de prestígio, na época), quinhentas juntas de bois e quinhentas jumentas e uma grande equipe de empregados. No mundo de hoje, veríamos a face de Jó na primeira página da revista *Forbes* todos os anos por ser a pessoa mais rica do mundo. Seus bens incluiriam uma frota de Rolls-Royces e Lexus, aviões particulares, iates esplêndidos, negócios em grande expansão e muitas ações de bens imobiliários. *Era o homem mais rico de todos do oriente* (Jó 1:3).

Jó era também muito piedoso, andando fielmente com Deus, alegrando-se em Deus e obedecendo-lhe de todo o coração. Ele *temia a Deus e se desviava do mal* (Jó 1:1b). Hoje diríamos que ele foi um dos líderes cristãos mais conhecidos e respeitados de nossos dias.

Repentinamente, todas as forças do céu e da terra, do leste, oeste, norte e sul, vieram contra Jó. Inimigos invadiram. Raios coriscaram. Um furacão desferiu sua fúria. Ao fim da tarde, o inimaginável havia acontecido - o homem mais rico fora reduzido à pobreza, e seus dez filhos haviam sido mortos num terrível desastre natural.

Surpreendentemente, Jó não pecou nem culpou Deus. Ele reagiu com beleza; ele adorou.

Então, quando tentava se recuperar, o corpo de Jó foi tomado por *feridas malignas, da sola dos pés até o alto da cabeça* (Jó 2:7b). Sua pele escureceu e se enrugou. Suas feridas se tornaram infeccionadas com vermes. Seus olhos se tornaram vermelhos e inchados. Febres altas com calafrios somavam-se à dor excruciante. Insônia, delírio e asfixia enchiam seus dias. A horrenda doença tornou seu corpo macilento.[1]

Jó mudou-se. Atravessou os muros da cidade e foi para o depósito de lixo, local dos párias. Sentou-se sozinho, isolado e lamentando seu destino terrível, abandonado.

Finalmente, seu casamento se fez em pedaços. Após dez funerais e um marido irremediavelmente doente, a sra. Jó não aguentou mais. Sua recomendação ao marido: *Tu ainda te manténs íntegro? Amaldiçoa a Deus e morre!* (Jó 2:9).

O que torna essa história desconcertante é a imerecida natureza do seu sofrimento.

Jó era inocente. Não havia relação entre seu pecado e a magnitude de dor que ele estava sofrendo. Isso parece terrivelmente injusto.

Onde estavam o amor e a bondade de Deus para que isso sobreviesse ao fiel Jó?

SAINDO DO SOFRIMENTO

Como você teria respondido a uma perda cataclísmica? Quanto você teria se entristecido se fosse Jó?

O grau de tristeza difere de família para família, de cultura para cultura. O que nossa família de origem considera maneira aceitável de expressar emoções relacionadas à perda nos molda. Nossa cultura também desempenha um papel para nós, qualquer que seja ela americana, latina, chinesa, árabe, afro-americana, judaica, do Leste Europeu ou caucasiana. Num extremo, os americanos de ascendência britânica tendem a valorizar o argumento "sem confusão, sem barulho" quanto à experiência da perda. Os funerais, por exemplo, são pragmáticos. Como expressou certa irmã, explicando por que não tinha ido ao enterro de sua irmã gêmea: "O que teria adiantado gastar dinheiro em passagem aérea para chegar lá? Ela já estava morta".

O outro extremo é quando o tempo se interrompe para sempre. Em lugares como Itália e Grécia, as mulheres tradicionalmente se vestem de preto pelo resto da vida após a morte do marido. Nos funerais ítalo-americanos (minha origem), os membros da família podem dar murros no caixão, falando em voz alta o nome da pessoa morta ou até pulando no túmulo enquanto o caixão é baixado à terra.

A rainha Vitória, da Inglaterra, perdeu o marido, Albert, quando tinha 42 anos. Obcecada pelo fato de que nada poderia mudar, ela continuou a fazer de Albert o centro de sua vida. Durante anos ela dormiu com o pijama dele em seus braços. Ela fez do seu quarto um "quarto sagrado" para que ficasse exatamente como tinha sido quando ele estava vivo. Todos os dias, pelo resto de sua longa vida, ela manteve a roupa de cama trocada, suas roupas prontas e água preparada para o barbear dele. Em cada cama na qual a rainha Vitória dormia, ela colocava uma foto de Albert quando ele estava morto.[2]

Em nossa cultura, a dependência se tornou a forma mais comum de lidar com o sofrimento. Assistimos à TV incessantemente.

Mantemo-nos ocupados, correndo de uma atividade para outra. Trabalhamos setenta horas por semana, somos condescendentes com a pornografia, em comer demais, beber, tomar remédio - qualquer coisa que nos ajude a evitar o sofrimento. Há quem exija que alguém ou alguma coisa (o casamento, o parceiro sexual, uma família ideal, filhos, empreendimento, carreira ou igreja) acabe com a solidão.

Infelizmente, o resultado de negar e minimizar nossas feridas durante muitos anos é que nos tornamos cada vez menos humanos, cascas cristãs vazias com faces sorridentes pintadas. Para alguns, um surdo e baixo ruído de depressão desce sobre nós, tornando-nos insensíveis a toda realidade.

Muito da cultura cristã contemporânea tem sido acrescentado a essa rejeição desumana e não bíblica do sofrimento e da perda. Sentimo-nos culpados por não obedecermos aos mandamentos da Escritura: *Alegrai-vos sempre no Senhor* (Filipenses 4:4) e *apresentai-vos a ele com cântico* (Salmos 100:2).

No fundo do coração, muitos de nós nos sentimos envergonhados como Joe, um visitante da New Life, que me disse recentemente:

- Sentir-me triste, deprimido ou ansioso quanto ao futuro se deve à minha incredulidade. Isso não é Deus. Tem de estar relacionado aos meus pecados. Eu imaginei que seria melhor me afastar da igreja e dos cristãos durante um tempo até me restabelecer.

DEIXAR CAIR NOSSO ESCUDO

Hilda, uma jovem estudante judia, trabalhava em tempo parcial na Universidade de Nova Iorque. Quando uma colega cristã morreu de câncer, ela foi ao funeral. Quando o serviço religioso começou, a família anunciou que aquele não seria um momento para lamentação, e sim para celebração. Eles relembraram e agradeceram a Deus pela dádiva da filha que havia morrido. Entoaram cânticos de louvor; citaram a Escritura sobre Deus agindo em todas as coisas para o bem dos que o amam (v. Romanos 8:28). Sem acreditar, Hilda permaneceu sentada durante o serviço religioso, perguntando a si mesma: *Essas pessoas são reais? Será que elas têm alguma emoção?*

Ao voltar ao trabalho no dia seguinte, ela estava irritada, furiosa pelo fato da trágica perda de sua amiga ter sido tratada de forma tão superficial. Finalmente, ela desabafou durante o almoço com outra colega de trabalho e que também fora ao funeral:

- Vocês nunca choram nem lamentam?!

Obviamente não devemos chorar ou lamentar como os que não têm esperança em Cristo. Mas nós choramos e sofremos. O sábio mestre de Eclesiastes nos ensina: *Tudo tem uma ocasião certa, e há um tempo certo para todo propósito debaixo do céu. Tempo de chorar e tempo de rir; tempo de prantear e tempo de dançar* (Eclesiastes 3:1,4). O próprio Jesus chorou, tanto junto à sepultura de Lázaro como por seu povo em Jerusalém (v. João 11:35 e Lucas 19:41).

Jane, uma participante do nosso pequeno grupo no ano passado, estava se tornando cada vez mais consciente do quanto havia perdido em seus anos de infância, adolescência e juventude. Nosso grupo estava na terceira semana de investigação do quanto nossa família e história impactaram nossa vida atual. Jane parecia apavorada. Pela primeira vez em sua vida, ela estava voltando-se na direção de suas perdas, não as evitando.

Certa semana, após a reunião do grupo, perguntei-lhe como estava. Ela respondeu, com a cabeça baixa, num sussurro:

- Pete, fico pensando que se continuar descendo por esta estrada de sofrimento por minhas perdas, eu posso morrer.

Voltarmos na direção do nosso sofrimento é contraintuitivo. Mas, de fato, o centro do cristianismo é que o caminho para a vida é pela morte, a trilha para a ressurreição é pela crucificação. Claro, pregar é mais fácil do que viver.

Gerald Sittser, em seu livro *A Grace Disguised* [Graça disfarçada], pondera sobre a perda de sua mãe, sua esposa e sua filhinha num horrível acidente de carro. Ele escolheu não fugir de sua perda, mas andar pelas trevas, deixando a experiência daquela devastadora tragédia transformar sua vida. Ele aprendeu que a maneira mais rápida de alcançar o sol e a luz do dia não é correr para o oeste perseguindo-o, mas dirigir-se para o leste, nas trevas, até finalmente alcançar o nascer do sol.[3]

Quando somos crianças, criar um muro de defesa para nos proteger da dor pode servir como um dos grandes dons de Deus para nós. Se alguém sofre abuso emocional ou sexual quando criança, por exemplo, negar a agressão sobre sua humanidade exposta serve como saudável mecanismo de sobrevivência. Bloquear o sofrimento capacita a pessoa a suportar tais circunstâncias dolorosas. É saudável não experimentar inteiramente realidades dolorosas quando somos jovens para sobrevivermos emocionalmente.

A transição para a idade adulta, entretanto, requer nosso amadurecimento em relação a esses "mecanismos de defesa" ou de negação em favor do olhar honesto para o que é verdadeiro - para a realidade. Jesus mesmo disse: *e conhecereis a verdade, e a verdade vos libertará* (João 8:32).

Inconscientemente, entretanto, carregamos muitas táticas defensivas até a idade adulta, para nos proteger do sofrimento. Na maturidade, elas bloqueiam o crescimento espiritual e emocional.

A seguir, algumas defesas comuns:[4]

- *Negar* (ou esquecimento seletivo) - Recusamo-nos a reconhecer alguns aspectos dolorosos da realidade externa ou internamente. Por exemplo: "Sinto-me bem. Não me importo nem um pouco se o meu chefe me depreciou... e eu fui demitido. Não estou nem um pouco preocupado".
- *Minimizar* - Admitimos que algo está errado, mas de tal forma que parece menos sério do que realmente é: "Meu

filho está bem com Deus. Ele está bebendo apenas de vez em quando", quando na realidade ele está bebendo muito e raramente dorme em casa.

- *Culpar os outros* - Nós negamos a responsabilidade pelo nosso comportamento e o projetamos sobre os outros: "A razão de o meu irmão estar doente no hospital é porque os médicos falharam com a medicação!".
- *Culpar*-se - Assumimos a falta internamente: "A culpa é minha por minha mãe não tomar conta de mim e beber o tempo todo. É porque não sou digno".
- *Racionalizar* - Damos desculpas, justificativas, apresentamos álibis para possibilitar uma explicação inexata do que está acontecendo: "Você sabia que João tem uma inclinação genética à raiva que está em sua família? É por isso que as reuniões não o estão ajudando".
- *Intelectualizar* - Fornecemos análises, teorias e generalidades para evitar a consciência pessoal e os sentimentos difíceis: "Minha situação não é tão ruim em comparação ao sofrimento dos outros no mundo. Por que devo chorar?".
- *Distrair* - Mudamos de assunto ou fazemos piada para evitar assuntos ameaçadores: "Por que você está tão focado no negativo? Olhe para o ótimo momento que tivemos em família no último Natal".
- *Tornar-se hostil* - Ficamos com raiva ou irritados quando é feita referência a certos assuntos: "Não fale sobre Joe. Ele morreu, e isso não vai trazê-lo de volta".

O SOFRIMENTO BÍBLICO EM JÓ: O CAMINHO DE DEUS PARA NOVOS COMEÇOS

Para nós, Jó é um modelo de sofrimento na família de Jesus, independentemente de nossa família, temperamento, cultura ou sexo. Ele nos apresenta cinco diferentes fases de sofrimento bíblico extremamente fundamental à maneira como seguimos Jesus. É uma forma nova e radical para a maioria de nós.

Prestar atenção

Temos, na igreja, pouca teologia para raiva, tristeza, espera e depressão. "Como você está?", perguntam-nos depois de uma perda ou decepção em nossa vida. "Não poderia estar melhor!", exclamamos confiantemente sem pensar. "Deus está agindo em todas as coisas para o bem. Só não consigo ainda enxergar o quadro completo!"

Jó, por outro lado, clamou em meio à dor, sem nada esperar em troca. Ele amaldiçoou o dia do seu nascimento: *Pereça o dia do meu nascimento e a noite em que se disse: 'Nasceu um menino!' Converta-se aquele dia em trevas* [...]. *Ah, se pudessem pesar a minha mágoa e colocar junto na balança a minha calamidade!* [...] *as flechas do Todo-Poderoso se cravaram em mim, e o meu espírito suga o veneno que nelas há; os terrores de Deus se arregimentam contra mim* (Jó 3:3,4; 6:2-4).

Ele gritou para Deus; fez orações ousadas; disse a Deus exatamente o que estava sentindo. Ao longo de 35 capítulos, lemos como ele lutou com Deus. Ele duvidou, chorou, quis saber onde Deus estava e por que tudo aquilo havia lhe acontecido. Ele não evitou o horror de sua situação desagradável, mas a enfrentou diretamente.

Dois terços dos salmos são lamentos, queixas contra Deus. Deus sente pesar em Gênesis por haver criado a humanidade (v. Gênesis 6:6). Davi escreveu uma poesia após a morte de Saul e de seu melhor amigo, Jônatas, ordenando ao seu exército que cantasse um lamento a Deus (v. 2Samuel 1:17-27). Jeremias escreveu todo um livro no Antigo Testamento intitulado Lamentações. Ezequiel lamentou. Daniel se entristeceu. Jesus chorou sobre Lázaro e clamou sobre Jerusalém (v. João 11:35 e Lucas 13:34).

Como homens e mulheres feitos à imagem de Deus, o que nos aconteceu?

Os salmos têm sido chamados de escola de oração. Um estudioso bíblico escreveu num artigo intitulado "Deus maldito Deus: uma reflexão sobre expressar raiva na oração": "Os salmos têm sido frequentemente chamados de escola de oração. Se isso é verdade, então deve ser dito que os cristãos, pelo menos ultimamente, têm sido muito seletivos em sua abordagem ao programa do curso. Muitos salmos têm sido considerados inaceitáveis para uso na adoração. São salmos que amaldiçoam, ou salmos imprecatórios".[5]

Sentimo-nos desconfortáveis com tal aspereza rara, confusa.

Quando me tornei cristão, fui ensinado que a raiva era pecado. Querendo ser como Jesus, eu obstruí todos os sentimentos de irritação, contrariedade, ressentimento e ódio. Eles eram pecados, certo?

Sim e não.

Quando não processamos perante Deus exatamente os sentimentos que nos fazem humanos, como medo, tristeza ou raiva, esses sentimentos acabam saindo de outra forma.[6] Nossas igrejas estão cheias de cristãos que "deixam escapar", que não trataram suas emoções como assunto de discipulado. Não é possível sentir pesar sem prestar atenção à raiva ou à tristeza. Muitas pessoas que enchem as igrejas são "gentis" e "respeitáveis". Poucas explodem de raiva - pelo menos em público. A maioria, como eu, reprime esses "sentimentos difíceis", confiando que Deus irá honrar nossos nobres esforços. O resultado é que eles "escapam" através de maneiras como comportamento passivo-agressivo (por exemplo, aparecer atrasado), observações sarcásticas, tom maldoso de voz, "tratamento silencioso".

A história a seguir foi tirada do filme *Gente como a gente*[*] (baseado no romance de Judith Guest) e ilustra as consequências destrutivas da recusa em lutar com Deus em nossa tristeza ou raiva. No filme, Calvin e Beth Hutton estão vivendo o sonho americano

[*] *Gente como a gente*, filme dirigido por Robert Redford, 1980, ganhador de quatro Oscar.

num rico bairro de Chicago. Sua linda casa e o casamento parecem perfeitos. Calvin é advogado. Beth é dona de casa. Tudo está em ordem.

A beleza da estabilidade deles começa a desmoronar quando o filho adolescente mais velho, Buck, se afoga tragicamente num acidente de barco. Seu irmão mais novo, Conrad, que estava junto quando ele se afogou, sente-se responsável pela morte do irmão. Logo depois, ele tenta o suicídio e passa quatro meses num hospital psiquiátrico.

O filme se abre meses depois com Conrad começando seu terceiro ano do ensino médio. Ele está deprimido e tentando se "controlar". Nem Conrad nem seus pais são capazes de falar abertamente de sua profunda perda e sofrimento.

Conrad começa a ver um psiquiatra duas vezes por semana e analisa seu interior. Aos poucos ele se permite ser honesto com sua dor, sua vergonha, sua culpa pela morte do irmão. Ele admite sua preocupação com a aparência de bondade e relata a frieza que percebe na mãe (Buck era o filho favorito dela).

Calvin, seu pai, sente uma tensão crescente quando Conrad começa a se expressar e a quebrar regras invisíveis da família. Ele finalmente tenta falar honestamente com a esposa, Beth.

- Não seria mais fácil se falássemos sobre o assunto abertamente? - pergunta ele.

Beth se defende:

- Vamos falar sobre o quê? Pelo amor de Deus! Já tive mudanças demais em minha vida! Vamos manter o que temos. Não quero mudar... Não quero surpresas... Quero ficar com o que consegui. Vamos resolver nossos problemas na privacidade do nosso lar.

É tarde demais, entretanto. Nem mesmo as férias de três semanas "longe de tudo" conseguem conter o desmoronamento da falsa proteção que mascarou a realidade daquela família.

Calvin finalmente começa a falar a verdade para Beth:

- Estávamos indo para o sepultamento do nosso filho e você estava preocupada com o que eu estava calçando!

Beth não conseguiu responder, e nem poderia.

O filme finalmente termina com Calvin sozinho no escuro da manhã bem cedo sentado à mesa de jantar, chorando.

Beth entra e pergunta o que há de errado.

Calmamente, ele responde:

- Você é linda e imprevisível. Mas é cautelosa demais...

Calvin faz uma pausa e respira fundo.

- Estaria tudo bem se tudo estivesse no lugar. Mas você não suporta a desordem. Você precisa que tudo seja fácil e perfeito. Eu não sei... Talvez você não consiga amar ninguém. Só Buck. Quando Buck morreu, foi como se você enterrasse todo o seu amor com ele, e eu não entendo isso... Talvez nem o Buck... Talvez seja só você. Mas seja o que for, eu não sei mais quem você é, nem sei o que estamos fazendo... Por isso eu estava chorando... porque não sei se amo você mais, e não sei o que vou fazer sem isso.

Beth se vira lentamente, sobe as escadas e vai para o quarto do casal. Ela tem um breve colapso nervoso; se recompõe enquanto faz as malas e sai em silêncio num táxi. O casamento termina.

A recusa de Beth de prestar atenção à sua dor e perda enfraquece também sua capacidade de amar. Algo morreu dentro dela.

A angústia de Jó durou vários meses, talvez vários anos. Não sabemos. O que sabemos é que ele prestou atenção tanto em Deus quanto em si mesmo, escolhendo penetrar na confusão de sua "noite escura da alma" em lugar de se medicar. Beneficiamo-nos dos frutos de sua decisão até hoje.

Paciência na desconcertante espera

Detesto esperar por metrô, ônibus, aviões e pessoas. Tal como os nova-iorquinos, eu me policio para não terminar a frase dos meus interlocutores. Além disso, falo muito rápido.

Meu maior desafio em seguir Jesus Cristo por mais de trinta anos tem sido esperar em Deus quando as coisas estão confusas. Prefiro controlar. Compreendo por que Abraão, após esperar onze anos pela promessa de Deus de um filho que haveria de vir, decidiu resolver o assunto por conta própria e ter um filho pelo "método natural". Gerar Ismael é comum tanto em nossas igrejas como em nossa vida pessoal. *Descanse no* SENHOR *e aguarde por ele com paciência* (Salmos 37:7) permanece um dos mandamentos mais radicais de nosso tempo. Ele requer enorme humildade.

Jó esperou durante longo tempo quando as pessoas mais próximas dele desistiram. Elas não tinham um Deus grande o bastante nem teologia o suficiente para passar pela fase dois do sofrimento - ter paciência na desconcertante espera. Jó passou muito tempo batalhando com seus três amigos religiosos - Elifaz, Zofar e Bildade - que estavam convencidos de que Jó estava sofrendo por causa do seu pecado.

É assim que Deus age, argumentaram repetidas vezes. *Você colhe o que planta, Jó, e você deve ter agido errado. Você precisa se arrepender para que Deus o possa abençoar. Você está sofrendo por causa do seu pecado. Transtornos vêm aos pecadores.*

Os três amigos de Jó representam a "religião clássica" ou o "legalismo". É algo assim: "Se você não é curado, só pode ser porque não orou o bastante, não jejuou o bastante, não leu a Bíblia o bastante. Você está sofrendo por ter pecado".

O problema com Jó é que isso não era verdade. Ele era um sofredor inocente. Seus amigos não haviam deixado espaço nem para a "paciência na desconcertante espera", nem para o mistério. Como muitos cristãos hoje, eles superestimaram sua compreensão da verdade, fizeram o papel de Deus e se colocaram no lugar de Deus. Jó tinha duas lutas acontecendo: uma com Deus e outra com seus amigos, que citavam para ele continuamente a Escritura. Eles tentaram corrigir Jó e defender Deus, e, em sua tentativa para explicar o que Deus estava fazendo (que eles não compreendiam), torturaram Jó, que já estava em grande sofrimento.

Você sabe o que é sentir-se pior depois de conversar com amigos que se esforçaram para fazê-lo sentir-se melhor?

A espera desconcertante resiste a todas as categorias terrenas e soluções rápidas. Ela é contrária à nossa cultura ocidental que impregna nossa espiritualidade. É por essa razão que temos tal aversão aos limites que Deus coloca ao nosso redor.

ACEITAR O DOM DOS LIMITES

Tenho me perguntado se a maior perda que devemos lamentar é a de nossos limites, que têm a função imprescindível de nos tornar humildes perante Deus e os outros. Grande como Jó foi, ele não foi Deus. Ele, também, teve de aceitar seus limites.

Pense na seguinte lista de seus limites:

- Seu corpo físico - O seu corpo está morrendo e retornará ao pó um dia. Você deve dormir, comer e beber para poder viver. Todos os cirurgiões plásticos do mundo, no final das contas, não podem interromper o seu processo de envelhecimento. Vamos terminar nossa vida com metas e sonhos inacabados.
- Sua família de origem - Sua família, etnia, país de nascimento, cultura, tudo isso lhe proporcionou dons e limites. Mesmo se somos adotados, todos nós entramos na idade adulta com limites que nos foram dados por nossa família.
- Seu estado civil - Tanto o casamento como o celibato são limites dados por Deus. Se você tem filhos, o número e o tipo de filhos é um limite.
- Sua capacidade intelectual - Nenhum de nós é brilhante em literatura, matemática, engenharia, carpintaria, física e música ao mesmo tempo.

- Seus talentos e dons - Jesus tem todos os dons. Você pode ter dez. Eu posso ter três. Somente Jesus tem todos.
- Seus bens materiais - Mesmo sendo um milionário, você é limitado em seus recursos. Nosso nível de prosperidade nos limita.
- Sua matéria-prima - Deus lhe deu personalidade, temperamento, um "eu único". Eu sou muito emocional e extrovertido. Isso é um dom e um limite. É ótimo para escrever, falar e criar, mas me limita em liderar uma grande equipe e a igreja.
- Seu tempo - Você tem apenas uma vida para viver. Você não pode fazer tudo. Eu gostaria de tentar viver na Ásia, na Europa, na África e numa área rural dos Estados Unidos. Gostaria de tentar algumas profissões diferentes. Meu tempo está passando.
- Seu trabalho e suas realidades de relacionamento - Nosso trabalho continua sendo "espinhos e ervas daninhas" (Gênesis 3:18). Ele é difícil. Nunca concluímos. Há sempre sofrimento nessa incompletude. Os relacionamentos nunca serão perfeitos até o céu. Quem não gostaria de uma igreja perfeita, carinhosa, onde todos tenham tempo, energia e maturidade para amar os demais de maneira perfeita! Devemos também lamentar esse limite ou vamos exigir deles algo que não podem dar.
- Sua compreensão espiritual - *As coisas encobertas pertencem ao Senhor, nosso Deus* (Deuteronômio 29:29). Deus se revelou a nós em seu Filho, pelas Escrituras, pela criação e outros meios, mas muito do que ele é permanece incompreensível.

João Batista é um maravilhoso exemplo para nós do que significa aceitar nossos limites. Multidões que anteriormente seguiram João para ser batizadas mudaram sua lealdade quando Jesus começou seu ministério. Começaram a deixar João para seguir Jesus. Alguns seguidores de João ficaram preocupados com essa dramática virada dos acontecimentos. Eles se queixaram: *todos estão se dirigindo a ele* (João 3:26).

João compreendeu seus limites e respondeu: *Ninguém pode receber coisa alguma, se não lhe for dada do céu* (João 3:27). Ele foi capaz de dizer: *Eu aceito meus limites, minha humanidade, minha popularidade declinante. Ele deve crescer. Eu devo diminuir* (v. João 3:30).

Ao contrário, muitos de nós somos como bebês. Um bebê grita para que sua mãe o alimente e cuide dele. Ele é o centro do universo, e os outros existem para cuidar de suas necessidades. Ele sofre de egocentrismo, arrogância, criancice. Crescer requer aprender que ele não é o centro do universo. O universo não existe para satisfazer cada uma de suas necessidades.

Esta é uma lição dolorosa para todos nós aprendermos. Somos tão cheios de orgulho que agimos como se fôssemos Deus. Geralmente, nossos desejos e desejos são bem maiores do que nossa vida real pode suportar. Como resultado, trabalhamos freneticamente tentando fazer mais do que Deus pretende. Esgotamo-nos pensando que podemos fazer mais do que podemos. Nós nos estressamos e culpamos os outros. Corremos de um lado para outro freneticamente, convencidos de que o mundo - igrejas, amigos, negócios, filhos - irá parar se pararmos. Outros ficam deprimidos porque seus desejos são tão altos e inatingíveis que parece inútil fazer algo, afinal.[7]

Para crescermos, é imperioso sair de nosso trono e nos juntar, ao resto da humanidade. Uma parte de nós detesta limites. Não os aceitamos. É por isso também que sofrer as perdas segundo a Bíblia é parte indispensável da maturidade espiritual. Os limites nos humilham de um modo especial.

De fato, uma das grandes tarefas do cuidado dos pais e da liderança é ajudar outros a aceitar seus limites. Isso se aplica ao lar, ao local de trabalho, à comunidade ou à igreja.

Subir a escada da humildade

Jó emergiu transformado do seu sofrimento. Ele foi um homem quebrantado e mudado.

Após sua grande perda e um longo tempo de espera, Deus falou a Jó de dentro do redemoinho de sua vida. Pela primeira vez, Deus se referiu a ele quatro vezes como *meu servo*, sugerindo um novo nível de intimidade e proximidade com Jó (v. Jó 42). Jó teve a oportunidade de se vingar de seus três amigos religiosos que o torturaram com o orgulho deles, com conselhos insensíveis. Mas preferiu orar e abençoá-los (v. Jó 42:7-9). Pelo processo de espera, Jó fez uma escolha. Foi uma escolha de "subir a escada da humildade", algo que Jesus descreveu como uma qualidade indispensável para amadurecer nele (Mateus 5:3-10; Lucas 14:7-11; 18:9-14).

São Bento, no século 6, idealizou uma escada de doze degraus para crescer na graça da humildade. Sua meta foi o perfeito amor e a transformação de toda a nossa personalidade. Não conheço tantos cristãos hoje procurando subir esta escada. (Tal como qualquer outra coisa, isto, também, pode ser mal usado. Mas creio ser uma ferramenta poderosa, testada ao longo do tempo quando usada com outros elementos de saúde emocional.)

A seguir, minha adaptação da Escada da humildade de São Bento.[8]

DEGRAU 1: Temer a Deus e estar cônscio de sua presença – Nós sempre esquecemos a presença de Deus, agindo como se ele não estivesse presente.

ESCADA DA HUMILDADE DE SÃO BENTO

DEGRAU 8	Transformar-se através do amor de Deus.
DEGRAU 7	Falar menos.
DEGRAU 6	Estar profundamente consciente de ser "o principal dos pecadores".
DEGRAU 5	Ser radicalmente honesto sobre falhas e fraquezas.
DEGRAU 4	Ser paciente em aceitar dificuldades alheias.
DEGRAU 3	Desejar submeter-se à instrução de outros.
DEGRAU 2	Fazer a vontade de Deus (não a sua ou de outras pessoas).
DEGRAU 1	Temer a Deus e estar cônscio de sua presença.

DEGRAU 2: Fazer a vontade de Deus (não a sua ou a de outras pessoas) - Reconhecemos que submeter nossa vontade à vontade de Deus para nossa vida toca o centro da transformação espiritual.

DEGRAU 3: Desejar submeter-se à instrução de outros - Somos livres para abrir mão de nossa arrogância e plenipotência e estamos abertos a aceitar a vontade de Deus como se viesse por meio de outros. Pode ser a submissão a um gerente no trabalho, a orientações de um amigo. E fazemos isso sem resmungar nem assumir um ar desafiador.

DEGRAU 4: Ser paciente em aceitar as dificuldades alheias - Relacionar-se, especialmente em comunidade, é algo cheio de percalços. Isso requer que demos aos outros a oportunidade de compreender suas fraquezas do jeito deles em seu próprio tempo.

DEGRAU 5: Ser radicalmente honesto sobre falhas e fraquezas - Desistimos de fingir ser algo que não somos. Admitimos nossas fraquezas e limitações a um amigo, cônjuge, progenitor ou alguém que se importa com nosso desenvolvimento.

DEGRAU 6: Estar profundamente consciente de ser o principal dos pecadores - Vemo-nos potencialmente mais fracos e mais pecadores do que qualquer um ao nosso redor. Somos o principal dos pecadores. Isso não é ódio a si mesmo ou um convite à violência, mas significa nos tornar bons e gentis.

DEGRAU 7: Falar menos (com moderação) - Isso está próximo ao topo da escada, porque é visto como resultado de uma vida que busca Deus e está cheia de sabedoria. Como declara a Regra de São Bento: "O sábio se conhece por suas poucas palavras".

DEGRAU 8: Transformar-se através do amor de Deus - Aqui, não há soberba, não há sarcasmo, não há desprezo, não existem ares de importância. Somos capazes de aceitar nossos limites e os dos outros. Estamos plenamente conscientes de quão frágeis somos e não estamos sob ilusões. Estamos à vontade com nós mesmos e contentes em confiar na misericórdia de Deus. Tudo é um dom.

PERMITA QUE O ANTIGO DÊ ORIGEM AO NOVO

O bom sofrimento não consiste apenas em desistir, mas também permitir que ele nos abençoe. Jó fez exatamente isso. A antiga vida de Jó foi realmente encerrada. Aquela porta permaneceu fechada. Esse é o bom sofrimento sobre nossas perdas. Há uma finalidade. Não podemos voltar. Todavia, quando seguimos a trilha de Jó e...

1. Prestamos atenção
2. Esperamos na espera desconcertante
3. Aceitamos o dom dos limites
4. Subimos a escada da humildade
5. Permitimos que o antigo gere o novo... *em seu tempo*

... seremos abençoados. Essa é a lição de Jó. Quando ele seguiu a difícil trilha de permitir que suas perdas ampliassem sua alma para Deus, Deus o abençoou com superabundância. Não somente ele foi espiritualmente transformado, mas Deus *lhe deu o dobro do que possuía antes* [...] *o* SENHOR *abençoou o último estado de Jó mais do que o primeiro*. Sua riqueza foi duplicada. Deus lhe deu dez filhos mais uma vez, e ele viveu até uma idade avançada (v. Jó 42:10-17).

Esse relato tem o objetivo de nos encorajar a confiar no Deus vivo nos momentos cruciais que experimentamos em nossa vida. A mensagem central de Cristo é que o sofrimento e a morte produzem ressurreição e transformação. Jesus mesmo disse: *Em verdade, em verdade vos digo: Se o grão de trigo não cair na terra e não morrer, ficará só; mas, se morrer, dará muito fruto* (João 12:24).

Mas lembre-se: a ressurreição só surge da morte - a morte real. Nossas perdas são reais.

E assim é o nosso Deus, o Deus vivo.

UM NOVO RELACIONAMENTO COM DEUS

Quando aceitamos nossas perdas, geramos muitos frutos preciosos em nossa vida. O melhor, entretanto, diz respeito ao nosso relacionamento com Deus. Nossa vida de oração, que antes se caracterizava por "Me dá, me dá, me dá", torna-se íntima e amorosa, em uma afetuosa união com Deus.[9] Quando sofremos à maneira de Deus, somos mudados para sempre.

No capítulo seguinte, vamos examinar mais atentamente duas disciplinas na história do povo de Deus - a meditação diária e o sábado -, compreendendo por que são tão essenciais para uma vida de oração mais madura e para a espiritualidade emocionalmente saudável.

Senhor Jesus, quando penso em minhas perdas, posso sentir que não tenho pele para me proteger. Sinto-me esfolado, escovado até aos ossos. Não sei por que permitiste tal sofrimento. Olhar para Jó ajuda, mas devo admitir que eu luto para ver algo "novo sendo gerado pelo antigo". Senhor, concede-me coragem para sentir, para prestar atenção e então esperar em ti. Tu sabes que tudo em mim resiste a limites, à humildade e à cruz. Por isso eu te convido, Pai, Filho e Espírito Santo, a fazer morada em mim como descreves em João 14:23, para livremente passear e preencher cada fenda de minha vida. E que a oração de Jó, decididamente, seja a minha: "Com os ouvidos eu tinha ouvido falar a teu respeito; mas agora os meus olhos te veem". Em nome de Jesus. Amém.

8

DESCUBRA OS RITMOS DO OFÍCIO DIVINO E DO DESCANSO SEMANAL

Parando para respirar o ar da eternidade

Vivemos numa nevasca. E poucos de nós têm uma corda.

Em seu livro *A Hidden Wholeness* [Integridade oculta], Parker Palmer relata uma história sobre fazendeiros do Meio-Oeste que se preparavam para nevascas amarrando uma corda da porta dos fundos da casa até o celeiro, utilizando-a como um guia para garantir o retorno seguro a casa. Essas nevascas vinham rápida e violentamente e eram altamente perigosas. Quando sopravam à plena força, o fazendeiro não conseguia enxergar a própria mão. Muitos morriam congelados nessas nevascas, desorientados e cegos. Andavam em círculos, perdidos em seu próprio quintal. Se eles perdiam o contato com a corda, tornava-se impossível encontrar o caminho para casa. Alguns se congelavam a centímetros da própria porta da frente, nunca se dando conta de como estiveram perto de se salvar.

Até hoje, em partes do Canadá e das Grandes Planícies, os meteorologistas aconselham as pessoas, para evitar perder-se na neve ofuscante quando se aventuram a sair, a amarrar a ponta de uma longa corda a sua casa e prender a outra ponta firmemente.[1]

Muitos de nós perdemos o rumo, espiritualmente, no branco total da nevasca que serpenteia ao nosso redor. As nevascas começam quando dizemos sim a coisas demais. Entre exigências do trabalho e família, nossa vida está em algum lugar entre *cheio* e *transbordante*. Processamos muitas tarefas, tantas que não percebemos que estamos fazendo três coisas de uma vez. Admiramos pessoas que conseguem realizar tanto em tão pouco tempo. São nossos exemplos.

Ao mesmo tempo, nossa agenda fica superlotada, e nós continuamos tensos, viciados na pressa, desesperados, preocupados, fatigados e famintos por tempo. Concentrando-nos quanto for possível em nosso celular, *tablet*, agenda diária e lista de tarefas, lutamos com a vida para fazer o melhor uso de cada minuto extra que temos.

No entanto, as coisas não mudam muito. Nossa superprodutividade torna-se contraprodutiva. Terminamos nosso dia exaustos do trabalho e da educação dos filhos. E então nosso "tempo livre" nos fins de semana torna-se cheio de mais exigências numa vida já sobrecarregada.

Ouvimos sermões e lemos livros sobre reduzir a velocidade e criar espaço para descanso em nossa vida:[2] Lemos sobre a necessidade de descansar e recarregar as baterias. Nossos locais de trabalho oferecem seminários sobre aumento da produtividade quando nos recompomos.

Contudo, não podemos parar. E, se não estivermos ocupados, sentimo-nos culpados por perder tempo e não sermos produtivos.

Temos o impulso de fazer tantas coisas como se não houvesse forma alternativa de gastar nossos dias. É como um vício - não de drogas ou álcool, mas de tarefas, trabalho, atividades sem fim. Qualquer senso de ritmo em nossa vida diária, semanal ou anual foi engolido pela nevasca de nossa vida.

Acrescente-se a isso as tempestades e provações da vida que sopram inesperadamente e nos pegam desprevenidos, e queremos saber por que muitos de nós ficamos desorientados e confusos.

Precisamos de uma corda para nos levar à casa.

Deus *está* nos oferecendo uma corda para impedir que nos percamos. Essa corda nos leva sistematicamente de volta para ele, para um lugar centralizado e consolidado. Essa corda pode ser encontrada em duas antigas disciplinas que remontam a dois mil anos: o ofício divino e o descanso. Quando colocados dentro do cristianismo atual, o ofício divino e o descanso são revolucionários, são atos que vão contra a cultura ocidental. São declarações poderosas sobre Deus, sobre nós, sobre nossos relacionamentos, nossas crenças e nossos valores.

Para o ofício divino e para o descanso, parar não significa acrescentar mais uma lista de tarefas à nossa agenda já cheia. Trata-se de redefinir toda a nossa vida em nova direção - Deus. É uma forma inteiramente nova de estar no mundo.

O ofício divino e o descanso são cordas que nos levam de volta para Deus nas nevascas da vida; são âncoras para vivermos nas tempestades de exigências. Quando feitas como um "querer", e não uma obrigação, eles nos oferecem um ritmo para nossa vida que nos ata ao Deus vivo.

São disciplinas revolucionárias para os cristãos hoje.

A IMPERFEIÇÃO DE NOSSAS CORDAS ATUAIS

Hoje, os jovens cristãos ansiosos em desenvolver seu relacionamento com Deus são ensinados a praticar devoções ou momentos de silêncio. Normalmente, consistem em dez a trinta minutos por dia para leitura da Bíblia, oração ou trechos de algum livro devocional. Junto com a igreja aos domingos e talvez envolvimento num pequeno grupo, esperamos que isso os capacite a resistir à nevasca ao redor.

Não capacitará.

Poucas horas depois de estar com Deus pela manhã, eu facilmente me esquecia de que Deus estava ativo em meus assuntos diários. Por volta da hora do almoço, eu estava irritado e era brusco com as pessoas. Pelo fim da tarde, a presença de Deus havia desaparecido da minha consciência. No fim do jantar, sentia-o distante. Após observar meu comportamento durante algumas horas, minha esposa e minhas filhas sempre pensavam: "O que aconteceu com o cristianismo do papai?" E, às 9 horas da noite, eu estava me fazendo a mesma pergunta!

Eu queria prestar atenção a Deus durante o dia todo. Desejava ser transportado à sua presença do modo descrito por Irmão Lourenço em *Praticando a presença de Deus**. A integração da saúde emocional na qual Geri e eu havíamos trabalhado durante anos havia dramaticamente mudado a vida de pessoas. Mas algo continuava a nos iludir. Sabíamos da importância de uma desaceleração do ritmo da vida e do equilíbrio entre atividade e contemplação. Sim, aceitar nossos limites era útil, mas ainda estava faltando algo.

Contamos com muitas disciplinas espirituais excelentes - a oração de exame, retiros, direção espiritual, serviço, comunhão em pequenos grupos, adoração, ofertas, estudo bíblico, leitura devocional, oração contemplativa, jejum, memorização da Escritura,

* LAWRENCE, Irmão e LAUBACH, Frank. *Praticando a presença de Deus*. Rio de Janeiro: Editora Danprewan, 2004.

lectio divina, confissão, intercessão, para citar algumas.[3] Todas elas são ferramentas e dons maravilhosos para nós na caminhada com Jesus. Muitas são filamentos essenciais numa corda forte para nos manter centrados e nos levar para casa em meio a nevascas.

O ofício divino e o descanso, entretanto, oferecem-nos um ritmo tão poderoso que nos protegem de qualquer nevasca catastrófica que possa estar soprando em nossa vida, de modo que podemos sentir a corda (ou seja, o próprio Deus) e voltar para casa.

PARAR PARA SE ENTREGAR

No centro do ofício divino e do descanso está o parar para se entregar a Deus em confiança. O fracasso em fazer isso foi a essência do pecado no jardim do Éden. Adão e Eva trabalharam e desfrutaram de suas realizações no jardim. Eles tiveram de aceitar seus limites, entretanto, e não comer da árvore do conhecimento do bem e do mal. Eles não deviam buscar saber o que pertence ao Deus onipotente. Deus estava lhes ensinando que, "após o amadurecimento de suas realizações, eles [foram] convidados a não ser ativos, a não realizar, mas a se entregarem em confiança [...]. Ação, depois passividade; empenho, depois relaxar, fazer tudo o que se pode fazer e depois ser carregado [...] somente nesse ritmo é que o espírito se realiza".[4]

Como argumentou o teólogo Robert Barron, no centro do pecado original está a recusa em aceitar o ritmo de Deus para nós.[5] A essência de ser a imagem de Deus é a nossa capacidade, como Deus, de parar. Imitamos Deus ao parar nosso trabalho e descansar. Se podemos parar por um dia na semana, ou durante minissábados cada dia (o ofício divino), tocamos algo profundo dentro de nós como portadores da imagem de Deus. Nosso cérebro humano, nosso corpo, nosso espírito e nossas emoções são programados por Deus para o ritmo de trabalho e descanso nele.[6]

O ofício divino e o descanso servem como cordas para que possamos viver de uma forma rítmica e alegre em meio às nevascas.

A DESCOBERTA DE UM ANTIGO TESOURO: O OFÍCIO DIVINO

O termo "ofício divino" (também chamado de "hora fixa de oração", ou "liturgia das horas") difere do que rotulamos hoje de *momento de silêncio* ou *devoções*. Quando ouço cuidadosamente a maioria das pessoas descrever sua vida devocional, a ênfase tende a ser sobre "encher-se para o dia" ou "interceder pelos necessitados ao meu redor". A raiz do ofício divino não é tanto uma volta para Deus para obter algo, mas para estar *com* Alguém.

A palavra "Ofício" vem da palavra latina *opus*, ou "obra". Para a igreja primitiva, o ofício divino foi sempre a "obra de Deus". Nada devia interferir naquela prioridade. Era "um ato de oferenda [...] pela criatura ao Criador [...] orações de louvor oferecidas como sacrifício de ação de graças e de fé a Deus e um incenso de cheiro suave [...] perante o trono de Deus".[7]

Observei e experimentei pela primeira vez o ofício divino durante uma visita de uma semana a monges trapistas em Massachusetts. A estrutura básica da vida trapista se constitui de quatro elementos - oração, trabalho, estudo e descanso. No entanto, foi a organização intencional da vida deles em torno das orações do ofício divino que me comoveu. Esse era o meio pelo qual eles permaneciam conscientes da presença de Deus enquanto trabalhavam e eram capacitados a manter um equilíbrio saudável em sua vida.

Durante meu tempo com os monges, tivemos sete momentos por dia, lembrando Deus pela leitura e cântico das Escrituras, especialmente os salmos e oração. Nosso programa diário se assemelhava a isto:

Vigílias: 3h45 (meio da noite)

Laudes: 6 horas (antes do amanhecer)

Primeira: 6h25 ("Primeira" hora - no caso deles foi missa)

Sexta: 12h15 ("Sexta" hora)

Nona: 14 horas ("Nona" hora)

Vésperas 17h40 (hora do anoitecer)

Completas: 19h40 (antes de se deitar)

Nós cantamos muitos salmos (eles cantam ao todo 150 cada semana), lemos bons trechos da Bíblia e passamos tanto tempo em silêncio que pelo terceiro dia da minha primeira semana eu me senti como se tivesse sido transportado para outro mundo. Não posso imaginar o que isso faria à vida espiritual de uma pessoa se ela se envolvesse nesse tipo de disciplina espiritual 365 dias por ano, ano após ano, década após década.

Não fiz companhia aos monges em suas seis horas de trabalho manual, mas passei esse tempo tirando um cochilo! Eu estava fisicamente exausto (meu corpo não estava acostumado a se levantar às 3h15). Contudo, eu tinha certeza de uma coisa: esse ritmo de pausas para o ofício divino me possibilitou prestar atenção a Deus e ser levado à sua presença durante o dia, algo diferente de tudo que eu havia experimentado em quase trinta anos como seguidor de Cristo.

O que mais me surpreendeu em conversas com eles foi quanto tínhamos em comum em nosso amor por Cristo e nosso desejo de ser transformados por esse amor e para esse amor. Eles também lutavam com o equilíbrio de "Maria" e "Marta", atividade e contemplação.

Essa experiência com os trapistas foi o primeiro passo de uma jornada de visitas, nos dois anos seguintes, a uma variedade de comunidades monásticas católicas romanas, protestantes e ortodoxas para aprender mais. Geri e eu fomos a Taizé, na França, à comunidade Nortúmbria, na Inglaterra, aos monges de New Skete, no norte do estado de Nova Iorque. Participamos de vários estilos do ofício divino. E eu li páginas e páginas de história da igreja para compreender como adaptar o procedimento à vida de professores, oficiais de polícia, advogados, assistentes sociais, empreiteiros, estudantes, consultores financeiros e donas de casa que procuram seguir Jesus num lugar como a cidade de Nova Iorque.

Mais importante, busquei compreender como aplicar o procedimento à minha vida - pai de família com quatro filhas e um trabalho em tempo integral como pastor de uma igreja muito ativa, tudo isso exigindo bastante do meu tempo. Como eu poderia seguir aquele ritmo em meio a jogos de futebol, reuniões de professores, decisões de ensino, criação de filhos, relacionamentos com vizinhos e vazamento de torneiras?

Davi praticava sete momentos de oração sete vezes por dia (v. Salmos 119:164). Daniel orava três vezes por dia (v. Daniel 6:10). Judeus devotos do tempo de Jesus oravam de duas a três vezes por dia. Jesus mesmo provavelmente seguiu o costume judaico de orar certo número de vezes por dia. Após a ressurreição de Jesus, seus discípulos continuaram a orar em certas horas do dia (v. Atos 3:1 e 10:9ss).

Por volta de 525 d.C., um bom homem chamado Bento estruturou esses momentos de oração em torno de oito Ofícios Diários, incluindo um no meio da noite para os monges. A Regra de São Bento tornou-se um dos mais poderosos documentos na formação da civilização ocidental. Em certo ponto de sua Regra, Bento escreveu: "Ao ouvir o sinal para uma hora do ofício divino, o monge deixará de lado imediatamente o que tem em mãos e irá com extrema velocidade [...]. De fato, nada deve ter preferência à Obra de Deus [isto é, o ofício divino]".[8]

Todas essas pessoas tinham consciência de que parar para o ofício divino objetivando estar com Deus é a chave para criar uma contínua e fácil familiaridade com a presença de Deus o resto do dia. É o ritmo de parar que torna a "prática da presença de Deus", para usar a expressão do Irmão Lourenço, uma possibilidade real.

Sei que comigo funciona. Separar pequenas unidades de tempo para oração pela manhã, ao meio-dia e à noite infunde às atividades do restante do meu dia um profundo sentido do sagrado, de Deus. Todo o tempo pertence a ele. O ofício divino, praticado sistematicamente, elimina de fato qualquer divisão entre o sagrado e o secular em nossa vida.

OS ELEMENTOS CENTRAIS DO OFÍCIO DIVINO

Deus fez cada um de nós de maneira diferente. O que funciona para uma pessoa não irá funcionar para outra. Geri e eu tratamos nossos ofícios divinos diferentemente. Eu prefiro mais estrutura, gosto de orações escritas, oro os salmos com frequência e amo o ritmo de quatro Ofícios por dia.

Geri usa uma variedade de ferramentas, livros, métodos de abordagem do seu ofício divino cada dia. Ela ignora um Ofício sem qualquer culpa. Seu objetivo é de três Ofícios por dia e prefere muita flexibilidade nas atividades em seu tempo com Deus. Por exemplo, não é incomum para Geri sair e respirar na presença de Deus na criação.

Você escolhe a duração do tempo de seus Ofícios. A chave, lembre-se, é a lembrança regular de Deus, não a duração. Sua interrupção para estar com Deus pode se estender de 2 minutos a 20 ou 45 minutos. Isso é com você.

Você também escolhe o conteúdo de seus Ofícios. Uma quantidade de possíveis recursos está disponível se você quiser utilizá-los - *The Divine Hours* [As horas divinas], de Phyllis Tickle; *Celtic Daily Prayer* [Orações diárias celtas], da Northumbria Community, e *A Guide to Prayer for All Who Seek God* [Um guia de oração para todos que buscam Deus], de Norman Shawchuck e Rueben P. Job, são três excelentes exemplos.[9] Muitos de nós também utilizamos o exame diário de Santo Inácio para as Completas (v. apêndice A). *Completas* refere-se ao tempo do ofício/oração final no término do dia antes de ir dormir.

No entanto, creio que são imprescindíveis quatro itens em qualquer Ofício, independentemente da abordagem que você escolher no final das contas. Você pode realizar o Ofício sozinho ou acompanhado.

Parar

Esta é a essência de um ofício divino. Mais importante do que o número de ofícios por dia é o nosso tempo com Deus não ser apressado para que o que lemos ou oramos possa penetrar profundamente em nosso espírito. Paramos nossa atividade e fazemos uma pausa para estar com o Deus vivo. Importante para o desafio de parar ao meio-dia, por exemplo, é confiar que Deus está no trono. Ele reina. Eu não. Em cada Ofício eu abro mão do controle e confio em Deus para governar seu mundo sem mim.

Concentrar

A Escritura nos ordena: *Descansa no Senhor e espera nele* (Salmos 37:7) e *Aquietai-vos e sabei que eu sou Deus* (Salmos 46:10). Movemo-nos para a presença de Deus e lá descansamos. Só que não é fácil. Por essa razão, eu sempre gasto cinco minutos me concentrando para me libertar de minhas tensões, distrações e sensações e começar a descansar no amor de Deus. Sigo as orientações de James Finley para esses momentos:[10]

- Fique atento e aberto.
- Sente-se em silêncio.
- Sente-se corretamente.
- Respire devagar, profunda e naturalmente.
- Feche os olhos ou mantenha-os abaixados em direção ao chão.

Quando achar que sua mente está se desviando, deixe que sua respiração o traga de volta. Ao inspirar, peça a Deus que encha você do Espírito Santo. Ao expirar, exale tudo o que é pecaminoso, falso e que não seja de Deus.

Uma segunda ferramenta que eu uso quando minha mente divaga é fazer a oração de Jesus: "Senhor Jesus Cristo, Filho de Deus, tem misericórdia de mim, pecador". Se nada mais acontecer durante o ofício divino, isso é um chamado à plena atenção, um convite para prestar atenção ao que se resume toda a nossa vida curta e terrena.

Silêncio

Dallas Willard chamou o *silêncio* e a *solidão* de as mais radicais disciplinas da vida cristã. A solidão é a prática de estar ausente das pessoas e coisas para estar presente com Deus. O silêncio é a prática de acalmar toda voz interior e exterior para estar com Deus. Henri Nouwen disse que "sem solidão é quase impossível uma vida espiritual".[11]

Estas são provavelmente as disciplinas mais desafiadoras e menos praticadas entre os cristãos hoje. Vivemos num mundo de barulho e distrações. A maioria de nós teme o silêncio. Estudos dizem que o grupo médio pode tolerar apenas quinze segundos de silêncio. A maioria de nossos serviços religiosos confirma isso.

Quando Deus apareceu a Elias após sua depressão suicida e sua fuga de Jezabel, disse-lhe que esperasse pela presença do Senhor passar. Deus não apareceu do jeito que havia aparecido no passado. Deus não estava no vento (como estivera com Jó), no terremoto (como no monte Sinai na entrega dos Dez Mandamentos), no fogo (como na sarça ardente com Moisés). Deus finalmente se revelou a Elias numa *voz mansa e suave* (v. 1Reis 19:12). A tradução de Deus vindo numa voz mansa e suave não capta o original hebraico, mas o que poderiam os tradutores fazer? Como se ouvir o silêncio?

O silêncio após o caos, para Elias e para nós, está cheio da presença de Deus. Deus de fato falou a Elias a partir do silêncio, e também nos fala. Embora não seja o objetivo do Ofício, é um resultado natural.

As Escrituras

O livro de Salmos é a base de quase todo livro de ofício divino disponível hoje. Eles têm servido como livro de oração da igreja através dos séculos. Jesus citou Salmos mais do que qualquer outro livro, com exceção de Isaías. As orações do Saltério cobrem toda a gama de nossa experiência de vida - da raiva à fúria, da confiança ao louvor. Um bom guia do ofício divino também o conduzirá a leituras do Antigo e do Novo Testamentos que refletem o calendário litúrgico e uma dieta balanceada de alimento espiritual. Eu sempre concluo cada ofício divino fazendo lenta e meditativamente a Oração do Senhor.

Existem muitas outras valiosas práticas espirituais que você pode integrar em seu ofício divino - *lectio divina* (meditação nas Escrituras), oração de concentração, cantar com um CD de adoração, ler a Bíblia num ano, leituras de clássicos devocionais, para citar alguns.[12]

Uma boa regra a ser seguida quando se trata de ferramentas e técnicas é esta: Se ajuda, faça-o. Se não ajuda, não faça - incluindo o ofício divino! Se ler os salmos o ajuda, então ótimo. Faça-o. Se ler os salmos tornou-se rotina e morte para você, então não faça. Talvez seja o momento de você meditar em uma frase, tal como *Tu estás ao meu redor e sobre mim colocas a tua mão* (Salmos 139:5) e sentar-se em silêncio. Fique atento em seu coração ao que Deus está fazendo dentro de você. Aprenda com os outros. Lembre-se: nós passamos por momentos. E mais importante, permita que Deus seja o seu guia.

O propósito do ofício divino é lembrar-nos de Deus e nos comunicar intimamente com ele em todos os nossos dias. Tenha isso claramente em mente ao desenvolver estruturas e hábitos que combinam com você. Somos constantemente tentados a pensar que Deus nos amará mais se orarmos mais, se praticarmos o ofício divino com frequência e se observarmos o descanso semanal. Lembre-se da graça, que nos lembra não existir nada que possamos fazer ou nada que faria Deus nos amar mais do que ele ama agora.

Temos experimentado como integrar o ofício divino no cotidiano de nossa ativa igreja local na cidade de Nova Iorque. No Apêndice B consta uma ferramenta simples que temos usado para ajudar indivíduos e pequenos grupos a começar fazer pausa para o ofício divino durante o dia.[13]

UM SEGUNDO TESOURO ANTIGO: A OBSERVÂNCIA DO DESCANSO SEMANAL

A palavra *Sabbath* vem da palavra hebraica que significa "cessar, parar de trabalhar". Refere-se a não fazer nada relacionado a trabalho durante um período de 24 horas por semana. Refere-se a essa unidade de tempo em torno da qual devemos orientar toda nossa vida como "santa", que significa "separada, um corte" dos outros seis dias (v. Gênesis 2:2,3).[14] O sábado nos fornece um ritmo adicional para uma orientação completa de nossa vida em torno do Deus vivo. Nos sábados, nós imitamos Deus ao parar nosso trabalho e descansar.

Não se engane: observar o mandamento do sábado é radical e extremamente difícil em nossa vida diária. Ele vai ao centro de nossa espiritualidade, ao centro de nossa convicção, de nossa fé, de nosso estilo de vida.

Nossa cultura desconhece a prática de separar um dia todo (24 horas) para descanso e deleite em Deus. Tal como a maioria, eu sempre considerei algo acessório, opcional, não essencial ao discipulado. Mas, como já discutimos, viver num mundo caído se parece mais como estar numa nevasca. Sem o sábado, facilmente nos vemos perdidos e inseguros do quadro mais amplo de Deus em nossa vida. Estou convencido de que nada menos que a compreensão do sábado como uma *ordem* de Deus, bem como um incrível convite, nos capacitará a agarrar essa corda que Deus nos oferece.

A ORDEM DE DEUS QUANTO AO RITMO EM NOSSA VIDA

Na Escritura, guardar o sábado é um mandamento - ao lado de não mentir, não matar e não cometer adultério. O sábado é um dom de Deus que somos convidados a receber.

O povo de Israel viveu como escravo no Egito por mais de quatrocentos anos. Eles nunca tiveram um dia de descanso; foram tratados como instrumentos de produção para fazer pirâmides; eram máquinas de "fazer". Eles trabalhavam sete dias por semana o ano todo. Imagine quanto ficou impregnado neles o ativismo e o excesso de trabalho! Eles nunca haviam observado ou experimentado um ritmo de trabalho e descanso; nem tinham permissão ou escolha para fazê-lo. Viver significava realizar tarefas, um dia se misturando com o outro.

Quando Deus tirou os israelitas do Egito, afirmou que eles eram seres humanos santos, feitos à sua imagem. Então Deus lhes mostrou como viver de acordo com a natureza por ele concedida. De fato, Deus disse: "Pode parecer estranho no começo, mas assim como o peixe é criado para viver na água, eu criei vocês para viverem de acordo com este plano".

O mais extenso e mais específico dos Dez Mandamentos é o quarto. Vamos dar uma olhada em todos eles para comparar:

- *Não terás outros deuses além de mim.*
- *Não farás para ti imagem esculpida.*
- *Não tomarás o nome do SENHOR teu Deus em vão.*
- *Lembra-te do dia de sábado, para o santificar. Seis dias trabalharás e farás o teu trabalho; mas o sétimo dia é o sábado do SENHOR teu Deus. Nesse dia não farás trabalho algum, nem tu, nem teu filho, nem tua filha, nem teu servo, nem tua serva,*

nem teu animal, nem o estrangeiro que vive contigo. Porque o SENHOR *fez em seis dias o céu e a terra, o mar e tudo o que neles há, e no sétimo dia descansou. Por isso o* SENHOR *abençoou o dia de sábado e o santificou.*

- *Honra teu pai e tua mãe.*
- *Não matarás.*
- *Não adulterarás.*
- *Não furtarás.*
- *Não dirás falso testemunho contra o teu próximo.*
- *Não cobiçarás.* (v. Êxodo 20:1-17)

Deus trabalhou. Nós devemos trabalhar. Deus descansou. Nós devemos descansar. Após completar sua obra de criação dos céus e terra, Deus descansou no sétimo dia. Foi o clímax da semana de Deus em Gênesis 1:1–2:4, e deve ser o clímax da nossa.

Antes de os israelitas entrarem na terra prometida, Moisés proclamou que o próprio ato de cessar de trabalhar no meio das na- ções circunvizinhas era um sinal da libertação deles por Deus (v. Deuteronômio 5:13ss). Exatamente pelo ato de nos recusarmos a sucumbir à enorme pressão ocidental ao nosso redor, nós também servimos como sinal de um povo livre. Fomos tirados de um mundo que tenta provar seu valor e importância pelo que faz ou possui. Nós somos profundamente amados por Deus pelo que somos, não pelo que fazemos.

O sábado nos convoca a desenvolver o não fazer nada em nossa programação cada semana. Nada mensurável é realizado. Pelos padrões do mundo, isso é ineficiente, improdutivo e inútil. Como afirmou certo teólogo: "Deixar de ver o valor de simplesmente estar com Deus e 'não fazer nada' é perder o foco do cristianismo".[15]

O sábado sempre foi uma característica dos judeus ao longo de sua história. Este ato único, talvez mais do que qualquer outro, os guardou da pressão das poderosas culturas que procuraram assimilá-los. Por isso frequentemente se diz que, durante 35 séculos, o sábado tem guardado os judeus mais do que os judeus têm guardado o sábado.

Isso certamente não é o caso dos cristãos do século 21.

O sábado, quando vivido, é o nosso meio como povo de Deus de dar testemunho da forma como compreendemos a vida, seus ritmos, seus dons, seu significado e supremo propósito em Deus. Ao observar o sábado, nós afirmamos: "Deus é o centro e a fonte de nossa vida. Ele é o início, o meio e o fim de nossa existência". Nós confiamos em Deus para prover e cuidar de nós.

Eugene Peterson salienta que, embora o sábado tenha sido uma das práticas mais ofendidas e distorcidas da vida cristã, não podemos agir sem ele. "O sábado não se ocupa essencialmente conosco ou como ele nos beneficia; ele diz respeito a Deus e como ele nos forma [...]. Não vejo qualquer saída; se devemos viver de forma adequada na criação, devemos guardar o sábado".[16]

OS QUATRO PRINCÍPIOS DO SÁBADO BÍBLICO

Um dos grandes perigos de se observar fielmente o sábado é o legalismo. E quanto aos pastores, enfermeiras, médicos, policiais e outros que devem trabalhar aos domingos? Jesus observou o sábado, mas também curou os enfermos e pregou sermões nesse dia. O que talvez seja trabalho para você pode ser diferente para outra pessoa. Algumas pessoas terão de escolher outro dia, e não sábado ou domingo (dependendo da tradição de sua igreja) para ser um dia sem trabalho.

O principal é ajustar um ritmo regular de observância do sábado a cada sete dias para um bloco de tempo de 24 horas. O sábado tradicional judaico começa ao pôr do sol da sexta-feira e termina ao pôr do sol do sábado. Conheço muitos cristãos que começam seu sábado precisamente às 18 horas ou às 19 horas no sábado até a mesma hora do dia seguinte. Outros, como eu mesmo, escolho um dia da semana. O apóstolo Paulo pensava que um dia seria o mesmo que outro (v. Romanos 14:1-17). O que é importante é escolher um período de tempo e reservá-lo!

A seguir, quatro qualidades fundamentais dos sábados bíblicos que me serviram bem para distinguir um "dia separado" de um sábado bíblico. Um sábado secular é para repor nossas energias e nos tornar mais eficientes os outros seis dias. Um "dia separado" produz resultados positivos mas, nas palavras de Eugene Peterson, é "um sábado bastardo".[17] Recomendo a você à medida que desenvolve um sistema bíblico para o sábado, que se ajuste à sua particular situação, temperamento, chamado e personalidade.

PARE

O sábado é acima de tudo um dia de "parar". "Parar" está fundamentado no significado literal da palavra hebraica *sabbath*. No entanto, muitos de nós não podemos parar até termos terminado o que pensamos precisar fazer. Precisamos terminar nossos projetos e monografias, responder aos *e-mails*, dar retorno a todas as mensagens telefônicas, terminar de conferir nossos talões de cheques, pagar contas, terminar a limpeza da casa. Sempre existe mais uma meta a ser alcançada antes de parar.

No sábado, eu aceito meus limites. Deus é Deus. Ele é indispensável. Eu sou a criatura. O mundo continua funcionando bem quando eu paro.

Tenho detestado parar em toda a minha vida. Quando estudava na faculdade e no seminário, eu tinha dever de casa demais para parar durante um período de 24 horas. Quando dei aulas de inglês no colégio, eu tinha muitas provas para corrigir e não podia parar. Quando eu estava aprendendo espanhol na Costa Rica, não podia parar se tivesse de aprender a língua. Se tivesse de ser sensível às necessidades das pessoas em nossa igreja e ainda ter tempo para orar e estudar, eu precisaria trabalhar pelo menos a metade do meu sábado, não é?

Nós pensamos: *Talvez eu pare quando meus filhos se tornarem adultos e agirem por conta própria, quando eu tiver economizado o suficiente para comprar a primeira casa, quando estiver aposentado e...* a lista continua.

Nós paramos aos sábados porque Deus está no trono, garantindo-nos que o mundo não vai se desintegrar se cessarmos nossas atividades. A vida neste lado do céu é uma sinfonia inacabada. Nós atingimos um objetivo e então imediatamente somos confrontados com novas oportunidades e desafios. Mas no final das contas morreremos com incontáveis projetos e metas não atingidos. Está certo. Deus está em ação cuidando do universo. Ele controla tudo muito bem sem a nossa administração. Quando estamos dormindo, ele está trabalhando. Por isso ele nos manda relaxar, desfrutar o fato de não sermos encarregados deste mundo, que, mesmo quando morrermos, o mundo continuará muito bem sem nós. Cada sábado nos manda aquietar-nos e sabermos que ele é Deus (v. Salmos 46:10), cessando as preocupações com o amanhã (v. Mateus 6:25-33).

O cerne da questão espiritual da interrupção é a confiança. Deus cuidará de nós e de nossas preocupações se lhe obedecermos ao parar para observar o sábado?

Conta-se a história de uma caravana de cristãos em viagem de St. Louis para o Oregon. Eles tinham o hábito de parar para o descanso do sábado durante o outono, mas, como se aproximava o inverno, o grupo começou a entrar em pânico, com medo de não poder chegar ao seu destino antes que a neve começasse a cair. Algumas pessoas do grupo propuseram abandonar o costume de parar no sábado e viajar sete dias por semana. Isso causou uma discussão na comunidade, até que finalmente decidiu-se dividir a caravana em dois grupos. Um deles observaria o dia de sábado como antes e não viajaria. O outro seguiria em frente.

Qual grupo chegou primeiro ao Oregon? Claro - os que observaram o sábado. Tanto as pessoas quanto seus cavalos estavam tão descansados com a observância do sábado que puderam viajar com muito mais eficiência os outros seis dias.[18]

Quando eu confio em Deus e obedeço a seus mandamentos, ele supre. Jesus toma nossos pães e peixes que lhe oferecemos, embora insuficientes para alimentar as multidões, e, de alguma forma miraculosa e invisível, os multiplica. Podemos confiar nele o suficiente para fazer a parada.

Descanse

Uma vez parados, o sábado nos chama ao descanso. Deus descansou após seu trabalho. Devemos fazer o mesmo - todo sétimo dia (v. Gênesis 2:1-4). O que devemos fazer para substituir tudo o que estamos interrompendo agora durante o nosso tempo de descanso? A resposta é simples: seja o que for que o alegre e o reabasteça.

Por exemplo, no meu caso o trabalho está relacionado à minha vocação como pastor da Igreja New Life Fellowship, junto com escrever e falar. Por isso o sábado, e não o domingo, é o meu dia de descanso. Eu procuro me envolver com ideias e pessoas que afastam minha mente até mesmo do pensamento de trabalho! Isso inclui uma soneca, malhar, fazer longas caminhadas, ler um romance, assistir a um bom filme, sair para jantar. Eu evito o computador e o telefone celular.

Para mim, aproveitar o descanso semanal no sábado, entretanto, requer que eu tenha outro dia da semana para fazer as tarefas da vida que consomem minha energia ou me enchem de preocupação. Por exemplo, planejar minha semana, pagar contas, conferir minha conta bancária, limpar a casa, lutar com o trânsito e multidões para fazer compras, lidar com lavanderia, tudo isso é trabalho que preciso fazer num dia diferente da semana.

A lista a seguir dá a você nove possibilidades para levar em consideração como descanso. A principal, é claro, é o descanso do trabalho. Mas você pode querer também escolher uma ou duas outras nos próximos meses à medida que desenvolve sua prática da observância do descanso semanal. Pense em descansar de:

- Trabalho
- Exaustão física
- Pressa
- Execução de muitas tarefas ao mesmo tempo
- Competitividade
- Preocupação
- Tomar decisão
- Envolver-se em tarefas
- Falar
- Tecnologia e máquinas (por exemplo, telefones celulares, TV, computadores, *tablets*)

Quando paramos e descansamos, respeitamos nossa humanidade e a imagem de Deus em nós. Não somos seres humanos que funcionam sem parar. Infelizmente, é preciso uma enfermidade física como câncer, ataque cardíaco, gripe ou uma grave depressão para nos fazer parar. Nós não estamos a serviço do sábado (descanso semanal); o sábado está a nosso serviço.

Alegre-se

Um terceiro componente do sábado bíblico gira em torno de nos alegrar no que recebemos. Deus, após terminar sua obra de criação, proclamou que *era muito bom* (Gênesis 1:31). Deus se deleitou em sua criação. A frase hebraica transmite um sentido de alegria, realização, admiração e diversão. Isso é particularmente radical numa cultura como a nossa - secular e cristã - que desfruta de um "deleite deficiente". Por causa da maneira como o prazer e o deleite têm sido distorcidos por nossa cultura, muitos de nós como cristãos lutamos contra receber alegria e prazer.

Nos descansos semanais, somos convocados a desfrutar e nos deleitar na criação e em seus dons. Devemos desacelerar e prestar atenção ao nosso alimento sentindo o cheiro e provando suas riquezas. Devemos aproveitar o tempo para contemplar a beleza de uma árvore, uma folha, uma flor, o céu que foi criado com muito cuidado pelo nosso Deus. Ele nos deu a capacidade de ver, ouvir, provar, cheirar e tocar, para que possamos nos banquetear com nossos sentidos nos milagres da vida. Devemos, como escreveu William Blake, "ver o mundo num grão de areia e um céu numa flor silvestre".[19]

Nunca vou esquecer a primeira vez que desfrutei o prazer da água quente escorrendo em minhas mãos num banheiro do McDonald's num dia de sábado. Sequei minhas mãos lentamente, esfregando-as sob o secador enquanto a água se dissipava. Não saí apressado do banheiro, secando minhas mãos nas calças enquanto ia para o carro. Não deixei de colocar sabão em todas as minhas mãos. Saboreei o momento presente e provei o sabor do descanso simplesmente lavando minhas mãos!

Nos descansos semanais, Deus também nos convida a desacelerar para prestarmos atenção e nos deleitar com as pessoas. Nos Evangelhos, Jesus foi modelo de uma piedosa presença - quer com uma mulher samaritana, quer com a viúva de Naim, quer com o jovem rico, quer com Nicodemos. Ele parecia "adentrar" a beleza dos homens e mulheres feitos à imagem de Deus. Isso tornou-se para mim uma disciplina espiritual. Eu tento, por exemplo, andar devagar, deixando muito espaço e tempo livre aos sábados para conversas inesperadas com vizinhos, a família e lojistas. Peço a Deus graça para deixar de lado os negócios frenéticos em torno de mim e ser uma presença meditativa para os que estão ao meu redor.

Finalmente, o prazer do descanso semanal (sábado) nos convida a uma diversão saudável. A palavra escolhida pelos Pais gregos para a perfeita e mútua habitação da Trindade foi *perichoe-risis*. Significa literalmente "dançar em volta":[20] A criação e a vida são, em certo sentido, o presente de Deus de um *playground* para nós. Seja com esporte, seja com dança ou jogos, seja com antigas fotos de família ou visitas a museus, nutrir nosso sentido de puro deleite em Deus também faz parte do sábado.

Contemple

A qualidade final de um sábado bíblico, claro, é a contemplação de Deus. O sábado é sempre *santo ao Senhor* (Êxodo 31:15). Meditar no amor de Deus permanece o foco central dos nossos sábados. Na história judaica e cristã, o sábado tem incluído a adoração com o povo de Deus, quando festejamos em sua presença; a leitura e o estudo da Escritura; e o silêncio. Por essa razão, o sábado (se a sua tradição se reúne nesse dia), ou o domingo, permanece o tempo ideal para a observância do repouso sempre que possível.

Todo sábado também serve como um gosto da gloriosa eterna festa de música, comida e beleza que nos aguarda no céu, quando o veremos face a face (v. Apocalipse 22:4). Em cada sábado, experimentamos uma prova de algo maior que nos aguarda. Nossa curta vida terrena é colocada em perspectiva quando olhamos adiante para o dia em que o reino de Deus virá em toda a sua plenitude e entraremos no banquete do sábado eterno na perfeita presença de Deus. Teremos o gosto do seu esplendor, de sua grandeza, beleza, excelência e glória além de qualquer coisa que já tenhamos experimentado ou sonhado.

Da mesma forma que parar, descansar e folgar, teremos necessidade de nos preparar para isso. Não é de admirar que o povo judeu tradicionalmente tivesse um Dia da Preparação para o sábado. Havia comida a ser comprada, roupa a ser lavada para os filhos e os preparativos finais a serem feitos.

Qual será o significado de se preparar para a adoração e o acolhimento da Palavra de Deus? Em que hora você precisa ir dormir na noite anterior? Quando você pode contar com momentos de silêncio e solidão ou oração durante o dia? Que itens finais você precisa resolver para ter um sábado organizado?

Os judeus devotos hoje têm vários hábitos relacionados à refeição em família na sexta-feira do descanso semanal. Eles mantêm várias tradições, desde acender velas para a leitura de salmos à bênção dos filhos, comer a refeição e a ação de graças a Deus. Cada uma tem a finalidade de manter Deus no centro do seu sábado:[21]

Existe uma surpreendente variedade de possibilidades de sábados (descanso) diante de você. É extremamente importante você ter em mente sua singular situação de vida quando desenvolve esses quatro princípios da guarda do sábado em sua vida. Experimente. Faça um plano. Siga-o durante um ou dois meses. Então reflita sobre quais mudanças você gostaria de fazer. Não existe uma única maneira certa que funcione para todas as pessoas.

O sábado é como receber o presente de um denso dia de neve cada semana. As lojas se fecham. As estradas ficam intransitáveis. De repente você tem o presente de um dia para fazer o que quiser. Você não tem nenhuma obrigação, pressão ou responsabilidade. Você tem permissão para orar, estar com amigos, tirar uma soneca, ler um bom livro. Poucos de nós nos daríamos um "dia sem obrigações" com muita frequência.

Deus dá um a você - a cada sete dias.

Pense nisso. Ele dá a você mais de sete semanas (52 dias ao todo) de dia de neve por ano! E, se você começar a praticar a parada, o descanso, o deleite e a contemplação durante um período de 24 horas por semana, logo descobrirá outros seis dias tornando-se infundidos daquelas mesmas qualidades. Eu desconfio que esse sempre foi o plano de Deus:[22]

O PRINCÍPIO DOS PERÍODOS DE DESCANSO MAIS PROLONGADOS

Deus sabia que, se Israel tivesse de ser verdadeiro ao seu chamado e propósito, precisaria de mais do que um descanso semanal. Precisaria de intervalos de tempo para descansar, parar, alegrar-se e contemplá-lo. Por essa razão, Deus instituiu na vida nacional econômica e política de Israel *anos* sabáticos inteiros. Deus ordenou a todo o Israel que concedesse à terra um "sábado de descanso" de um ano a cada sete anos (Levítico 25:1-7). Visto saber que isso requeria grande fé, Deus prometeu que o que eles colhessem no sexto ano seria suficiente para alimentá-los durante dois anos inteiros. Eles deveriam confiar em Deus quanto à sua provisão:[23]

Esses períodos sabáticos mais longos também são parte da corda que Deus nos concede para sobrevivermos às nevascas da vida. Considere as seguintes aplicações para nós hoje. Primeiro, cada um de nós tira umas férias por ano, durante uma, duas, três ou mais semanas. Considere ver tudo ou parte desse tempo como um período sabático. Como isso poderia mudar o que você faz e onde você vai? O que seria para você experimentar o descanso do trabalho, com foco em Deus? Uma coisa é certa: nenhum de nós retornaria das férias precisando de outras férias.

Segundo, pense em participar durante alguns dias de um retiro espiritual com um grupo ou ir a uma conferência de treinamento. O prazer é um período sabático. Para um descanso mais longo, um retiro espiritual com Deus, você pode simplesmente passar uma noite fora a cada quatro ou seis meses. Você pode querer separar algum tempo do trabalho para ir a uma viagem missionária com um grupo de sua igreja.

Terceiro, se você está servindo ativamente num ministério em sua igreja - como líder de um grupo pequeno, professor de crianças, músico no grupo de louvor, recepcionista -, pense em tirar um descanso após seis ou sete anos. Mesmo que você adore o que faz, tire esse descanso. Separe o tempo para um período sabático *para* o Senhor, não umas férias *da* igreja. Siga os mesmos princípios bíblicos aplicados aos sábados semanais. Prepare. Elabore um plano. Fale com o seu pastor ou com um amigo. Esquematize um ritmo de vida.

Finalmente, se você é pastor ou líder cristão, quero encorajá-lo a tirar um tempo para descanso sabático a cada sete ou oito anos. Ser líder que cuida na igreja de Deus é uma tarefa que exige muito. O solo precisa ser reposto para ficar inativo durante uma temporada. Eu tenho tirado dois, três a quatro meses sabáticos a cada oito anos. Eles transformam minha vida, meu casamento e a igreja da qual sou pastor. Eu continuo a alimentar outros com o rico fruto daqueles períodos sabáticos.

Às vezes Geri brinca: "Fui casada com quatro homens diferentes nos últimos 21 anos, todos eles chamados Pete Scazzero, e a Igreja New Life Fellowship teve pelo menos quatro pastores, todos eles Pete Scazzero".

SEGURANDO A CORDA DURANTE AS NEVASCAS

Deus nos convida a segurar em sua corda nas nevascas da vida. Ele procura nos conduzir de volta para ele. A observância do sábado e do ofício divino nos convoca a desacelerar e adotar o ritmo de Deus. Porque, quando estamos mais ocupados do que Deus requer, como escreveu Thomas Merton, cometemos violência contra nós mesmos:

> Existe uma forma generalizada de violência [...] ativismo e excesso de trabalho. A pressa e a pressão da vida moderna são uma forma, talvez a mais comum, de sua violência inata.

> Permitir-se ser levado por uma grande quantidade de preocupações conflitantes, render-se a exigências em demasia, comprometer-se com muitos projetos, querer ajudar todos em tudo, é sucumbir à violência [...]. Isso mata a raiz da sabedoria interior que torna o trabalho proveitoso:[24]

E, ao cometer violência para com nós mesmos, somos incapazes de amar os outros no amor e pelo amor de Cristo. Isso nos leva ao assunto do capítulo seguinte: tornando-se um adulto emocional que ama devidamente.

Senhor, ajuda-me a segurar em ti como se fosses minha corda na nevasca hoje. Preciso de ti. A ideia de parar para estar contigo uma, duas ou três vezes por dia parece opressiva, mas sei que preciso de ti. Mostra-me como. Ensina-me a estar piedosamente atento a ti. Esta ideia de sábado, Senhor, exigirá muita mudança na maneira como estou conduzindo minha vida. Dirija-me, Senhor, em como dar o próximo passo com isso. Ajuda-me a confiar em ti com tudo o que restar inacabado, a não tentar dirigir o mundo para ti. Liberta-me para começar a reorientar minha vida em torno de ti, somente de ti. Em nome de Jesus. Amém.

9

TORNE-SE UM ADULTO EMOCIONALMENTE MADURO

Adquirindo novas habilidades para amar

No romance de Dostoiévski *Os irmãos Karamazov,* uma rica senhora pergunta a um monge idoso como ela pode saber se Deus existe. Ele lhe diz que nenhuma explicação ou argumento pode conseguir isso, somente a prática do "amor ativo". Depois ela confessa que sonha com uma vida de serviço e de amor aos outros. Nesses momentos, ela pensa que talvez se torne uma Irmã da Misericórdia, para viver em santa pobreza e servir ao pobre da maneira mais humilde. Mas então passa por sua mente quão ingratas poderiam ser as pessoas que ela viria a servir. Elas provavelmente se queixariam de que a sopa servida era pouca, o pão não estava muito fresco, a cama era muito dura... Ela confessou que não suportaria tal ingratidão - e então seus sonhos de amor e serviço se desvanecem, e mais uma vez ela questiona se Deus existe.

A isso o sábio monge responde:

- O amor na prática é difícil e apavorante quando comparado ao amor em sonhos.[1]

Amar devidamente é a meta da vida cristã. Isso é mais fácil em nossos sonhos do que na prática. Isso requer maturidade emocional em Cristo, com as recompensas que são riquezas imensuráveis.

O PROBLEMA DA IMATURIDADE EMOCIONAL

Muitos conhecem as verdades bíblicas relativamente bem. Recitam alguns dos Dez Mandamentos e enunciam princípios básicos para a vida cristã. Creem sinceramente que deveriam praticá-los. O problema é que não sabem como!

A seguir, uma situação simples, comum:

Jessica é uma competente gerente de sua empresa. Ela é cristã há quinze anos e ama passar tempo com Deus. Quando o vice-presidente de sua empresa estava programando as visitas dos clientes fora da cidade, pediu a Jessica que escolhesse as semanas de sua preferência para viajar durante os três meses seguintes. Ao longo da semana, Jessica passou a ele por *e-mail* as datas e esperou ansiosamente sua confirmação. Não houve retorno. Jessica telefonou para o escritório dele na semana seguinte.

A assistente administrativa dele respondeu:

- Bem, de acordo com a programação que tenho à minha frente, as próximas três semanas estão completas. Suponho que isso significa que ele não precisa de você agora. Mas obrigada por telefonar.

Jessica ficou atônita.

- Obrigada - respondeu ela, mecanicamente, e desligou.

Durante as duas semanas seguintes, Jessica lutou com Deus e consigo mesma. Pediu perdão a Deus pela raiva que estava sentindo. Tentou imaginar por que o vice-presidente havia mudado de ideia. Ela se humilhou perante Deus; clamou em oração por amor aos seus colaboradores; perdeu o sono.

Finalmente, concluiu que Deus estava tratando sua persistente teimosia.

Ao longo do tempo, Jessica se distanciou do vice-presidente e dos outros gerentes, evitando-os sempre que possível. Durante os dois anos seguintes, ela trabalhou duro, mas sentiu-se como se tivesse atingido o teto quanto à possibilidade de ascensão em sua empresa. Finalmente, ela assumiu um cargo em outra empresa.

Jessica é comprometida em seu relacionamento pessoal com Jesus Cristo. Ela coloca em prática as disciplinas espirituais. O problema, entretanto, é que o seu compromisso com Jesus Cristo não inclui o relacionamento com as pessoas de uma forma emocionalmente madura. Em vez disso, ela faz mau uso da verdade bíblica e, muito provavelmente, pratica as habilidades relacionais aprendidas de modo inconsciente em sua criação familiar.

Que suposições ela fizera a respeito de seu vice-presidente? De sua assistente administrativa? Sobre a vontade de Deus para a sua vida? O que ela deveria ter feito para evitar seu sofrimento? Para preservar seu relacionamento no trabalho?

A menos que Jessica receba treinamento nesta área, provavelmente repetirá o mesmo padrão várias vezes.

Nós aprendemos várias habilidades para sermos competentes em nossa carreira e na escola. No entanto, não aprendemos as habilidades necessárias para atingir a maturidade emocional de quem ama devidamente. A Bíblia é clara quanto ao que devemos fazer. Parte do crescimento para um cristão emocionalmente maduro é aprender como aplicar prática e efetivamente as verdades nas quais cremos. Por exemplo:

- Como posso me tornar rápido em ouvir e lento para falar?
- Como posso me irar e não pecar?
- Como posso vigiar meu coração acima de tudo (considerando que esse é o lugar de onde flui a vida)?
- Como posso falar a verdade em amor?
- Como posso ser um verdadeiro pacificador?

- Como posso prantear?
- Como posso não dar falso testemunho contra o meu próximo?
- Como posso me livrar de toda amargura, raiva e inveja?

O resultado final da inabilidade em acompanhar nossas crenças é que nossas igrejas e nossos relacionamentos dentro da igreja não são, no aspecto qualitativo, nem um pouco diferentes do mundo ao nosso redor.

BEBÊS, CRIANÇAS, ADOLESCENTES E ADULTOS EMOCIONAIS

Jesus pregou grandes mensagens às multidões. Mas ele sabia que não era suficiente para as pessoas "captarem-nas" verdadeiramente. Por isso ele escolheu doze discípulos que com ele conviveu dia e noite durante três anos. Ele foi o modelo de como seu ensino funcionou na prática. Ele os fez praticarem, supervisionou-os e lhes concedeu poder.

Jesus sabia que a inspiração não era suficiente:[2]

Eu tenho passado toda a minha vida adulta pregando sermões inspiradores sobre o desejo de Deus para que amemos as pessoas. Tenho pregado mensagens sobre como Jesus percebeu cada ser humano como infinitamente precioso aos olhos de Deus. Tenho repetido a inspiradora citação de Madre Teresa de Calcutá, "Amar uma pessoa de cada vez", e a revelação de Thomas Merton, de que as pessoas "andavam brilhando como o sol".[3] Mas eu descobri que dizer às pessoas para amar mais e melhor não é suficiente. Elas precisam de habilidades práticas incorporadas à sua formação espiritual para crescerem da infância emocional para a idade adulta emocional. É fácil crescer fisicamente para a idade adulta cronologicamente. Outra coisa é crescer para a idade adulta emocional. Muitos podem ter, cronologicamente, 45 anos, enquanto permanecem emocionalmente bebês, crianças ou adolescentes.

A pergunta então é: como eu faço a distinção entre essas categorias? A seguir, um breve resumo de cada uma:[4]

Bebês emocionais

- Procuram que os outros tomem conta deles.
- Têm grande dificuldade de entrar no mundo dos outros.
- São movidos por gratificação instantânea.
- Usam os outros como objetos para atender às suas necessidades.

Crianças emocionais

- Estão contentes e felizes enquanto recebem o que querem.
- Desembaraçam-se rapidamente do estresse, dos desapontamentos e das provações.
- Interpretam as discordâncias como ofensas pessoais.
- Magoam-se com facilidade.
- Queixam-se, retrocedem, manipulam, se vingam, tornam-se sarcásticos quando não conseguem o que querem.
- Têm grande dificuldade em discutir com calma suas necessidades e vontades de uma forma madura e amorosa.

Adolescentes emocionais

- Tendem a ser quase sempre defensivos.
- Sentem-se ameaçados e ficam amedrontados com as críticas.
- Ficam de olho no que dão para pedir algo em troca depois.
- Tratam o conflito precariamente, quase sempre acusando, fazendo concessões, recorrendo a terceiros, fazendo cara feia ou ignorando o assunto por completo.

- Tornam-se preocupados consigo mesmos.
- Têm grande dificuldade em verdadeiramente ouvir o sofrimento, as decepções e as necessidades de outra pessoa.
- São críticos e opiniáticos.

Adultos emocionais

- Identificam suas necessidades e conseguem pedir o que querem ou preferem - com clareza, direta e honestamente.
- Reconhecem, administram e assumem responsabilidade por suas ideias e sentimentos.
- Mesmo sob estresse, conseguem expressar suas próprias convicções e valores sem se tornar antagônicos.
- Respeitam os outros sem ter de mudá-los.
- Dão espaço para que os outros cometam erros e não sejam perfeitos.
- Reconhecem as pessoas pelo que são - o bom, o mau e o feio -, não pelo que recebem delas.
- Avaliam com precisão seus próprios limites, forças e fraquezas e conseguem discuti-los livremente com os outros.
- Estão em perfeita sintonia com seu mundo emocional e conseguem entrar nos sentimentos, necessidades e preocupações dos outros sem se perder.
- Têm a capacidade de resolver conflitos de forma madura e negociam soluções que levam em conta as perspectivas dos outros.

A DISCIPLINA ESPIRITUAL DE PRATICAR A PRESENÇA DAS PESSOAS

Como cristãos emocionalmente maduros, reconhecemos que amar devidamente é a essência da verdadeira espiritualidade. Isso requer que tenhamos a experiência da conexão com Deus, conosco e com outras pessoas. Deus nos convida a praticarmos sua presença em nossa vida diária. Ao mesmo tempo, ele nos convida a "praticarmos a presença das pessoas", dentro de uma consciência de sua presença, em nossos relacionamentos diários.[5] Os dois raramente estão juntos.

A profunda e contemplativa vida de oração de Jesus com seu Pai resultou numa presença contemplativa com pessoas. Amor é "revelar a beleza do outro a ele mesmo", escreveu Jean Vanier.[6] Jesus fez isso com cada pessoa com quem se encontrou. Essa habilidade de realmente ouvir e prestar atenção estava no centro de sua missão. Isso o movia à compaixão. Da mesma forma, devido a nosso tempo contemplativo com Deus, nós também somos convidados a estar piedosamente presentes com as pessoas, revelando sua beleza a si mesmas.

Os líderes religiosos dos dias de Jesus, os "líderes da igreja" daquele tempo, nunca fizeram essa conexão. Eles eram diligentes, zelosos e totalmente comprometidos em ter Deus como Senhor da sua vida. Sabiam de cor todos os livros de Gênesis, Êxodo, Levítico, Números e Deuteronômio. Oravam cinco vezes por dia; davam o dízimo de toda a renda e doavam dinheiro aos pobres. Também evangelizavam. Mas nunca sentiam prazer com as pessoas. Não haviam associado o amor misericordioso de Deus à necessidade de ser diligente, zeloso e completamente comprometido em crescer na capacidade de amar as pessoas. Por essa razão, acusaram Jesus repetidas vezes de ser um *comilão e beberrão, amigo de publicanos e "pecadores"* (Mateus 11:19). Jesus tinha muito prazer nas pessoas e na vida.

Jesus se recusou a separar a prática da presença de Deus da prática da presença das pessoas. Quando colocado contra a parede para separar essa união inseparável, Jesus se negou. Ele resumiu toda a Bíblia para nós: *Amarás o SENHOR teu Deus de todo o coração, de toda a alma e de todo entendimento. Este é o maior e o primeiro mandamento. E o segundo, semelhante a este, é: Amarás o teu próximo como a ti mesmo. Toda a Lei e os Profetas dependem desses dois mandamentos* (Mateus 22:37-40).

NOSSO GRANDE PROBLEMA

Não posso deixar de experimentar a vida comigo no centro do meu universo. Com os olhos observo o mundo. Com os ouvidos ouço o que está acontecendo. Posso apenas sentir, querer e experimentar o que estou sentindo, querendo e experimentando. Naturalmente quero que as pessoas ao meu redor desistam de si mesmas e se tornem o que quero que elas sejam. Prefiro que as que estão próximas de mim pensem, sintam e ajam em relação ao mundo da mesma forma que eu. Prefiro a ilusão da uniformidade quando realmente somos muito diferentes uns dos outros. Quero que o mundo dos outros seja como o meu. Eu até ajo da mesma forma em meu relacionamento com Deus, saindo de minha espiritualidade como se eu fosse o centro do universo.

Por essa razão, M. Scott Peck argumenta que todos nós nascemos narcisistas e que aprender a nos desenvolver a partir do nosso narcisismo é o centro da jornada espiritual.[7]

Quando Geri e eu nos casamos, acendemos o que hoje é conhecida como a vela da união. Havia duas velas separadas representando nossas vidas separadas. Após os votos matrimoniais, nós acendemos uma terceira vela e apagamos as duas separadas. Aquilo simbolizou que então passamos a ser "um".

– Nós somos um – proclamamos aos nossos familiares e amigos.

A pergunta que não respondemos foi: "Qual um?". Durante os primeiros anos do nosso casamento, inconscientemente eu respondi a essa pergunta com: "Sim, Geri e eu somos um, e *eu* sou o um"!

Uma revolução espiritualmente copérnica precisa ocorrer na maneira como percebemos nós mesmos em relação aos outros. Quando Copérnico retirou os seres humanos do centro do universo e disse que nós giramos em torno do sol, e não o contrário, foi um choque para a civilização ocidental. Descobrir a "singularidade" do cônjuge, de um amigo, do chefe, da criança e do colaborador e vê-los como seres humanos separados, únicos - sem se perder - é também uma revolução copérnica da maturidade emocional.

MEUS RELACIONAMENTOS COM "COISAS"

Em 1923, o grande teólogo judeu Martin Buber escreveu o livro brilhante, porém difícil de ler, chamado *Eu e tu.*[*8] Buber descreveu o relacionamento mais saudável ou maduro possível entre dois seres humanos como um relacionamento "Eu-Tu". Nesse tipo de relacionamento, eu reconheço que sou feito à imagem de Deus e, da mesma forma, outras pessoas sobre a face da terra. Isso as torna "Tu" para mim.[**] Devido a essa realidade, toda pessoa merece respeito - isto é, eu as trato com dignidade e importância. Eu não as desumanizo nem as reifico. Eu declaro que elas têm uma existência única e separada da minha.

Veja as ilustrações com os círculos:

Embora você seja diferente de mim - um "Você" ou "Tu" - eu ainda o respeito, amo e valorizo.

[*] BUBER, Martin. *Eu e Tu.* São Paulo: Cortez & Moraes, 1977.

[**] [NT] O pronome aqui usado por Buber é *Thou* em inglês e não *You*. O pronome *Thou* é usado na linguagem poética ou bíblica referindo-se principalmente a Deus, indicando grande respeito.

Buber argumentou que na maioria de nossos relacionamentos humanos perdemos de vista os outros como seres separados de nós. Tratamos as pessoas como objetos, como uma "coisa" (para usar a palavra de Buber). No relacionamento com coisas, eu trato você como meio para um fim - como usaríamos uma escova de dentes ou um carro.

Como seria isso, na prática?

- Entro e descarrego meu trabalho sobre minha secretária sem cumprimentá-la.
- Desloco pessoas pelo organograma numa reunião do pessoal como se fossem objetos ou sub-humanas.
- Falo de pessoas responsáveis como se elas fossem sub-humanas.
- Trato Geri ou nossas filhas como se elas não fossem responsáveis por sua própria liberdade, sonhos, autonomia; eu espero que elas sejam o que penso sobre elas.
- Sinto-me ameaçado quando alguém discorda de minhas visões políticas.
- Eu ouço os problemas de meus vizinhos e os ajudo com suas tarefas em casa esperando que eles venham para a campanha de Natal em nossa igreja. Eles não vêm... e eu ajudo outras.

O resultado de relacionamentos meus com "coisas" é que eu fico frustrado quando as pessoas não se encaixam em meus planos. A maneira como eu vejo as coisas é "certa". E, se você não vê como eu vejo, você não está vendo as coisas da forma "certa". Você está errado.

Reconhecer a singularidade e a separação de cada pessoa na terra é por demais essencial à maturidade emocional. Exigimos facilmente que as pessoas vejam o mundo da maneira que nós vemos. Cremos que a nossa maneira é *a* certa.

Agostinho definiu o pecado como o estado de estar "sucumbido em si mesmo". Em vez de usar o poder dado por Deus para nos orientar para ele e outros seres humanos, nós apontamos para dentro de nós mesmos. Por essa razão, quando Dante, em sua famosa obra *Inferno**, chegou ao fundo do inferno, o gelo predominava, não o fogo. O frio falava da morte, do egoísmo, da frieza do pecado. Satanás estava grudado, tinha virado gelo e estava chorando por todos os seus seis olhos.[9] Em *O grande abismo*** C. S. Lewis descreveu o inferno como um lugar onde as pessoas vivem isoladas, milhões de quilômetros separadas umas das outras, porque elas não podem se entender.[10]

RELACIONAMENTOS EU-TU

Os verdadeiros relacionamentos, conforme afirma Buber, somente podem existir entre duas pessoas que desejam se conectar através de suas diferenças. Deus preenche esse espaço no meio de um relacionamento Eu-Tu. Deus não apenas pode ser vislumbrado num diálogo genuíno, como também penetra o espaço intermediário. Veja o diagrama seguinte:

O dogma central da obra da vida de Buber foi que o relacionamento Eu-Tu entre pessoas reflete intimamente o relacionamento

* [NT] ALIGHIERI, Dante, *Inferno,* primeira parte de *A divina comédia.*
** LEWIS, C. S. *O grande abismo.* São Paulo: Editora Vida, 2006.

Eu-Tu que os seres humanos têm com Deus. O relacionamento genuíno com qualquer Tu revela traços do "eterno Tu".[11] Por isso é uma experiência poderosa amar alguém devidamente, como adultos emocionais, tratando-os como Tu, não como uma coisa. Quando o amor genuíno é liberado num relacionamento, a presença de Deus se manifesta. O espaço separado entre nós torna-se espaço santo.

O relacionamento de Jessica com seu vice-presidente não foi o que Buber caracterizou como Eu-Tu. Jessica não teve habilidade e maturidade emocional para resolver o conflito de maneira idônea. Também não pôde expressar seus próprios sentimentos e crenças sem pensar de forma antagônica. O resultado final foi o isolamento e a frieza em seus relacionamentos no trabalho, que mais lembraram o inferno do que o céu.

MATURIDADE EMOCIONAL E CONFLITO

Praticar o relacionamento "Eu-Tu" em nossos relacionamentos leva-nos a outro aspecto da maturidade emocional, moldando nossa capacidade para resolver conflitos de forma idônea e negociando soluções quando consideramos as perspectivas dos outros.

No centro da verdadeira pacificação está o reconhecimento, mais uma vez, de que somos seres humanos feitos à imagem de Deus. A semelhança com nosso Criador, junto com o exemplo de Cristo, nos coloca nos caminhos da verdade que desejamos viver, não no fingimento, ainda que isso signifique conflitos. No entanto, a maioria dos cristãos que conheço é fraca na solução de conflitos. Existem pelo menos duas razões para isso: a primeira está relacionada a crenças erradas sobre pacificação, e a segunda, à falta de treinamento e preparo nessa área.

IGNORAR CONFLITO: FALSA PACIFICAÇÃO

Um versículo tragicamente mal interpretado do Novo Testamento é a declaração de Jesus: *Bem-aventurados os pacificadores, porque eles serão chamados filhos de Deus* (Mateus 5:9). A maioria pensa que Jesus nos chama nesse versículo para sermos apaziguadores garantindo que ninguém fique descontente. Nós devemos manter a paz, ignorar os assuntos e problemas difíceis, garantir que as coisas permaneçam estáveis e calmas.

Quando, por medo, evitamos conflito e apaziguamos as pessoas, somos falsos pacificadores. Por exemplo:

Karl está preocupado com o comportamento de sua esposa que frequentemente chega tarde em casa depois do trabalho. Ele não diz nada. Por quê? Ele pensa estar agindo como Cristo ao não dizer nada, embora não lhe dê atenção. Ele é um falso pacificador.

Pam discorda de seus colaboradores durante o almoço quando eles difamam o chefe. Ela tem medo de falar. Mas permanece em sua companhia. *Não quero ser desmancha-prazeres,* ela pensa. Ela é uma falsa pacificadora.

Bob vai jantar com dez pessoas. Ele está financeiramente apertado, por isso pede apenas uma salada e o antepasto. Enquanto isso, os outros nove pedem antepasto, bife, vinho e sobremesa. Quando vem a conta, alguém diz: "Vamos dividir a conta por igual? Vai demorar uma eternidade para calcular". Todos concordam. Bob está morrendo por dentro, mas não dirá nada. Ele é um falso pacificador.

Yolanda está noiva. Ela gostaria de mais tempo para repensar sua decisão, mas tem medo de que o noivo e sua família fiquem zangados. E ela se casa. Ela é uma falsa pacificadora.

Ellen ama seus pais, que a criticam muito pela maneira como seus filhos são criados. Todo feriado é cheio de tensão. Ellen não diz nada porque não quer ferir os sentimentos dos pais. Ela é uma falsa pacificadora.

Sharon acha seu namorado irresponsável, mas sente-se mal por ele. *Ele tem sofrido muito nesta vida,* ela pensa. *Não posso contribuir mais ainda com esses sofrimentos.* Então ela desiste de lhe falar a verdade sobre como o comportamento dele está matando aos poucos o relacionamento. E, assim, seu relacionamento tem uma morte lenta. Ela é uma falsa pacificadora.

O problema em todas essas situações é que a verdadeira paz nunca virá fazendo-se de conta que o errado é certo! Os verdadeiros pacificadores amam a Deus, os outros e a si mesmos o suficiente para perturbar a falsa paz. Jesus é o modelo disso para nós.

Aceitar o conflito: o caminho para a verdadeira paz

Conflito e dificuldade foram dominantes na missão de Jesus. Ele rompeu toda a falsa paz ao seu redor - na vida de seus discípulos, das multidões, dos líderes religiosos, dos romanos, dos que compravam e vendiam no templo. Ele ensinou que a verdadeira pacificação interrompe a falsa paz até mesmo nas famílias: *Não penseis que vim trazer paz; não vim trazer paz, mas espada. Porque vim causar hostilidade entre o homem e seu pai, entre a filha e sua mãe, entre a nora e sua sogra; assim, os inimigos do homem serão os de sua própria família* (Mateus 10:34-36).

Por quê? Não se pode conquistar a verdadeira paz do reino de Cristo com mentiras e fingimentos, que devem ser expostos à luz e substituídos pela verdade. Esta é uma atitude madura e amorosa.

Nas Bem-aventuranças, Jesus nos explica o que devemos ser para nos envolver na verdadeira pacificação: pobres de espírito, mansos, puros de coração, misericordiosos etc. (Mateus 5:3-11). Ele também apela à verdadeira pacificação, afirmando que haverá perseguição aos que o seguirem nisso.

Não obstante, conflitos não resolvidos são uma das maiores tensões na vida cristã hoje. A maioria de nós os odeia. Não sabemos o que fazer com eles. Em vez de arriscar-nos a quebrar mais relacionamentos, preferimos ignorar os assuntos difíceis e nos contentar com uma "falsa paz", na expectativa de que, de alguma forma, desapareçam. Mas não desaparecem. E todos nós aprendemos, mais cedo ou mais tarde, que não se pode construir o reino de Cristo sobre mentiras e fingimentos. Somente a verdade fará isso.

APRENDENDO HABILIDADES PARA SER PACIFICADORES

Muitos de nós cremos que amar é algo aprendido automaticamente, que é apenas um "sentimento". Subestimamos a profundidade de nossos hábitos e o que é preciso para sustentar mudanças duradouras, próprias de Cristo, em nossos relacionamentos.

Essa convicção levou Geri e eu, mais de onze anos atrás, a começar a buscar uma variedade de fontes, reunindo exercícios e ferramentas, para que as pessoas pudessem aprender a praticar o amor nos relacionamentos Eu-Tu. Nosso desejo era ajudar os seguidores de Jesus a obedecer ao mandamento de amar devidamente. Queríamos mover as pessoas da postura defensiva, da reatividade e do horror à abertura, à empatia e à vulnerabilidade. Percebemos que elas precisavam experimentar um novo estilo do reino de se relacionar, algo que estava fora de sua zona de conforto. Praticar novas habilidades como as que se seguem causará inicialmente um nível de desconforto. Elas são fáceis de compreender, mas difíceis de implementar. Mas, repetidamente praticando comportamentos maduros e piedosos, temos visto pessoas libertadas de ciclos permanentes de imaturidade emocional.[12] Elas têm servido como elo útil em levar pessoas a se transformarem em mães e pais de fé.

Nós reunimos uma série de ferramentas e exercícios. Os seguintes, no entanto, são alguns que usamos em todos os tipos de relacionamentos: nosso casamento, atuação como pais, equipe de trabalho e na igreja como um todo. Cada um provê, a seu modo, meios de ajudar as pessoas a se moverem do estilo de relacionamento Eu-Coisa para o estilo Eu-Tu. Cada um deles, a seu modo, contribui para nos ajudar a seguir Cristo, tornando-nos verdadeiros pacificadores e nos conduz a amar devidamente.

Falar e ouvir

Falar e ouvir é a essência de um relacionamento Eu-Tu. Todos sabem que a comunicação é essencial a todos os relacionamentos.

O colégio, a faculdade e outros cursos ensinam isso, mas poucos o fazem bem. Isso é especialmente verdade sob estresse e em conflitos.

Para muitos, a infância foi uma experiência de invisibilidade. Por essa razão, simplesmente ser o orador e expressar desejos e expectativas pode ser uma experiência muito saudável, poderosa. Além disso, esse processo de falar e ouvir cria uma nova conexão entre duas pessoas, desacelerando-as.

Eu o encorajo a ver a seguinte estrutura como uma prática espiritual: encontrar Deus por meio do seu tempo com essa pessoa. Peça a Deus para ajudá-lo a estar presente de forma piedosa. Peça-lhe que o ajude a receber essa pessoa como se ela fosse Jesus. Como poderia Jesus Cristo querer vir a você por meio dessa pessoa? Peça a Deus que tire o ruído de sua mente a fim de que você esteja suficientemente tranquilo para entrar no mundo de quem fala.

No papel de quem fala

- Fale sobre *seus* próprios pensamentos, *seus* próprios sentimentos (use a primeira pessoa do singular).
- Seja breve. Use frases curtas.
- Corrija a outra pessoa se você acreditar que ela omitiu algo.
- Continue falando até sentir que foi compreendido.
- Quando não tiver mais nada a falar, diga: "Isso é tudo por enquanto".

No papel de ouvinte

- Adie sua agenda. Fique calmo e em silêncio como se estivesse diante de Deus.
- Permita que a outra pessoa fale até completar o pensamento.

- Repita cuidadosamente as palavras que ouviu. Você tem duas opções: parafrasear de um modo que o outro concorde é correto ou usar as mesmas palavras.
- Quando parecer que a pessoa terminou de falar, pergunte: "Mais alguma coisa"?

O propósito de repetir é ter certeza de que você está ouvindo corretamente. Isso requer que você, como ouvinte, coloque suas ideias e reações em compasso de espera. Confirme a outra pessoa, permitindo-lhe saber que você realmente percebe e compreende seu mundo e ponto de vista. Você reconhece que ela é diferente. Entre as frases típicas de validação podem estar: "Isso faz sentido..." ou "Percebo porque..." ou "posso compreender isso porque..."

A DECLARAÇÃO DE DIREITOS[13]

Respeito não é um sentimento. É como tratamos o outro. Independentemente de como podemos sentir a respeito de outros seres humanos, eles são feitos à imagem de Deus e de infinito valor e importância. A Declaração de Direitos a seguir permanece afixada na porta de nossa geladeira e em nossa vida há anos. Em seguida a cada "direito" estão exemplos da vida de nossa família.

DECLARAÇÃO DE DIREITOS

Respeito significa dar a mim mesmo e aos outros o direito a:

- *Espaço e privacidade* (bater na porta antes de entrar, não abrir correspondência do outro, respeitar as necessidades mútuas por silêncio e espaço etc.).
- *Ser diferente* (permitir preferências por comida, filmes, volume de música e de como gastar nosso tempo).
- *Discordar* (dar espaço para cada pessoa pensar e ver de forma diferente).

- *Ser ouvido* (ouvir os desejos, opiniões, pensamentos, sentimentos etc. uns dos outros).
- *Ser levado a sério* (ouvir uns aos outros e estar presente).
- *Ter o benefício da dúvida* (verificar as suposições em vez de julgar uns aos outros quando surgir um mal-entendido).
- *Ser informado da verdade* (confiar que está ouvindo a verdade quando pedir uma informação do tipo: "Você não foi bem no teste, mas estudou?" e "Por que você chegou tarde em casa?").
- *Ser consultado* (quando decisões vierem a afetar outros, não tomá-las sozinho).
- *Ser imperfeito e cometer erros* (deixar "espaço" para quebra de coisas, esquecer coisas, desapontar um ao outro sem intenção, fracassar em exames quando se estudou etc.).
- *Tratamento cortês e respeitável* (palavras que não magoem, pedir antes de usar, consultar quando apropriado, tratar um ao outro como Eu-Tu).
- *Ser respeitado* (levar em conta o sentimento um do outro).

Verificar as suposições[14]

O nono mandamento diz: *Não dirás falso testemunho contra o teu próximo* (Êxodo 20:16). Verificar as suposições é uma ferramenta simples, porém poderosa que elimina um número enorme de conflitos nos relacionamentos e nos possibilita esclarecer potenciais desentendimentos.

Sempre que eu suponho algo a respeito de alguém que me magoou ou me desapontou sem confirmá-lo, em minha mente confirmo uma mentira sobre essa pessoa. Essa suposição se torna uma deturpação da realidade. Sem verificação, é muito possível que eu esteja acreditando em algo falso. É também provável que eu venha a passar essa falsa suposição a outras pessoas.

Quando saímos da realidade devido à criação mental de suposições ocultas, criamos um mundo falso. Ao fazer isso, pode-se dizer com propriedade que estamos excluindo Deus de nossa vida, porque ele não existe fora da realidade e da verdade. Ao fazer isso, rompemos relacionamentos e criamos confusão e conflitos infindáveis. Em nossa ilustração no início deste capítulo, Jessica fez todos os tipos de suposições sobre por que o chefe deixou de incluí-la no programa de visita aos clientes. A Bíblia tem muito a dizer sobre não assumir o papel de juiz dos outros (v. Mateus 7:1-5).

A seguir, são alguns passos importantes para o uso dessa ferramenta com outra pessoa:

- Reflita sobre aquilo que, na sua cabeça, a outra pessoa pensa ou sente, mas não lhe disse.
- Pergunte-lhe: "Tenho a sua permissão para verificar uma suposição que estou fazendo?". (Se a pessoa concede a permissão, então você pode proceder.)
- Diga: "Eu acredito que você pensa..." ou "Eu imagino que você está pensando..." (preencha o espaço em branco). Ao terminar, pergunte-lhe: "Está correto?".
- Dê à outra pessoa a oportunidade de responder.

Você pode usar isso com empregados, empregadores, cônjuges, amigos, colegas de quarto, colaboradores, pais, filhos. A lista é interminável.

Expectativas[15]

Expectativas inapropriadas e confusas criam o caos em locais de trabalho, salas de aula, amizade, namoro, casamento, time esportivo, família e igreja. Por exemplo:

- Você vem ao encontro, não vem? Afinal, somos importantes para você.
- Eu nunca soube que o trabalho envolvia tudo isso. Você nunca me disse.
- Meu filho adulto deveria saber que eu preciso dele para consertar as coisas. Eu não precisava pedir.
- Estou muito decepcionado. Eu esperava que um bom casamento acontecesse naturalmente.
- Sou o único que cuida de meus pais idosos. Meus irmãos esperam que eu faça tudo sozinho.
- Se ela realmente se importasse comigo, teria me telefonado.
- Em uma boa igreja, todos deveriam ser amigos e apoiar-se mutuamente quando alguém está sofrendo.

Nós esperamos que os outros saibam o que queremos sem que seja necessário dizer (especialmente se estamos em relacionamento com eles). O problema da maior parte das expectativas é que elas são:

- Inconscientes - mantemos expectativas das quais nem temos consciência até que alguém nos desaponte.
- Irrealistas - nutrimos ilusões sobre os outros. Por exemplo, pensamos que o cônjuge, um amigo ou o pastor estarão disponíveis o tempo todo para atender às nossas necessidades.
- Não explícitas - podemos nunca ter dito ao nosso cônjuge, amigo ou empregado o que esperamos, no entanto ficamos zangados quando nossas expectativas não são satisfeitas.
- Discordantes - temos nossas ideias sobre o que era esperado, mas o outro nunca havia concordado com isso.

As expectativas somente são válidas quando foram mutuamente acordadas. Todos nós conhecemos a experiência desagradável das expectativas com que nunca concordamos.

Para que as expectativas sejam acertadas, precisam primeiro ser:

- Conscientes (preciso estar consciente das expectativas que tenho em relação à outra pessoa).
- Realistas (tenho de me perguntar se minhas expectativas em relação à outra pessoa são realistas).
- Faladas (tenho de expressar minhas expectativas de modo claro, direto e respeitoso).
- Estar de acordo (para que minhas expectativas sejam válidas, o outro deve estar cônscio e concordar com elas; caso contrário, serão apenas expectativas).

Pense numa expectativa que você tem de um cônjuge, amigo, colega de quarto, chefe, membro da família ou colaborador. Faça a si mesmo a pergunta: Tenho consciência do que é isso? É realista? Foi falado? Eles concordaram? Inicie uma conversa com eles e procure chegar a um acordo mútuo sobre a expectativa. Agora pense numa pessoa que pode ter a seu respeito uma expectativa inconsciente, não realista, não falada e sobre a qual não existe acordo. Sente-se com ela e discuta o assunto. Procure chegar a um acordo sobre a expectativa.

Alergias e ativadores

Estamos acostumados com alergias físicas a certos alimentos ou pólen, mas menos acostumados com nossas alergias emocionais. Alergia emocional é uma reação intensa a algo no presente que nos lembra, consciente ou inconscientemente, de um evento de nossa história.

Exemplos de alergias emocionais poderiam ser a minha reação usual quando Geri queria passar os fins de semana com as amigas nos primeiros anos do nosso casamento. Eu tinha uma reação alérgica. Isso me fazia recordar dos primeiros sentimentos da indisponibilidade emocional de meus pais. As circunstâncias eram muito diferentes, mas o sentimento era o mesmo.

Outro exemplo é quando o marido de Teresa vê televisão em vez de cuidar dos filhos com ela, e isso a deixa muito zangada. Ela o ataca e o menospreza porque, inconscientemente, ele a faz recordar de seu pai, que abandonou o lar quando ela contava 7 anos, deixando-a sozinha com sua mãe para se sustentarem.

Como se pode ver, o que acontece com mais frequência numa reação alérgica é que acabamos tratando a pessoa com quem travamos um relacionamento agora como se ela fosse alguém do nosso passado. Nós a tratamos como uma "coisa".

A organização PAIRS desenvolveu um exercício útil ("Cura dos arquivos") do qual encorajamos as pessoas a participar, sozinhas ou acompanhadas:[16]

- A alergia emocional que você provoca em mim é...
- Quando essa alergia acontece, o que eu penso ou digo a mim mesmo é...
- Quando essa alergia acontece, eu sinto...
- Quando essa alergia acontece, o que eu penso e sinto a meu respeito por apenas ter esses sentimentos é...
- Quando isso acontece dentro de mim, o comportamento que você então vê em mim é...
- Essa alergia está relacionada em minha história com...
- Quando essa alergia acontece, você me lembra de...
- O preço que estamos pagando por isso em nosso relacionamento é...
- As palavras do passado das quais eu preciso, as palavras que eu gostaria que tivessem sido ditas a mim, são...

Por meio deste exercício, muitos percebem quanto ainda vivem no passado e o projetam nos relacionamentos presentes. Uma vez que começamos a enxergar essa conexão, podemos começar a fazer escolhas diferentes mais amáveis, reações emocionalmente adultas em vez de reações alérgicas.

A IGREJA COMO UMA NOVA CULTURA

Um dos maiores presentes que podemos oferecer a nosso mundo é sermos uma comunidade de adultos emocionalmente saudáveis que amam devidamente. Para isso, além do poder de Deus, precisamos assumir um compromisso em aprender, crescer e romper com os padrões doentios e destrutivos que remontam a gerações em nossa família e cultura - e em alguns casos, nossa cultura cristã também.

Lembre-se, Jesus formou uma comunidade com um pequeno grupo da Galileia, uma província atrasada da Palestina. Eles não eram maduros espiritual e emocionalmente. Pedro, o líder principal, tinha a boca grande e era um feixe de contradições. André, seu irmão, era reservado e estava sempre nos bastidores. Tiago e João receberam o nome de "filhos do trovão" por serem agressivos, esquentados, ambiciosos e intolerantes. Filipe era cético e negativo; tinha uma visão limitada. "Não podemos fazer isso", resumiu sua fé quando confrontado com o problema de alimentar as cinco mil pessoas. Natanael Bartolomeu era preconceituoso e teimoso. Mateus era a pessoa mais odiada de Cafarnaum, trabalhando numa profissão que abusava do povo inocente. Tomé era melancólico, indulgentemente depressivo e pessimista. Tiago, filho de Alfeu, e Judas, filho de Tiago, eram pessoas sem importância. A Bíblia não diz nada a respeito deles. Simão, o zelote, foi um combatente da liberdade e um terrorista do seu tempo. Judas, o tesoureiro, foi ladrão e um solitário. Ele fingiu ser leal a Jesus e finalmente o traiu.

A maior parte deles, no entanto, tinha uma grande qualidade: estava disposta. Isso é tudo que Deus pede de nós.

No capítulo seguinte, vamos recapitular o que vimos até aqui para criar uma "Regra de vida" que nos capacite a vivermos de acordo com tudo o que foi dito. Para isso, continue comigo.

Senhor Jesus Cristo, Filho de Deus, tem misericórdia de mim. Estou consciente, Senhor, de como tenho frequentemente tratado as pessoas como "coisas", como objetos, em vez de olhar para elas com os olhos e o coração de Cristo. Senhor, eu tenho maneiras não saudáveis de relatar o que está profundamente incrustado em mim. Muda-me, por favor. Faze de mim um vaso para espalhar amor maduro, estável e confiável para que as pessoas com quem eu entre em contato sintam tua ternura e bondade. Livra-me da falsa pacificação que é orientada pelo medo. Senhor Jesus, ajuda-me a amar como tu amas. Torna-me, eu peço, um adulto emocionalmente maduro pelo poder do Espírito Santo. Em nome de Jesus. Amém.

10

DÊ O PRÓXIMO PASSO PARA DESENVOLVER UMA "REGRA DE VIDA"

Amar a Cristo acima de tudo

Em *The Book of the Dun Cow* [O livro da vaca parda], Walter Wangerin cria um mundo de fantasia: animais que vivem em comunidade em um galinheiro. Chauntecleer, o galo do galinheiro, é o líder encarregado de guiar os demais, que dependem dele. A paz do reino é rompida quando Mal Supremo, na forma de Dragão, ameaça destruir a comunidade do galinheiro soltando "cobras venenosas do tamanho de alcaçuz preto". A comunidade é reunida por Chauntecleer quando ele cacareja o ofício divino, um dom que ele recebeu e disciplinou a partir de sua própria história. Ele acabará usando a força para destruir Dragão. Mas nesta batalha contra o mal, a comunidade em torno do galinheiro só pode lutar com base em sua fé e nos exercícios espirituais que pratica, tudo o que superficialmente parece ser perda de tempo contra mal tão enorme.

Nós também somos chamados a ordenar nossa vida em torno de práticas e disciplinas espirituais - isto é, uma "Regra de vida", algo profundamente estranho ao mundo ao nosso redor. É um apelo para ordenarmos toda a nossa vida de tal forma que o amor de Cristo venha antes de tudo. E ao fazer isso, tal como Chauntecleer, a qualidade de nossa vida poderá ser transformada em bênção para nossa família, amigos, colaboradores e comunidades.

O ANTIGO TESOURO DE UMA REGRA DE VIDA

Por favor, não tenha receio da palavra "regra". A palavra vem do grego *trellis*. Uma *trellis* (treliça) é o que permite à videira sair do chão e crescer, tornando-se mais frutífera e produtiva. Da mesma forma, uma Regra de vida é uma treliça que nos ajuda a permanecer em Cristo e a nos tornarmos mais frutíferos espiritualmente.[1]

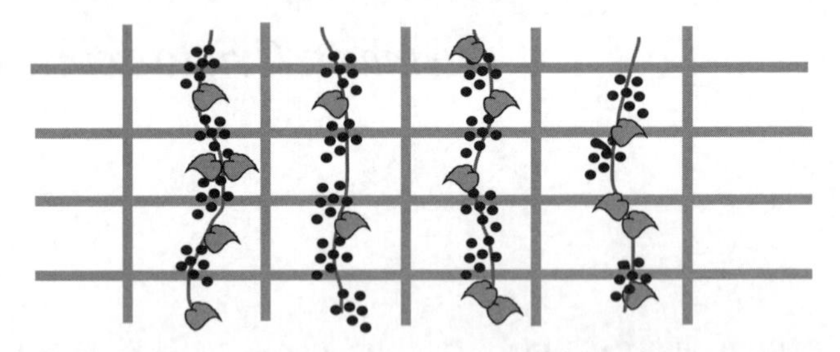

Uma Regra de vida, muito simplesmente, é um plano intencional, consciente, para manter Deus no centro de tudo o que fazemos, lembrando-nos continuamente de Deus como a Fonte de nossa vida. Inclui nossa singular combinação de práticas espirituais que fornecem estrutura e direção para intencionalmente prestarmos atenção e nos lembrarmos de Deus em tudo o que fazemos. O ponto de partida e fundamento de qualquer Regra é um desejo de estar com Deus e de amá-lo.

Poucas pessoas têm um plano consciente para desenvolver sua vida espiritual. A maioria dos cristãos não é intencional, e sim prática, como carros no piloto automático. Nossa agenda apertada, listas infindáveis do que fazer, trabalhos e família exigente, ruídos constantes, bombardeio de informação e ansiedade nos mantêm acelerados, sem a perspectiva de ir mais devagar. Temos rotinas para gerenciar outros aspectos de nossa vida. Por exemplo, a cada manhã podemos nos levantar, dar comida para o gato, fazer café, nos exercitarmos, nos vestir para o trabalho e tomar o café da manhã.

A realidade, entretanto, é que cada pessoa tem uma Regra inconsciente para desenvolver sua vida espiritual. Cada um de nós tem seus valores e maneiras de fazer as coisas. Isso pode incluir, por exemplo, frequentar uma igreja aos domingos, participar de um grupo pequeno, servir num ministério e/ou dez minutos de oração e leitura bíblica antes de dormir.

No entanto, nossas práticas espirituais atuais não são suficientes para nos manter na superfície do oceano da besta, a Babilônia do nosso mundo do século 21. Lutar contra uma corrente tão forte, sem a âncora de uma Regra de vida, é quase impossível. Acabamos nos vendo sem foco, distraídos e sem direção espiritualmente.

É alguma surpresa que a maioria das pessoas viva à custa da espiritualidade alheia em vez de aproveitar o tempo para desenvolver sua própria experiência direta com Deus? Muitos cristãos falam sobre oração, mas não oram. Muitos acreditam na Bíblia como a Palavra de Deus, mas têm pouca ideia do que isso diz. Nossos objetivos para nossos filhos diferem pouco dos objetivos dos "pagãos", que não conhecem Deus. Como o mundo, nós também classificamos as pessoas com base em educação, riqueza, beleza e popularidade.

Promover uma crescente espiritualidade com profundidade em nossa cultura atual exigirá um plano cuidadoso, consciente e intencional para nossa vida espiritual. Planejar bem, entretanto, requer retrocedermos à história de Daniel e da igreja primitiva para considerarmos as raízes desse tesouro oculto.

A "REGRA DE VIDA" DE DANIEL

Nabucodonosor e seus exércitos babilônicos, com seus deuses, conquistaram Jerusalém e levaram como escravos a maior parte dos habitantes da cidade. Um deles foi um jovem adolescente chamado Daniel. Separado de sua família, professores, amigos, comida, cultura e língua, Daniel foi levado para a corte babilônica e mandado para a melhor universidade da terra. Ele estudou uma forma completamente estranha e pagã de ver o mundo - história, matemática, medicina, religião, literatura. Aprendeu mitos, astrologia, feitiçaria e magia - tudo isso proibido em Israel. Os sacerdotes e conselheiros pagãos da Babilônia o educaram em sua sabedoria e religião. Em um esforço de assimilação, até mudaram seu nome.

A Babilônia tinha um simples objetivo: eliminar a distinção de Daniel como seguidor de Deus e absorvê-lo nos valores da cultura deles.

Como Daniel resistiu ao enorme poder da Babilônia? Ele não era um monge enclausurado que vivia atrás dos muros. Ele tinha pesadas responsabilidades de trabalho com pessoas dando-lhe ordens. Ele tinha um mínimo sistema de apoio e, eu imagino, uma longa lista de tarefas diárias.

O que Daniel de fato tinha era um plano, uma Regra de vida. Ele não deixou ao acaso o desenvolvimento de sua vida interior. Sabia que "ir à igreja aos domingos mais um momento diário de silêncio de quinze minutos" nunca seria suficiente. Ele sabia contra o que estava lutando. Embora poucos detalhes sejam conhecidos, é certo que ele orientou toda a sua vida pelo mandamento de amar a Deus. Renunciou a certas atividades, como comer o alimento contaminado do rei (v. Daniel 1) e se empenhou em outras, como o ofício divino (v. Daniel 6). De alguma forma, Daniel se alimentou espiritualmente e se tornou um extraordinário homem de Deus em seu ambiente hostil. Ele soube resistir à besta da Babilônia, e prosperar exigiu um plano que lhe possibilitou prestar atenção a Deus.

UMA BREVE HISTÓRIA DA "REGRA"

Do final do século 3 até o século 5, homens e mulheres se retiraram da sociedade e foram para os desertos do Egito, da Síria, da Palestina e da Arábia para buscar Deus. Eles queriam se libertar de quaisquer distrações entre eles e Deus. Vários desses monges formaram posteriormente comunidades e organizaram sua vida diária em torno de um plano consentido de trabalho, oração e estudo das Escrituras. Eles chamaram este plano de Regra de vida.

Pacômio (290-345 d.C.) escreveu a primeira "Regra de vida" [ou Regra Ascética] conhecida para suas comunidades monásticas do Egito. Vieram outros depois, com regras mais curtas ou mais longas. Devotos espirituais da igreja ocidental, mais especialmente João Cassiano, aprenderam com esses Pais do deserto e retornaram para desenvolver sua própria Regra de vida. Finalmente, isso chegou ao clímax com Bento de Núrsia (480-547 d.C.), que escreveu as regras monásticas mais amplamente conhecidas. A Regra de São Bento não apenas moldou o monasticismo ocidental durante os últimos 1.500 anos, como continua a orientar dezenas de milhares de pessoas em todo o mundo hoje, de todas as tradições religiosas.

O grande dom oculto de uma Regra de vida é seu objetivo: regular toda a nossa vida de tal forma que verdadeiramente prefiramos o amor de Cristo acima de tudo.

COMEÇANDO – O GRANDE QUADRO

Deus fez cada um de nós único e diferente. Nosso objetivo é o mesmo: união com Deus em Cristo, transformação à sua imagem e a libertação do nosso coração de tudo o que se coloque no caminho de Cristo que vive em nós e através de nós. Como chegaremos lá irá variar, dependendo de nossa personalidade, variedade de dons, temperamento, localização geográfica e particular chamado de Deus. Além disso, Deus terá diferentes práticas e ênfases em épocas e fases diferentes de nossa vida.

São Francisco de Assis, por exemplo, passava semanas sozinho em seu retiro e depois viajava durante semanas pregando a mensagem de Jesus a qualquer um que ouvisse.

Catarina Doherty ajudou a desenvolver as Casas de Nossa Senhora, onde os membros passavam três dias por semana sozinhos com Deus em *poustinias* (palavra russa para "deserto") e quatro dias servindo às pessoas:[2]

Embora exista um número infinito de Regras de Vida, eu gosto de ter primeiro uma visão panorâmica do grande quadro. A seguir, uma lista sugerida de doze elementos (que eu explico em detalhes na seção seguinte) a ser considerada quando você começar a desenvolver sua Regra de vida pessoal.

ORAÇÃO

1. Escritura
2. Silêncio e solidão
3. Ofício divino (oração)
4. Estudo

DESCANSO

5. Descanso semanal
6. Simplicidade
7. Brincadeira e recreação

TRABALHO/ATIVIDADE

8. Serviço e missão
9. Cuidar do corpo físico

RELACIONAMENTOS

10. Saúde emocional
11. Família
12. Comunidade (companheiros de viagem)

Você pode querer acrescentar novos elementos (por exemplo, hospitalidade) e/ou excluir outros. Coloquei os elementos sob quatro amplas categorias - Oração, Descanso, Trabalho e Relacionamentos. Você pode preferir Estudo, por exemplo, abaixo de Descanso ou Trabalho. Ou você pode preferir colocar Cuidar do Corpo Físico sob a categoria de Descanso. A escolha é sua.

Desenvolver uma Regra de vida intencional implica tentativa e erro. Você precisará aprender muito sobre si mesmo e cada área fundamental mencionada acima. Por exemplo, que tipo de práticas espirituais o leva mais próximo a Deus? Qual o afasta dele? Como você pode discernir a combinação certa para a sua Regra de vida particular?

Minha Regra de vida pessoal é um documento em constante mudança. É uma obra "viva" em andamento - sempre. Por exemplo, devido a meu temperamento altamente intuitivo e consciente, raramente anoto meus objetivos e compromissos. Para mim, isso pode facilmente tornar-se um "tem de" em vez de "querer" por amor a Cristo.

Conceda-se um longo tempo para o lento desenvolvimento do que funciona melhor para você. Ao examinar sua vida, você pode observar muitas áreas que precisam ser trabalhadas. A melhor abordagem é começar com somente um ou dois elementos durante os primeiros meses. Depois, após ter experimentado algum sucesso com esses, você desejará acrescentar outro módulo à sua Regra. Ou pode querer parar com o mesmo elemento para trabalhar nele durante um longo período de tempo. Um exemplo sob o item Oração poderia ser algo parecido com isto:

- Faça a seguinte oração: "Senhor Jesus Cristo, Filho de Deus, tem misericórdia de mim, pecador" cada dia no trabalho, várias vezes ao dia.
- Reserve quinze minutos de silêncio durante o almoço três vezes por semana.

- Pratique a oração de exame de Inácio três noites por semana antes de dormir.
- Faça jejum de uma refeição todas as quartas-feiras durante a Quaresma.

Se possível, encontre um companheiro para essa jornada. Pode ser um diretor espiritual, um mentor, um amigo confiável, um cristão maduro ou um pequeno grupo. Isso servirá para mantê-lo na trilha.

Não seja duro consigo mesmo. São Bento, no início de sua Regra, escreve:

> Consequentemente, pretendemos estabelecer uma escola para o serviço do Senhor [...]. Não tema nem se afaste da estrada que leva à salvação. No início ela precisa ser estreita. Mas, à medida que avançarmos neste caminho da vida e em fé, vamos percorrer a trilha dos mandamentos de Deus, nosso coração transbordando de inexprimível felicidade de amor.[3]

OS ELEMENTOS DE UMA REGRA DE FÉ

ESCRITURA

Deus nos fala na Palavra e por meio dela. O seu plano durante uma época de sua vida pode ser ler a Bíblia toda em um ano ou seguir o lecionário de leituras da Escritura do *Livro de oração comum*. Nos últimos anos, decidi fazer uma meditação reflexiva sobre porções menores da Escritura. A *lectio divina*, antiga prática de leitura contemplativa, tornou-se uma prática semanal para mim. Começa com a leitura e a meditação de uma passagem curta da Escritura, o que permite que aos poucos o trecho trabalhe em você, como fermento no pão ou água na pedra. O importante é ler vagarosamente, degustando as palavras e permitindo que elas o alimentem e o transformem. Isso também me levou a memorizar pequenas porções da Escritura cada semana.

Silêncio e solidão

A respeito de Abbot Agathon, um dos pais do deserto, diz-se: "Durante três anos ele carregou uma pedra na boca até aprender a ficar em silêncio". Eu acho que poderia usar umas boas pedras em minha boca! Essa é uma das disciplinas mais desafiadoras e menos usadas entre os cristãos hoje. Quando estamos em silêncio, confrontamos nosso vício de estar no controle e sempre tentar consertar as coisas. Como diz Dallas Willard: "O silêncio é assustador porque nos desnuda como nada mais o faz, lançando-nos na completa realidade de nossa vida. Ele nos lembra a morte, que virá nos separar deste mundo e nos deixar apenas diante de Deus".[4]

Muitas vezes eu integro meus momentos de silêncio no ofício divino cada dia. Procuro separar entre cinco e vinte minutos, algumas vezes por semana, para descansar no Senhor e aguardar por ele com paciência (v. Salmos 37:7). Isso continua sendo o centro do melhor que tenho para o crescimento em Cristo.

Ofício divino

Como você leu no capítulo anterior, essa prática espiritual tem uma rica história tanto na Escritura como na história da igreja. Eu preciso de estrutura, espontaneidade e variedade na forma como abordo o ofício divino cada dia. Por exemplo, uso com frequência o *Horas divinas*, de Phyllis Tickle, que me fornece um arcabouço estrutural para a oração da manhã, do meio-dia e da noite. Continuo a usar o lecionário do *Livro de oração comum* para leitura dos salmos todos os dias. Amo orar os salmos como parte central do meu ofício divino. Gosto também de contar com um devocional clássico disponível como parte do meu Ofício matinal todos os dias. Muitas pessoas oram em meio à natureza, separando tempo em silêncio para examinar uma folha, uma flor, uma árvore, a grama, o céu, louvando a Deus por sua criação.[5]

ESTUDO

Poucos reconhecem que gastar tempo lendo e estudando é uma disciplina espiritual. Todavia, esse também é um meio importante de encontrar Deus de formas diferentes. Uma das mais impressionantes características da Regra de São Bento é que três horas por dia eram separadas para leitura e reflexão. Ele não recomendou que alguém supervisionasse os trabalhos gerais do mosteiro, mas, sim, a leitura e o estudo dos monges! E isso foi no ano 550 d.C. quando muitos dos monges tinham primeiro de aprender a ler! Bento compreendia um importante princípio: cristãos adultos e maduros estão sempre pesquisando, lendo e aprendendo. Essa disciplina pode incluir o estudo indutivo da Bíblia ou outras ferramentas úteis, como ler livros ou frequentar seminários, classes e círculos de estudo. Ouvir pessoas mais maduras espiritualmente pode também ser incluído aqui. Pense em estudar não simplesmente para informação, mas com o propósito de formação em Cristo. Ore a Deus dizendo o que você está aprendendo. Como eu gosto de ler, posso facilmente colocar essa atividade sob a categoria Descanso. No entanto, sei de alguns amigos que a moveriam imediatamente para Trabalho.

SÁBADO

Desenvolva o hábito de separar um período de 24 horas por semana. Muitos de nós trabalhamos cinco dias por semana, mas precisamos de outro dia para fazer as atividades da vida que são "trabalho" para nós. Isso pode incluir pagar contas, consertar o carro, executar trabalhos em nossa casa ou apartamento, terminar o trabalho de casa, se você é estudante. Separe algum tempo para refletir nas quatro características dos sábados bíblicos - parar, descansar, divertir-se e contemplar. O que significará para você parar e descansar em vez de usar esse dia como mais um dia para "fazer coisas"? O importante para o meu sábado é intencionalmente não pensar na Igreja New Life Fellowship, meu local de trabalho, nem checar *e-mails* ou minha secretária eletrônica. Gaste tempo e não olhe para o relógio.

Para nós que trabalhamos aos domingos, precisamos escolher com cuidado e nos manter fiéis a outro dia da semana. Eu escolhi os sábados (na maioria das semanas) porque minhas filhas não têm aula nesse dia. Sim, meu compromisso tem um impacto significativo sobre elas e no que estou disposto a fazer! Sair da cidade de Nova Iorque para a beleza da natureza é parte importante de nossos sábados.

Confie em Deus para administrar o universo sem você. Comece a olhar para suas semanas como preparativo para o sábado! Faça a si mesmo a pergunta: "Que tipo de atividades me dão prazer e alegria? O que realmente me reconforta?". Tire uma soneca. Deleite-se em Deus. Faça algo totalmente diferente do seu trabalho. Finalmente, quando planejar suas férias para o próximo ano, aplique o princípio do sábado. Encare-a como a extensão do sábado do Senhor. Planeje, com antecedência, como você irá equilibrar os quatro itens dos sábados bíblicos - parar, descansar, divertir-se e contemplar - durante esse tempo.

Simplicidade

O principal assunto aqui é remover as distrações e permanecer livre de compromissos. *Viva tão livre de complicações o quanto possível para se concentrar ou simplesmente agradar ao Senhor* (1Coríntios 7:32, AM). Por esse motivo, nossas filhas não estão em três esportes ao mesmo tempo enquanto estudam violino. Temos o cuidado de não comprar todo produto eletrônico ou item tecnológico para nos ajudar a ganhar tempo. Em vez de quatro cartões de crédito, temos um. Em vez de preparar refeições elaboradas e ter uma casa que esteja sempre perfeitamente limpa, decidimos deixar as coisas como estão. Não estamos mais envolvidos em quinze projetos ao mesmo tempo em nosso serviço para Cristo. Fazemos menos, mas fazemos melhor do que antes. Também nos livramos da TV a cabo há vários anos e optamos pelo DVD *player*.

O princípio de dizimar - isto é, dar 10% de nossa renda - é também um importante componente da simplicidade. Ele nos ensina a abrir mão do que não é necessário e permanecer dependente de Deus como nossa segurança e fonte. Jesus mesmo ensinou que *onde estiver o teu tesouro, aí estará também o teu coração* (Mateus 6:21). Não é uma lei como era no Antigo Testamento, mas é um princípio eficaz que serve para nos manter separados do poder do dinheiro. Ele também nos força a lidar com o nosso dinheiro com mais cuidado. Temos aumentado nossa porcentagem de doação financeira a cada ano como parte de nossa Regra de vida e visto Deus operar milagre após milagre em nos suprir. Caia fora de toda dívida não saudável, frequentando um seminário sobre administração financeira.

Jogo e recreação

O importante aqui é se envolver em atividades que sejam puras e saudáveis e que inspirem vida em você. Muitos cristãos, em particular, são "deficientes de diversão". Talvez não tenhamos crescido em família ou em ambiente que incluíam jogo e recreação como parte válida da vida. Isso requer planejamento e preparo. Por exemplo, devido à falta de planejamento, muitos acabam assistindo a um filme para relaxar, só para se dar conta, depois, de que se sentem pior espiritualmente, não melhor.

Não se engane: é revolucionário desfrutar prazer saudável. Creio que esse é um tema teológico profundo sobre como vemos Deus, a vida e a criação. Por isso, toda véspera de ano-novo temos um evento divertido em nossa igreja, sem álcool, para todas as idades! E estou convencido de que a diversão é um dos dons espirituais de Geri para o corpo de Cristo. Um dos lemas dela para sua vida missionária é: "A vida pode ser difícil, por isso divirta-se sempre que puder para a glória de Deus". Lembre-se de Eclesiastes 3:4: Há *tempo de chorar e tempo de rir; tempo de prantear e tempo de dançar.*

Serviço e missão

A questão aqui é de que forma Deus está me convidando para servir-lhe neste estágio de minha jornada? De que forma posso usar tempo, talentos, recursos e dons para os outros? Que paixões e desejos Deus colocou dentro de mim? Cada igreja e cada comunidade oferecem numerosas oportunidades para servir. Isso pode também incluir trabalho voluntário para alimentar o sem-teto; amparar uma pessoa numa situação solitária e encontrar meios de incluí-la em sua vida; ou aconselhar um jovem ou novo convertido a Cristo. Sob essa categoria eu incluiria o compromisso com o pobre e o marginalizado; o rompimento de barreiras raciais, culturais e econômicas; o trabalho pela justiça e pelo meio ambiente; e as missões mundiais. Para alguns de nós, nosso desafio é fazer algo pelos outros fora de nossa zona de conforto. Para outros como eu, o assunto são limites. Como posso aceitar meus limites dados por Deus e não ir além do que ele está me pedindo para fazer?

Cuidar do corpo físico

Muitas vezes nós dispensamos pouco cuidado ao corpo que Deus nos deu. Todavia, cuidar do nosso corpo pode ser tão espiritual quanto oração ou louvor. Você poderia incluir em sua Regra de vida algum exercício físico? Quantas vezes por semana? Qual atividade? E que tal checar seus hábitos de trabalho? Sua dieta é balanceada, saudável e nutritiva? Qual é o efeito de certos alimentos em seu nível de energia? Você descansa e dorme o suficiente? A Escritura diz que o sono é um presente de Deus (v. Salmos 127:2). Qual foi a última vez que você foi ao médico para um *check-up* anual?

Que cuidados você poderia incluir em sua Regra de vida agora? Pode ser que você queira começar a prestar atenção ao seu corpo e como Deus pode estar falando a você por meio dele. Por exemplo, dor de cabeça, dor de estômago, dificuldade para dormir e a exaustão resultante podem significar que Deus o está chamando a desacelerar ou mudar de direção. Prestar atenção ao seu corpo pode ser uma forma interessante de ouvir Deus. Quando cuidamos do nosso corpo, reconhecemos a santidade de toda a vida e honramos o fato de que Deus está em nós.

Saúde emocional

A saúde emocional tem integrado minha Regra de vida há onze anos. Durante alguns deles, eu apenas prestava atenção aos meus sentimentos e os registrava para Deus algumas vezes por semana. Então eu perguntava a Deus como ele poderia me falar através deles.

Pode ser que você reconheça que há muito sofrimento não processado em seu coração devido a perdas do seu passado. Você pode querer abordar essa parte do seu plano no ano seguinte. Isso pode incluir ler, registrar, reunir-se com um amigo ou conselheiro de confiança, ou ir a um "retiro de sofrimento" pessoal. Pode também participar de um pequeno grupo que trabalhe devagar com este livro. Ou pode escolher um grupo cujo foco seja as habilidades práticas relacionais, como resolução de conflitos ou práticas saudáveis de comunicação.

O crescimento na compreensão de sua sexualidade, como solteiro ou casado, encaixa-se aí. Geri e eu continuamos a amadurecer nesse aspecto de nossa Regra de vida. De modo geral, nós lemos e frequentamos eventos ou cursos de treinamento que nos desafiam a crescer em novos aspectos. Mas, como tudo o mais, isso também requer intencionalidade.

Família

Esse elemento se aplica tanto a pessoas casadas como solteiras. O casamento, atuação como pais e nosso relacionamento com nossa família de origem, tudo é um assunto crucial de discipulado. Por exemplo, o que farei este ano para crescer no cuidado de minhas quatro filhas, três das quais são agora adolescentes? O que quero que elas aprendam antes da transição para a idade de jovens adultos? Para mim, é muito fácil me encaixar em padrões passivos. O que posso fazer para investir em nosso casamento no ano que vem? Uma das paixões de Geri é a vida ao ar livre - caminhada, acampar e desfrutar a beleza da criação de Deus. Eu estou contente numa biblioteca ou livraria. Embora eu goste do nosso momento ao ar livre juntos, preciso planejar para tomar a iniciativa.

Geri e eu somos ótimos amigos. Amamos nosso casamento. Contudo, continuamos a buscar oportunidades, separadamente e juntos, para construir nosso relacionamento. Se você é solteiro, qual é o seu plano para se relacionar com seus pais (ou padrastos), com seus irmãos? Que tipo de relacionamento você gostaria de ter com eles? Que passos você pode dar para chegar lá?

Comunidade (companheiros de viagem)

Nessa categoria em sua Regra de vida pessoal, você desejará perguntar a si mesmo de quais companheiros precisa para o próximo estágio da jornada. Se você não participa de uma igreja, por exemplo, precisará pedir a Deus direção e irá investigar lugares onde possa tanto dar como receber. De que outras redes de apoio você poderia precisar dentro ou fora de sua igreja local? Nós recomendamos que todos em nossa igreja se liguem relacionalmente através de pequenos grupos. Geri e eu dirigimos um pequeno grupo em nossa casa. Gostamos desses relacionamentos, mas eu sou o pastor deles! Por isso, no meu caso, por exemplo, eu me reúno regularmente com dois dos presbíteros de nossa igreja para conversar sobre minha vida espiritual. Tenho também um conselheiro de longa data que é mais velho e mais sábio em Deus. Embora ele more em outro estado, trocamos telefonemas e visitas ocasionais. Encontro-me também com um diretor espiritual a cada um ou dois meses. Com isso, tenho tempo para ouvir com tranquilidade uma pessoa mais experiente sobre como Deus está agindo em minha vida. Novamente, permaneça aberto e criativo para compreender como Deus pode desejar que você caminhe durante essa fase de sua jornada.

Leia novamente ou repense sua Regra de vida regularmente. Santo Agostinho a lia uma vez por semana! No mínimo, você desejará rever sua Regra de vida a cada ano.

Novamente, comece devagar, trabalhando em apenas um ou dois itens de cada vez. Esteja disposto a cometer erros, tentar novamente e aprender novas coisas. Você pode tentar esboçar uma Regra de vida para um período de quatro semanas, como o Advento ou durante a Quaresma.

Lembre-se, como escreveu Bento há 1.500 anos: "Sua maneira de agir deve ser diferente da maneira do mundo. O amor de Cristo deve vir antes de tudo". Mantenha isso em sua retentiva, e você não estará longe demais.

APLICAÇÕES MAIS AMPLAS DE UMA "REGRA DE VIDA"

O foco deste capítulo foi o desenvolvimento e a aplicação de uma Regra de vida para o seu crescimento pessoal e interior em Deus. Isso, para mim, é uma aplicação muito clara de um precioso tesouro da história da igreja, disponível a nós hoje. Seguem três outras importantes aplicações para considerarmos ao entrar no século 21:

A IGREJA LOCAL

Toda igreja tem valores, práticas e hábitos admitidos como certos. Cada uma é específica e tem sua maneira de fazer as coisas. As pessoas se unem a uma igreja e se tornam parte de sua família. De certa forma, é correto dizer que cada igreja tem uma Regra de vida. O problema é que ela é quase sempre inconsciente. O desafio é identificar e confirmar com clareza o que é. A definição fornece limites para a comunidade eclesial de uma forma segura e clara.

Então podemos convidar pessoas para seguir Cristo sob essa particular e ampla Regra de vida. Amplas categorias para uma igreja podem então incluir:

- História e dons particulares da igreja local (declaração de missão);
- Louvor;
- Preparo;
- Pequenos grupos e comunidade;
- Autoridade;
- Ceia do Senhor e batismo;
- Hospitalidade;
- Novos membros;
- O pobre e marginalizado;
- Servir à comunidade maior;
- Saúde emocional; e
- Missões mundiais.

Então, dentro da ampla Regra de nossa comunidade, nós convidamos cada membro a trabalhar continuamente nos detalhes de sua Regra de vida pessoal.

Um pequeno grupo ou grupo de tarefa

Um pequeno grupo, durante um período previamente acordado, pode se comprometer com certas práticas e hábitos para seguir Cristo. Grupos de tarefa, como equipes de louvor ou grupos de missões, frequentemente concordarão a respeito de certa Regra de vida como grupo para seguir Cristo – seja oralmente, seja por escrito.

A FAMÍLIA

Não é frequente aplicar o desenvolvimento de uma Regra de vida à família. Nós não fizemos isso, mas posso compreender como o esclarecimento do que fazemos como família pode liberar grande energia e concentração para tal. Certamente parece uma ótima ideia!

VIVA FIELMENTE A VIDA QUE DEUS DEU A VOCÊ

Deus tem um caminho diferente para cada um de nós. Minha oração ao terminarmos é que você seja fiel ao seu. É uma tragédia viver a vida de outra pessoa.

Eu sei disso. Foi o que fiz durante anos.

Eu gostaria de terminar nosso momento juntos com uma história. Carlo Caretto viveu no norte da África, entre muçulmanos, durante dez anos com a comunidade Pequenos Irmãos de Jesus. Ele escreveu que um dia estava viajando de camelo no deserto do Saara e deparou com cerca de cinquenta homens trabalhando ao sol quente para reparar uma estrada. Quando Carlo lhes ofereceu água, para sua surpresa, viu entre eles seu amigo Paul, outro membro de sua comunidade cristã.

Paul fora engenheiro em Paris, onde trabalhou em uma bomba atômica para a França. Deus o chamara para deixar tudo e tornar-se um Pequeno Irmão no norte da África. Em certo ponto, a mãe de Paul pedira ajuda a Carlo para compreender a vida de seu filho.

- Eu fiz dele um engenheiro - contou ela. - Por que ele não pode trabalhar como intelectual na igreja? Isso não seria mais útil?

Paul sentia-se contente em orar e se tornar invisível por Cristo no deserto do Saara.

Carlo então passou a se questionar: "Qual é o meu lugar na grande obra evangelizadora da igreja?". Ele respondeu à sua própria pergunta:

> Meu lugar era lá – entre os pobres. Outros teriam a tarefa de construir, alimentar, pregar [...]. O Senhor me pediu para ser um homem pobre entre os pobres, um trabalhador entre os trabalhadores. É difícil julgar os outros [...]. Mas a única verdade à qual devemos nos agarrar desesperadamente é o amor.
>
> É o amor que justifica nossas ações. O amor deve iniciar tudo o que fazemos.
>
> Se pelo amor Irmão Paul escolheu morrer numa estrada no deserto, então ele é justificado. Se pelo amor [...] outros constroem escolas e hospitais, eles são justificados. Se pelo amor [...] estudiosos gastam a vida entre livros, eles são justificados [...]. O Senhor me pediu para ser um homem pobre entre os pobres, um trabalhador entre os trabalhadores [...].
>
> Posso apenas dizer: "Viva o amor, deixe que o amor invada você. Ele nunca deixará de ensinar você o que deve fazer".[6]

Da mesma forma, que Deus lhe dê a coragem para viver fielmente sua vida inigualável em Cristo. E que o amor o invada. Ele nunca deixará de ensinar a você o que deve fazer.

Senhor, depois de ler este capítulo, eu só preciso estar contigo – durante muito tempo. Sei que em outros tempos eu me apressei e o interrompi, mas posso ver que existem muitas coisas em mim que precisam mudar. Permite que este tempo seja diferente, Senhor. Mostra-me que pequeno passo eu posso dar para começar a construir uma vida em torno de ti. Ajuda-me a prestar atenção à tua voz. Pela fé, eu obedeço, crendo que até mesmo pequenas mudanças se transformarão em ventos poderosos do Espírito Santo soprando e tomando conta de todas as áreas de minha vida. Obrigado. Em nome de Jesus. Amém.

[illegible] — de dúvida. Outro [illegible]
[illegible] [illegible]. Quando [illegible]
[illegible] sobre [illegible] pobres, que [illegible] que os
[illegible] [illegible]. [illegible] verda-
[illegible] de [illegible].

[illegible] [illegible] Cristo [illegible]
[illegible].

[illegible] [illegible] [illegible] justificado [illegible] Em outras
[illegible] habituados [illegible]
[illegible] a vida [illegible] justificados
[illegible]
[illegible] trabalho [illegible].

[illegible] ele [illegible] que levava
[illegible] de ensinar [illegible].

[illegible] [illegible] cristianismo para viver
[illegible] vida [illegible] em Cristo. [illegible] o amor [illegible]
[illegible] razão.

[illegible] [illegible] para [illegible]
[illegible] comunidade [illegible]
[illegible]
[illegible]
[illegible]
[illegible]
[illegible]
[illegible] do Espírito.

[illegible]

APÊNDICE A

A ORAÇÃO DE EXAME (ADAPTAÇÃO DO EXAME DE S. INÁCIO DE LOYOLA)

Uma clássica prática espiritual desenvolvida por Inácio de Loyola (1491-1556) é chamada de "oração de exame". É uma piedosa reflexão da sua experiência com Jesus por um específico período de tempo. O objetivo é simples: elevada consciência e atenção à presença de Deus na vida diária.

Embora normalmente seja feita ao fim de cada dia, a oração pode ser proferida em qualquer momento. Coloque-se numa posição confortável e tranquila. Lembre-se de que você está na presença de Deus, convidando o Espírito Santo para guiá-lo enquanto revê os eventos do seu dia. Repasse os eventos do seu dia (ou dos eventos do dia anterior, se for pela manhã). Imagine-se vendo seu dia num DVD em câmera acelerada com Jesus. Permita que Jesus pare o DVD em qualquer parte do dia para que você possa refletir sobre ele.

Observe os momentos em que você esteve consciente da presença de Deus, quando sentiu estar se movendo em direção a ele. Como você se sentiu quando esteve aberto e sensível à orientação de Deus? Agradeça a Deus por aqueles momentos.

Termine com uma oração pedindo graça para estar mais consciente da presença de Deus. Encerre o momento com uma oração de agradecimento por este momento com Deus.

APÊNDICE B

O OFÍCIO DIVINO (*NEW LIFE FELLOWSHIP* : MAR ÇO DE 2006)

A seguir, um ofício divino que escrevi para uso na oração matinal, do meio-dia e da noite.

Orientações para o ofício divino

- Um ofício é um momento de *parar, desacelerar, centrar* e *fazer uma pausa* para estar com Jesus. Nosso objetivo é criar uma fácil familiaridade contínua com a presença de Deus cada dia.
- Iniciar modestamente, começando com um ofício antes de tentar fazer todos eles regularmente. Caso contrário você corre o risco de ficar desencorajado e desistir por completo. Comece devagar.
- Observe o silêncio no início e no fim de cada ofício. Considere também estar em silêncio durante trinta a quarenta segundos *entre* as leituras/orações. Quando em silêncio, procure sentar-se tranquilo e reto. Respire lenta, natural e profundamente. Feche os olhos, permanecendo presente, aberto e acordado. Não se apresse! Quando estiver sozinho, se Deus o conduzir a uma pausa em certa frase ou versículo, fique com isso. Menos pode ser mais.
- Se você estiver praticando um ofício com outras pessoas, concorde que um líder dirija o ritmo. Você também pode

querer alternar entre leitura e oração. Certifique-se de ler os textos e orações em voz alta (mesmo sozinho), lentamente, em atitude de oração e meditativamente.

ORAÇÃO MATINAL

SILÊNCIO E CONCENTRAÇÃO (2-5 MINUTOS)

Descansa no SENHOR e espera nele (Salmos 37:7)

ORAÇÃO INICIAL

Ainda que um exército se acampe contra mim, meu coração não temerá; ainda que a guerra se levante contra mim, ficarei confiante.
Pedi uma coisa ao SENHOR, e a buscarei: que eu possa morar na casa do SENHOR todos os dias da minha vida, para contemplar o esplendor do SENHOR e meditar no seu templo.
Pois no dia da adversidade ele me esconderá na sua habitação; no interior do seu tabernáculo me esconderá; sobre uma rocha me elevará. (Salmos 27:3-5)

Senhor, ajuda-me neste dia a amar-te de todo o coração, com toda a minha alma, com todo o meu entendimento e com todas as minhas forças, porque este é o primeiro e maior mandamento, e também amar meu próximo como a mim mesmo. (v. Mateus 22:37-39.)

LEITURA E ORAÇÃO SOBRE O NOVO TESTAMENTO

Pai celestial, concede-me o Espírito de sabedoria e revelação para que eu possa te conhecer melhor. Que os olhos do meu coração sejam esclarecidos para que eu possa conhecer a esperança à qual me chamaste. Que eu vislumbre, pelo Espírito Santo, as riquezas de tua gloriosa herança nos santos e seu incomparável grande poder a nós, os que cremos. Que eu experimente esse poder hoje - o agir de tua poderosa força que manifestaste em Cristo quando o ressuscitaste dentre os mortos e o assentaste à tua direita nos lugares celestiais. (v. Efésios 1:17-20.)

Leitura no Antigo Testamento (Dez Mandamentos - Êxodo 20:1-17)

1. *Não terás outros deuses além de mim.*

   Senhor, eu me afasto de tudo fora de ti que compete com minha suprema afeição por ti.

2. *Não farás para ti imagem esculpida.*

   (ou seja, outra imagem para Deus).

   Ajuda-me a não te moldar de acordo com meus próprios temores e ideias, e sim a confiar e seguir-te, como Abraão, no desconhecido.

3. *Não tomarás o nome do Senhor teu Deus em vão.*

   Capacita-me a representar-te bem em toda conversa e interação.

4. *Lembra-te do dia de sábado, para o santificar.*

   Prepara-me para que eu possa descansar de todos os meus trabalhos de cada dia e separar um dia para cessar todas as ansiedades terrenas a fim de me alegrar em ti.

5. *Honra teu pai e tua mãe.*

   Ajuda-me a honrar meus pais de forma correta. Que eu me lembre que, da mesma forma que os tratar, posso ser tratado algum dia.

6. *Não matarás.*

   Que minhas interações hoje com os outros, bem como minhas palavras, produzam vida, e não morte; edifiquem, e não destruam.

7. *Não adulterarás.*

   Liberta-me para que eu tenha uma vida pura, correta e respeitosa para comigo mesmo e os outros.

8. *Não furtarás.*

   Ajuda-me a não ser ganancioso, mas compartilhar alegremente com os outros.

9. *Não dirás falso testemunho.*

   Senhor, ajuda-me a andar na verdade e evitar falsas suposições sobre outra pessoa e situações – não somente em minha própria mente, como também nas conversas com os outros.

10. *Não cobiçarás.*

    Que eu ame a ti acima de tudo porque "Teu amor é melhor que a vida".

Oração por outros/por si mesmo

Leitura devocional opcional

Conclua com silêncio (2-3 minutos)

ORAÇÃO DO MEIO-DIA

Silêncio e concentração (2-5 minutos)

Aquietai-vos e sabei que eu sou Deus. (Salmos 46:10)

Oração inicial

Ensina-nos a contar nossos dias para que alcancemos um coração sábio. Porque, aos teus olhos, mil anos são como o dia de ontem que passou, como a vigília da noite. Seja sobre nós a graça do SENHOR;

confirma sobre nós a obra das nossas mãos; sim, confirma a obra das nossas mãos. (Salmos 90:12,4,17)

Nossa esperança está no Senhor; ele é o nosso auxílio e escudo. Nosso coração se alegra nele, pois temos confiado no seu santo nome. Senhor, que o teu amor esteja sobre nós, assim como a nossa esperança está em ti. (Salmos 33:20-22)

Pai nosso que estás no céu, santificado seja o teu nome; venha o teu reino, seja feita a tua vontade, assim na terra como no céu; o pão nosso de cada dia nos dá hoje; e perdoa-nos as nossas dívidas, assim como também temos perdoado aos nosso devedores; e não nos deixes cair em tentação; mas livra-nos do mal. [*pois teus são o reino, o poder e a glória, para sempre. Amém.*] (v. Mateus 6:9-13)

Oração final

Senhor, tu dizes que "No arrependimento e no descanso está [*minha*] *salvação, na quietude e na confiança está* [*o meu*] *vigor". Ensina-me a confiar e a descansar totalmente em ti o restante deste dia. Senhor, ensina-me teu caminho, e andarei na tua verdade; prepara meu coração para temer o teu nome. Teu amor para comigo é grande* (Isaías 30:15, NVI, com destaque do autor, e Salmos 86:11,13).

Encerre com silêncio (2-3 minutos)

ORAÇÃO DA NOITE

Silêncio e concentração (2-5 minutos)

Quando estiver em sua cama, examine seu coração e fique em silêncio. (Salmos 4:4)

Oração inicial

Que a minha oração suba como incenso à tua presença, e o levantar das minhas mãos seja como o sacrifício da tarde! (Salmos 141:2)

É bom render graças ao Senhor e cantar louvores ao teu nome, ó Altíssimo, proclamar teu amor pela manhã, e à noite, tua fidelidade. (Salmos 92:1,2)

Espero no Senhor, minha alma o espera; em sua palavra eu espero. Espero pelo Senhor mais do que os guardas pelo amanhecer, sim, mais do que os guardas esperam pela manhã! Ó Israel, coloca a esperança no Senhor! Pois no Senhor há amor fiel. (Salmos 130:5-7)

Leitura do Novo Testamento (Bem-aventuranças)

Bem-aventurados os pobres em espírito, pois deles é o reino do céu (Mateus 5:3).

Deus, tem misericórdia de mim, pecador. Ajuda-me a aceitar meu quebrantamento, minha nulidade e carência de ti.

Bem-aventurados os que choram, pois serão consolados (Mateus 5:4).

Senhor, ajuda-me a não fingir, mas a aceitar minha vulnerabilidade, humanidade e meus limites.

Bem-aventurados os humildes, pois herdarão a terra (Mateus 5:5).

Senhor, concede-me graça para confiar em ti e desistir de minha defesa, a ser acessível, bom, misericordioso e corretamente positivo.

Bem-aventurados os que têm fome e sede de justiça, pois serão saciados (Mateus 5:6).

Ajuda-me a te amar acima de tudo. Purifica a minha alma de todas as rebeldias, de afeições e hábitos que estejam contaminados.

Bem-aventurados os misericordiosos, pois alcançarão misericórdia (Mateus 5:7).

Dá-me capacidade para perdoar generosa e sistematicamente como tu, Senhor, me perdoas.

Bem-aventurados os limpos de coração, pois verão a Deus (Mateus 5:8).

Senhor, eu peço um coração puro (limpo, organizado). Eu desejo ver tua face, para que não haja nada entre ti e mim.

Bem-aventurados os pacificadores, pois serão chamados filhos de Deus (Mateus 5:9).

Senhor, enche-me de coragem para romper com a falsa paz em torno de mim quando necessário. Dá-me sabedoria e prudência para ser um verdadeiro pacificador.

Bem-aventurados os perseguidos por causa da justiça, pois deles é o reino do céu (Mateus 5:10).

Senhor, enche-me de coragem para falar e viver a verdade, mesmo quando não seja apreciada nem conveniente.

Leitura do Antigo Testamento

Ó Deus, compadece-te de mim, segundo teu amor; apaga minhas transgressões, por tuas grandes misericórdias. Ó Deus, cria em mim um coração puro e renova em mim um espírito inabalável. Restitui-me a alegria da tua salvação e sustenta-me com um espírito obediente. (Salmos 51:1,10,12)

Oração final

Deus todo-poderoso, nosso Pai celestial, pequei contra ti por minha própria culpa, em pensamentos, palavras e ações, e por deixar de fazer o bem. Por amor do teu Filho Jesus Cristo, perdoa-me todo o passado e, na unidade do Espírito Santo, concede que eu te sirva com a vida renovada, para a glória do teu nome. Amém. (*Livro de oração comum*)

Oração pelos outros/por si mesmo

Leitura devocional opcional

Oração final

Que o Senhor onipotente me conceda e aos que eu amo uma noite tranquila e um fim perfeito. (*Livro de oração comum*)

Termine com silêncio (2-3 minutos)

NOTAS

INTRODUÇÃO

[1] SCAZZERO, Peter. *The Emotionally Healthy Church* [A igreja emocionalmente saudável]. Grand Rapids: Zondervan, 2003.

[2] KAVANAUGH, Kieran. org. *John of the Cross: Selected Writings* [João da Cruz: textos selecionados], *Classics of Western Spirituality* [Clássicos da Espiritualidade Ocidental]. Mahwah, NJ: Paulist Press, 1987, p. 292.

CAPÍTULO 1

[1] JAMIESON, Alan. *A Churchless Faith: Faith Journeys Beyond the Churches* [Uma igreja sem fé: jornadas de fé pelas igrejas]. Great Britain: Society for Promoting Christian Knowledge, 2002.

[2] Para um relato mais completo de minha história, v. os capítulos 1 e 3 de Peter Scazzero. *The Emotionally Healthy Church* [A igreja emocionalmente saudável]. Grand Rapids: Zondervan, 2003.

CAPITULO 2

[1] BRIGHT, Bill. *The Four Spiritual Laws* [As quatro leis espirituais]. New Life Publications, 1995, p. 12.

[2] MERTON, Thomas. *Thoughts in Solitude.* Boston: Shambhala Publications, 1956, p. 13.

[3] Citado em SIDER, Ron. *The Scandal of the Evangelical Conscience: Why Are Christians Living Just Like the Rest of the World?* [O escândalo da consciência evangélica: por que os cristãos estão vivendo como o mundo?]. Grand Rapids: Baker Books, 2005, p. 13.

[4] Ibid., p. 17-27.

[5] Ibid., p. 28-29.

[6] PALMER, Parker. *Let Your Life Speak: Listening for the Voice of Vocation* [Que sua vida fale por si: ouvindo a voz da vocação]. San Francisco: Jossey-Bass, 2000, p. 30-31.

[7] Citado em WILLIAMS, Rowan. *Where God Happens: Discovering Christ in One Another* [Onde Deus acontece: descobrindo Cristo no outro]. Boston: Shambhala Publications, 2005, p. 14.

CAPÍTULO 3

[1] BAUCKHAM, Richard. *The Theology of the Book of Revelation* [A teologia do livro de Apocalipse]. Cambridge: Cambridge University Press, 1993. Pregar no livro de Apocalipse na New Life Fellowship, em 2002-2003, fez-me compreender melhor a igreja, seu chamado e as forças demoníacas e culturais que confrontam os Estados Unidos. Para solicitar um exemplar desses sermões, acesse <www.emotionallyhealthychurch.com>.

[2] GUINNESS, Os. *O chamado.* São Paulo: Cultura Cristã, 2001.

[3] LUTERO, Martinho. *Commentary on Galatians* [Comentário de Gálatas]. Grand Rapids: Revell, 1994.

[4] Definir e medir a saúde ou a inteligência emocional é um campo gigantesco, com ampla gama de opiniões. Além de minhas próprias reflexões, tenho colhido de fontes como Lori Gordon, *PAIRS Semester Course,* PAIRS

International, programa de orientação para treinadores, p. 437; Joseph Ciarrochi, Joseph P. Forgas e John Mayer, orgs. *Emotional Intelligence in Everyday Life: A Scientific Inquiry* [Inteligência emocional na vida cotidiana: uma pesquisa científica]. New York: Psychology Press, 2001; e Cary Cherniss e Daniel Goleman, orgs. *The Emotionally Intelligence Workplace: How to Select for, Measure, and Improve Emotional Intelligence in Individuals, Groups and Organizations* [A inteligência emocional nos locais de trabalho: como buscar, medir e melhorar a inteligência emocional em indivíduos, grupos e organizações]. San Francisco: Jossey-Bass, 2001. Um recurso secular muito acessível é Cary Cherniss e Mitchel Adler. *Promoting Emotional Intelligence in Organizations: Make Training in Emotional Intelligence Effective* [Promovendo a inteligência emocional em organizações: torne efetivo o treinamento em inteligência emocional]. Alexandria, VA: The American Society for Training and Development, 2000.

[5] Para uma breve, porém útil, descrição da corrente contemplativa na história da igreja, v. Richard Foster, *Rios de água viva*. São Paulo: Editora Vida, 2008. V. tb. Tony Jones. *The Sacred Way: Spiritual Practices for Everyday Life* [O caminho santo: práticas espirituais para a vida diária]. Grand Rapids: Zondervan, 2005; Joan Chittister. *Wisdom Distilled from the Daily: Living the Rule of St. Benedict Today* [Sabedoria destilada do cotidiano: vivendo a Regra de São Bento hoje]. San Francisco: HarperSanFrancisco, 1990; Daniel Wolpert. *Creating a Life with God: The Call of Ancient Prayer Practices* [Criando uma vida com Deus: chamado para antigas práticas de oração]. Nashville: Upper Room Books, 2003; e Robert E. Webber, *Ancient-Future Time: Forming Spirituality Through the Christian Year* [Tempo antigo e futuro: formando a espiritualidade no ano cristão]. Grand Rapids: Baker Books, 2004.

[6] Sou grato a Jay Feld pelo diagrama inicial, que foi em seguida expandido para sua forma atual.

[7] Citado em Bebbington, David W. *The Dominance of Evangelicalism: The Age of Spurgeon and Moody* [A dominância do evangelicalismo: a era de

Spurgeon e Moody]. Downers Grove, IL: Intervarsity Press, 2005, p. 35-40.

[8] Merton, Thomas. *New Seeds of Contemplation* [Novas sementes de contemplação]. New York: New Directions, 1987, p. 14.

[9] Cf. o cap. 8, intitulado *Receba o dom de limites*, em Scazzero, *The Emotionally Healthy Church* [A igreja emocionalmente saudável].

[10] Fui exposto à ideia da crença nos roteiros negativo e positivo a partir da obra de Virginia Satir. Uma obra acessível sobre ela é Sharon Loeschen. *The Satir Process: Practical Skills for Therapists* [O processo Satir: habilidades práticas para terapeutas]. Fountain Valley, Califórnia, 2002, p. 105-107; e Virginia Satir, *Your Many Faces: The First Step to Being Loved* [Suas muitas faces: o primeiro passo para ser amado]. Berkeley, Califórnia: Celestial Arts, 1978, p. 25-26. Sou grato também pelos ricos conhecimentos e pela obra encontrada em Lori Gordon, *PAIRS Semester Handbook: The Practical Application of Intimate Relationship Skills* [Manual do semestre PAIRS: aplicação prática de habilidades relacionais]. Weston, FL: The Pairs Foundation, 2003, p. 2-310.

[11] Thibodeaux, Mark E. *Armchair Mystic: Easing Into Contemplative Prayer* [O místico amador: iniciando a oração contemplativa]. Cincinnati, OH: St. Anthony Messenger Press, 2001, cap. 2.

[12] Manning, Brennan. *A implacável ternura de Jesus*. São Paulo: Naós, 2010.

[13] Merton, Thomas. *A sabedoria do deserto*. São Paulo: Martins Fontes, 2004.

CAPÍTULO 4

[1] V. <http://www.soul-guidance.com/houseofthesun/eckhart.htm>.

[2] Calvino, João. *Institutas da religião cristã*, vol. 1. Grand Rapids: Eerdmans Publishing Company, 1957, p. 37.

[3] Goleman, Daniel. *Inteligência emocional: a teoria revolucionária*. Rio de Janeiro: Objetiva, 1996.

[4] Para importante introdução aos ensinos de Inácio sobre discernimento e nossas emoções, v. Thomas H. Green. *Weeds Among the Wheat: Discernment: Where Prayer and Action Meet* [Ervas daninhas em meio

ao trigo: discernimento, o encontro entre oração e ação]. Notre Dame: Ave Maria Press, 1984. V. tb. a série de sermões *Discovering the Will of God* [Descobrindo a vontade de Deus] disponível em <www.emotionallyhealthychurch.com>.

[5] ALLENDER, Dan e LONGMAN III. Tremper. *The Cry of the Soul* [O grito da alma]. Dallas: Word, 1994, p. 24-25.

[6] Citado em FINLEY, James. *Merton's Palace of Nowhere: A Search for God Through Awareness of the True Self* [O palácio de lugar nenhum de Merton: buscar a Deus através da consciência do verdadeiro eu]. Notre Dame: Ave Maria Press, 1978, p. 54.

[7] PECK, M. Scott. *A World Waiting to be Born: Civility Rediscovered* [Um mundo esperando por nascer: civilidade redescoberta]. New York: Bantam Books, 1993, p. 112-113.

[8] CRAMER, Richard Ben. Joe DiMaggio: *The Hero's Life* [Joe DiMaggio: a vida do herói]. New York: Simon and Schuster, 2000, p. 519.

[9] *Leadership* [Liderança] (Verão 2002), p. 52-53.

[10] MULHOLLAND JR. M. Robert. *The Deeper Journey: The Spirituality of Discovering Your True Self* [A jornada mais profunda: a espiritualidade da descoberta de seu verdadeiro ego.] Downers Grove, IL: InterVarsity Press, 2006. Cf. os 2 e 3 para uma análise detalhada dessas consequências.

[11] Estou usando as palavras "verdadeiro ego" de forma similar a M. Robert Mulholland Jr. (v. nota anterior). Na nota de rodapé do cap. 2 de *The Deeper Journey* [A jornada mais profunda], Mulholland afirma: Ego é aqui usado não no sentido contemporâneo do "ego" psicológico, termo implicitamente reducionista, mas no sentido bíblico mais amplo da personalidade enquadrada no contexto de uma vida vivida em relacionamento com Deus, em comunhão com outros e como parte da criação.

[12] KERR, Michael e BOWEN, Murray. *Family Evaluation: The Role of the Family as an Emotional Unit That Governs Individual Behavior and Development* [Avaliação da família: a função da família como uma unidade emocional que governa o comportamento e o desenvolvimento individual]. New York: Norton Press, 1988, p. 97-109.

[13] MERTON, *New Seeds of Contemplation* [Novas sementes de contemplação], p. 35.

[14] PALMER, Parker. *A Hidden Wholeness: The Journey Toward an Undivided Life* [O todo oculto: jornada por uma vida não dividida]. San Francisco: Jossey--Bass, 2004, p. 80-84.

[15] Ibid., p. 114-115.

[16] WARD, Benedicta, trad. *The Sayings of the Desert Fathers* [Ditados dos Pais do deserto]. Kalamazoo, MI: Cistercian Study Series, 1975, p. 139.

[17] BONHOEFFER, Dietrich. *Life Together* [Vida em comunhão]. New York: Harper Collins, 1954, p. 78.

[18] PALMER, *A Hidden Wholeness* [O todo oculto], p. 57.

[19] CASSIANO, João. *The Conferences* [Conferências]. Trad. Boniface Ramsey. Mahwah, NJ: Paulist Press, 1997, p. 87-89.

[20] BARKS, Coleman, trad. *The Illuminated Rumi* [Rumi iluminado]. New York: Doubleday, 1997, p. 80.

[21] O material de Bowen está resumido em LERNER, Harriet. *The Dance of Anger: A Woman's Guide to Changing the Pattern of Intimate Relationships* [A dança da ira: guia da mulher para mudanças no padrão relacional]. New York: Harper and Row, 1985, p. 34.

[22] YEAGER, Chuck e JANOS, Leo. *Yeager: An Autobiography* [Yeager, uma autobiografia]. New York: Bantam Books, 1985, p. 154.

[23] Ibid., p. 165.

[24] MERTON, Thomas. *Ascensão para a verdade.* Belo Horizonte, Itatiaia, 1958.

CAPÍTULO 5

[1] HARRIS, Judith Rich. *The Nurture Assumption: Why Children Turn Out the Way They Do* [A suposição da criação: por que as crianças são o que são]. New York: Touchstone, 1998. Os defensores da "educação" argumentam que o que as crianças aprendem nos primeiros anos sobre relacionamentos e regras para a vida fixa os padrões para o restante da vida. Os defensores da "educação" olham para fatores genéticos e biológicos. Judith Harris argumenta que não é nenhum dos dois. Em vez disso,

ela afirma que nossos grupos de colegas da infância e adolescência moldam nosso comportamento e atitudes para vida toda.

[2] CLAPP, Rodney. *Families at the Crossroads: Beyond Traditional and Modern Options* [Famílias na encruzilhada: além das opções tradicionais e modernas]. Downers Grove, IL: InterVarsity Press, 1993; e Ray Anderson e Dennis Guernsey, *On Being Family: A Social Theology of the Family* [Uma teologia social da família]. Grand Rapids: Eerdmans, 1985, p. 158.

[3] Para uma excelente explanação e descrição dos cinco níveis do sistema Castor de classificação das famílias, v. SCARF, Maggie. *IntimateWorlds: Life Inside the Family* [Mundos próximos: a vida em família], New York: Random House, 1995.

CAPÍTULO 6

[1] HAGBERG, Janet O. e GUELICH, Robert A. *The Critical Journey: Stages in the Life of Faith* [A jornada crítica: estágios na vida de fé]. Salem, WI: Sheffield Publishing Company, 2005.

[2] Ibid., 9.

[3] MERTON, *The Ascent to Truth* [Ascensão para a verdade], p. 188-189.

[4] Para um resumo claro e conciso do objetivo de Deus para o destino da nossa jornada, v. BENNER, David G. *Sacred Companions: The Gift of Spiritual Friendship and Direction* [Companheiros santos: o dom da amizade e da orientação espiritual]. Downers Grove, IL: InterVarsity Press, 2002. Para uma série de sermões que preguei sobre "Viajando além do muro", acesse <www.emotionallyhealthychurch.com>.

[5] DA CRUZ, S. JOÃO. *Noite escura.* Petrópolis: Vozes, 2011.

[6] Ibid., p. 36-90.

[7] MAY, Gerald G. *The Dark Night of the Soul: A Psychiatrist Explores the Connection Between Darkness and Spiritual Growth* [A noite escura da alma: um psiquiatra explora a conexão entre trevas e crescimento espiritual]. New York: HarperCollins, 2004, p. 90.

[8] DA CRUZ, S. JOÃO, *Noite escura.*

[9] Este é o ensino-chave de Tiago 1:3,4, quando ele escreve sobre regozijar-se nas tribulações: *Sabendo que a prova da vossa fé produz perseverança; e a perseverança deve ter ação perfeita, para que sejais aperfeiçoados e completos, sem vos faltar coisa alguma.* A palavra grega traduzida por *sem vos faltar coisa alguma* traz em si a ideia de Deus transmitindo ou infundindo algo de seu caráter em nós pelo processo de dificuldades e provações.

[10] DA CRUZ, S. JOÃO, *Noite escura.*

[11] BARTH, Karl. *Church Dogmatics* [Dogmática da igreja], vol. 3. *The Doctrine of Reconciliation: Part One* [A doutrina da reconciliação: parte um]. Edimburgo: T. & T. Clark, 1956, p. 231-234.

[12] CHESTERTON, G. K. *São Francisco de Assis e São Tomás de Aquino.* Rio de Janeiro: Ediouro, 2003.

[13] BACOVCIN, Helen. *The way of a Pilgrim and the Pilgrim Continues His Way.* New York: Doubleday, 1978.

[14] MERTON, *The Ascent of Truth* [A ascensão da verdade].

[15] Adaptado de BARRON, Robert. *And Now I See: A Theology of Transformation* [Agora vejo: uma teologia de transformação]. New York: Crossroad Publishing, 1998, p. 148.

[16] MULLER, Wayne. *Sabbath: Finding Rest, Renewal, and Delight in Our Busy Lives* [Sábado: encontrando descanso, renovo e deleite em nossa vida ocupada]. New York: Bantam, 1999, p. 187-188.

[17] FERGUSON, Everett e MALHERBE, Abraham J, trad., introdução e notas. *Gregory of Nyssa: The Life of Moses* [Gregório de Nissa: a vida de Moisés]. New York: Paulist Press, 1978, p. 94-97.

[18] Cf. CHESTERTON, G. K. *São Francisco de Assis e São Tomás de Aquino.* Rio de Janeiro: Ediouro, 2003, junto com <http://en.wikipedia.org/wiki/Thomas_Aquinas>.

[19] PENNINGTON, Basil. *Thomas Merton, Brother Monk: The Quest for True Freedom* [Thomas Merton, irmão monge: a busca da verdadeira liberdade]. New York: Continuum Publishing, 1997, p. 15-16.

[20] Rohr, Richard. *Adam's Return: The Five Promises of Male Initiation* [O retorno de Adão: as cinco promessas da iniciação masculina]. New York: Crossroad Publishing, 2004.

[21] Ibid., p. 152-166.

[22] Merton, *New Seeds* [Novas sementes], p. 203.

CAPÍTULO 7

[1] Hartley, John E. *The Book of Job: The New International Commentary on the Old Testament* [O livro de Jó: Novo Comentário Internacional do Novo Testamento]. Grand Rapids: Eerdmans, 1988, p. 82-83.

[2] Walsh, Froma e McGoldrick, Monica, orgs. *Living Beyond Loss: Death in the Family* [Vivendo para além da perda: morte na família]. New York: W. W. Norton & Company, 1991, p. 105-106.

[3] Sittser, Gerald L. *A Grace Disguised: How the Soul Grows Through Loss* [Uma graça disfarçada: como a alma cresce nas perdas]. Grand Rapids: Zondervan, 1995, p. 33-34.

[4] Para uma lista parcial, v. Loder, James E. *The Logic of the Spirit: Human Development in Theological Perspective* [A lógica do espírito: desenvolvimento humano na perspectiva teológica]. San Francisco: Jossey-Bass Publishers, 1998, p. 183-184.

[5] Carney, Sheila. *God Damn God: A Reflection on Expressing Anger in Prayer* [Deus, maldito Deus: uma reflexão na ira expressa em oração]. Biblical Theology Bulletin, 13, nº 4 (outubro 1983), p. 116.

[6] Gordon, Lori com Frandsen, John. *Passage to Intimacy* [Passagem para a intimidade] (autopublicado, ed. revisada, 2000), p. 40. Sou grato à PAIRS por essa observação.

[7] Moore, Robert e Gillette, Douglas. *King, Warrior, Magician, Lover: Rediscovering the Achetipes of the Mature Masculine* [Rei, guerreiro, mago, amante: redescobrindo os arquétipos da masculinidade madura]. San Francisco: HarperCollins, 1990, p. 23-47.

[8] Fry, Timothy, org. *RB 1980: The Rule of St. Benedict in English* [RB 1980: A Regra de São Bento em inglês]. Collegeville, MN, 1981, p. 32-38.

[9] Para uma explanação mais completa da distinção entre uma vida de oração caracterizada pelo "Me dá, me dá, me dá" e uma vida de oração que seja relacional, v. Larry Crabb, *Em nome do Pai*. São Paulo: Mundo Cristão, 2008.

CAPÍTULO 8

[1] Para um exemplo, v. <http://www.lambtononline.com/winter_storms>.

[2] V. o excelente livro de SWENSON, Richard. *Margin: How to Create the Emotional, Physical, Financial, and Time Reserves You Need* [Margem: como criar as reservas emocionais, físicas, financeiras e de tempo das quais você precisa]. Colorado Springs: NavPress, 1992.

[3] Estão disponíveis inúmeras boas fontes sobre disciplinas espirituais. CALHOUN, Adele Ahlberg. *Spiritual Disciplines Handbook: Practices That Transform Us* [Manual das disciplinas espirituais: práticas que nos transformam]. Downers Grove, Il: InterVarsity Press, 2005; Tony Jones, *The Sacred Way: Spiritual Practices for Everyday Life* [O caminho santo: práticas espirituais para a vida cotidiana]. Grand Rapids: Zondervan, 2005; e, claro, o clássico de Richard Foster, *Celebração da disciplina*. São Paulo: Editora Vida, 2007.

[4] BARRON, Robert, *And Now I See* [Agora vejo], p. 37. Sou grato a Barron pela observação de que o núcleo do pecado original é buscar resolver as coisas por conta própria.

[5] Ibid., p. 38.

[6] LODER, James. *The Logic of the Spirit: Human Development in Theological Perspective* [A lógica do espírito: o desenvolvimento humano em perspectiva teológica]. San Francisco: Jossey-Bass Publishers, 1998.

[7] TICKLE, Phyllis. *The Divine Hours: Prayers for Autumn and Wintertime* [As horas divinas: orações para o outono e o inverno]. New York: Doubleday, 2000, xii.

[8] FRY, Timothy, *RB 1980*, p. 65

[9] Uma série de três volumes de fácil leitura e acessível para o "ofício divino" é Phyllis Tickle. *The Divine Hours: Prayers for Autumn and Wintertime: A*

Manual for Prayer [As horas divinas: orações para o outono e o inverno: um manual de oração]. New York: Doubleday, 2001. *The Divine Hours: Prayers for Springtime: A Manual for Prayer* [As horas divinas: orações para a primavera: um manual de oração]. New York: Doubleday, 2000. Conheço muitas pessoas que usam também Norman Shawchuck e Rueben P. Job. *A Guide to Prayer for All Who Seek God* [Manual de oração para todos os que buscam Deus]. Nashville: Upper Room Publishing, 2003 e The Northumbria Community. *Celtic Daily Prayer* [Oração celta diária]. San Francisco: HarperCollins, 2002. Também gosto de seguir as leituras dos salmos como apresentadas nas meditações do *Livro de oração comum*.

[10] Finley, James. *Christian Meditation: Experiencing the Presence of God* [Meditação cristã: experimentando a presença de Deus]. Great Britain: Society for Promoting Christian Knowledge, 2004, caps. 8–12.

[11] Nouwen, Henri. *Tudo se fez novo*. Brasília: Palavra, 2007.

[12] Para uma ótima introdução a outras abordagens, você pode integrar a seu "ofício divino": Jones, Tony. *The Sacred Way: Spiritual Practices for Everyday Life* [O caminho santo: práticas espirituais para a vida cotidiana]. Grand Rapids: Zondervan, 2005.

[13] Esse "ofício divino" é baseado numa série de sermões nos Dez Mandamentos e nas Bem-aventuranças que eu preguei na Igreja New Life Fellowship. Eles estão disponíveis em <www.emotionallyhealthychurch.com>.

[14] Para um excelente estudo sobre a palavra *santo*, v. Sproul, R. C. *A santidade de Deus*. São Paulo: Cultura Cristã, 1997.

[15] Isso vem do teólogo católico Leonard Doohan. É citado num excelente livro sobre o sábado: Baab, Lynne M. *Sabbat Keeping: Finding Freedom in the Rhythms of Rest* [Guardar o sábado: encontrando liberdade nos ritmos do descanso]. Downers Grove: IL: InterVarsity Press, 2005, p. 20.

[16] Peterson, Eugene. *Christ Plays in Ten Thousand Places: A Conversation in Spiritual Theology* [Cristo joga em dez mil lugares: uma conversa sobre teologia espiritual]. Grand Rapids: Eerdmans, 2005, p. 116-118.

[17] PETERSON, Eugene. *Working the Angles: The Shape of Pastoral Integrity* [Trabalhando os ângulos: formato da integridade pastoral]. Grand Rapids: Eerdmans, 1987, p. 46.

[18] DAWN, Marva. *Keeping the Sabbat Wholly: Ceasing, Resting, Embracing, Feasting* [Guardando todo o sábado: parar, descansar, abraçar, festejar]. Grand Rapids: Eerdmans, 1989, p. 65-66.

[19] Citado em BERRY, Wendell. *Life is a Miracle: An Essay Against Modern Superstition* [A vida é um milagre: ensaio contra a superstição moderna]. Washington, D.C.: Counterpoint, 2000, p. 115.

[20] EDWARDS, Tilden. *Sabbath Time* [Tempo do sábado]. Nashville: Upper Room Books, 1992, p. 66.

[21] TAN, Dr. Siang-Yang, *Rest: Experiencing God's Peace in a Restless World* [Experimentando a paz de Deus em um mundo incansável]. Ann Arbor, MI: Servant Publications, 2000, p. 101-104.

[22] Preguei a quarta parte de uma série de cada um desses componentes de sábados bíblicos. Eles estão disponíveis em <www.emotionallyhealthychurch.com>.

[23] A cada cinquenta anos, eles deveriam separar dois anos sabáticos, acrescentando a um ano um segundo chamado ano do jubileu (v. Levítico 25:8-55). Mais uma vez, Deus sabia que o povo teria medo de dar tal passo de fé. Por isso ele prometeu que proveria colheita suficiente no quadragésimo nono ano para que eles pudessem comer durante três anos completos! Você pode imaginar?

[24] MERTON, Thomas. *Conjectures of a Guilty Bystander* [Reflexões de um espectador culpado]. New York: Doubleday, 1968, p. 86.

CAPÍTULO 9

[1] *Sojourners* [Visitante] (Julho 2004), <http.www.sojo.net/index.cfmaction--magazine.article&issue=sojo4070&article=040723>.

[2] COLEMAN, Robert. *The Master Plan of Evangelism* [O plano mestre de evangelismo]. Grand Rapids: Revell, 1963.

[3] MERTON, *Conjectures of a Guilty Bystander* [Reflexões de um espectador culpado], p. 156-158.

[4] Para uma descrição completa de bebês, crianças, adolescentes e adultos emocionais, v. SCAZZERO, *The Emotionally Healthy Church* [A igreja emocionalmente saudável], p. 66.

[5] Li pela primeira vez a expressão "praticar a presença das pessoas" em MASON, Mike. *Practicing the Presence of People: How We Learn to Love* [Praticar a presença das pessoas: como aprendemos a amar]. Colorado Springs: WaterBrook Press, 1999.

[6] VANIER, Jean. *Becoming Human* [Tornando-se humano]. Mahwah, NJ: Paulist Press, 1998, p. 22.

[7] PECK, M. Scott. *A World Waiting to Be Born: Civility Rediscovered* [Um mundo esperando por nascer: civilidade redescoberta]. New York: Bantam Books, 1993, p. 108, 112.

[8] BUBER, Martin. *Eu e tu*. São Paulo: Centauro, 1974.

[9] ALIGHIERI, Dante. *A divina comédia*. São Paulo: Editora 34, 1999.

[10] LEWIS, C. S. *O grande abismo*. São Paulo: Editora Vida, 2006.

[11] KRAMER, Kenneth Paul com GAWLICK, Mechthild. *Martin Buber's I and Thou: Practicing Living Dialogue* [Eu e tu de Martin Buber: praticando o diálogo vivo]. Mahwah, NJ: Paulist Press, 2003, p. 24.

[12] Têm sido feitas pesquisas sobre como podem ser efetuadas mudanças permanentes nas redes neurais tirando-se a atenção dos comportamentos negativos e colocando-a nos comportamentos positivos. Para um interessante estudo, v. SCHWARTZ, Jeffrey M. e BEGLEY, Sharon. *The Mind and the Brain: Neuroplasticity and the Power of Mental Force* [A mente e o cérebro: neuroplasticidade e o poder da força da mente]. New York: Regan Books, HarperCollins, 2002.

[13] ENNIS, Pat. *The Third Option: Ministry to Hurting Marriages* [A terceira opção: ministério de casamentos infelizes], Topic nº 1, *Respect*, p. 1-17.

[14] Aprendi essa ferramenta com Gordon, Lori. *PAIRS: Semester Course Handbook* [PAIRS: manual do curso semestral]. Weston, FL: PAIRS Foundation, 2003.

[15] Ennis, Pat. *The Third Option: Ministry to Hurting Marriages* [A terceira opção: ministério de casamentos infelizes]. Teachers Manual, Topic nº 3, *Expectations*, p. 1-9.

[16] Gordon, Lori. com Frandsen, John. *Passage to Intimacy* [Passagem para a intimidade], p. 245-246.

CAPÍTULO 10

[1] Tomaine, Jane. *St. Benedict's Toolbox: The Nuts and Bolts of Everyday Benedictine Living* [A caixa de ferramentas de São Bento: as porcas e os parafusos do cotidiano beneditino]. Harrisburg: Morehouse Publishing, 2005, p. 5.

[2] Doherty, Catherine. *Poustinia: Encontering God in Silence, Solitude and Prayer* [*Poustinia*: encontrando Deus no silêncio, na solidão e na oração]. Ontário, Canadá: Madonna House Publications, 1993, p. 70.

[3] Fry, *Rule of St. Benedict* [Regra de São Bento], prólogo, p. 45, 48-49.

[4] Willard, Dallas. *The Spirit of the Disciplines: Understanding How God Changes Lives* [O espírito das disciplinas: compreendendo como Deus muda vidas]. San Francisco: HarperCollins, 1988, p. 63.

[5] Wolpert, Daniel. *Creating a Life with God: The Call of Ancient Prayer Practices* [Criando uma vida com Deus: o chamado para as antigas práticas de oração]. Nashville: Upper Room Books, 2003, p. 138-147.

[6] Caretto, Carlo. *Letters from the Desert* [Cartas do deserto], edição de aniversário. Maryknoll, NY: Orbis Books, 1972, 2002, p. 108, 100, 23.